Dinh   +5

manuel de l'élève volume **2**

Sciences naturelles

VISI**O**NS

MATHÉMATIQUE

2ᵉ année du 2ᵉ cycle du secondaire

Jean-François Cardin

Jean-Claude Hamel

Antoine Ledoux

Steeve Lemay

LES ÉDITIONS CEC

Une compagnie de Quebecor Media

9001, boul. Louis-H.-La Fontaine, Anjou (Québec) Canada H1J 2C5

Téléphone : 514-351-6010 • Télécopieur : 514-351-3534

Direction de l'édition
Véronique Lacroix
Ginette Sabourin

Direction de la production
Danielle Latendresse

Direction de la coordination
Rodolphe Courcy

Charge de projet
Julie Provost

Correction d'épreuves
Viviane Deraspe

Conception et réalisation
Dessine-moi un mouton

Illustrations techniques
Stéphan Vallières

Illustrations d'ambiance
Yves Boudreau

Cartes géographiques
Les studios Artifisme

Recherche iconographique
Jean-François Beaudette

Les auteurs et l'éditeur remercient les personnes suivantes qui ont participé à l'élaboration du projet.

Consultation scientifique
Matthieu Dufour, professeur, Université du Québec à Montréal

Consultation pédagogique
Richard Cadieux, enseignant, école Jean-Baptiste-Meilleur, c.s. des Affluents
André Coulombe, enseignant, Collège St-Jean-Vianney
Teodora Nadu, enseignante, école Jeanne-Mance, c.s. de Montréal
Mélanie Tremblay, professeure, Université du Québec à Rimouski, Campus de Lévis, et enseignante, école secondaire Les Compagnons-de-Cartier, c.s. des Découvreurs

Dans cet ouvrage, la féminisation des titres de fonctions et des textes s'appuie sur des règles d'écriture proposées par l'Office de la langue française dans le guide *Au féminin,* Les Publications du Québec, 1991.

Les Éditions CEC inc. remercient le gouvernement du Québec de l'aide financière accordée à l'édition de cet ouvrage par l'entremise du Programme de crédit d'impôt pour l'édition de livres, administré par la SODEC.

Visions, Sciences naturelles, manuel de l'élève, volume 2
2e année du 2e cycle du secondaire
© 2009, Les Éditions CEC inc.
9001, boul. Louis-H.-La Fontaine
Anjou (Québec) H1J 2C5

Dépôt légal : 2009
Bibliothèque et Archives nationales du Québec
Bibliothèque et Archives Canada

ISBN 978-2-7617-2604-7

Imprimé au Canada
1   2   3   4   5   13   12   11   10   09

TABLE DES MATIÈRES

volume 2

VISI⑤N

VISI⑥N

VISI⑦N

Ce manuel comporte quatre *Visions*. Chaque *Vision* propose diverses *situations d'apprentissage et d'évaluation* (*SAÉ*), des *sections* et les *rubriques* «Chronique du passé», «Le monde du travail» et «Vue d'ensemble». Le manuel se termine par un «Album».

LA RÉVISION

La «Révision» permet de réactiver des connaissances et des stratégies qui seront fréquemment utilisées dans la *Vision*. Cette rubrique comporte une ou deux activités de réactivation de connaissances antérieures, des «Savoirs en rappel» qui présentent un résumé des éléments théoriques réactivés et une «Mise à jour» constituée d'exercices de renforcement sur les notions réactivées.

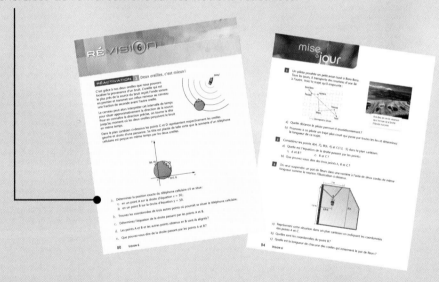

LES SECTIONS

Une *Vision* est divisée en sections, chacune commençant par un problème et quelques activités suivis des rubriques «Technomath», «Savoirs» et «Mise au point». Chaque section, associée à une SAÉ, contribue au développement des compétences disciplinaires et transversales ainsi qu'à l'appropriation des notions mathématiques qui sous-tendent le développement de ces mêmes compétences.

Problème

La première page de la section présente un problème déclencheur comportant une seule question. La résolution de ce problème nécessite le recours à plusieurs compétences et à différentes stratégies, et mobilise des connaissances.

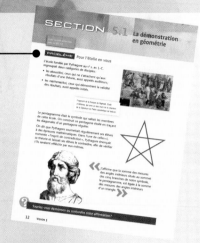

Activité

Les activités contribuent au développement des compétences disciplinaires et transversales, nécessitent le recours à différentes stratégies, mobilisent diverses connaissances et favorisent la compréhension des notions mathématiques. Elles peuvent prendre plusieurs formes : questionnaire, manipulation de matériel, construction, jeu, intrigue, simulation, texte historique, etc.

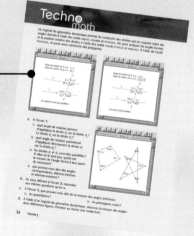

Technomath

La rubrique « Technomath » permet d'exploiter des outils technologiques tels qu'une calculatrice graphique, un logiciel de géométrie dynamique ou un tableur en montrant comment l'utiliser et en proposant quelques questions en lien direct avec les notions mathématiques associées au contenu de la section.

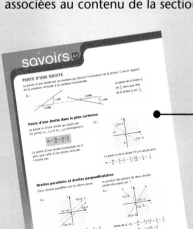

Savoirs

La rubrique « Savoirs » présente un résumé des éléments théoriques vus dans la section. Des exemples accompagnent les énoncés théoriques afin de favoriser la compréhension des différentes notions.

Mise au point

La rubrique « Mise au point » propose une série d'exercices et de problèmes contextualisés favorisant le développement des compétences et la consolidation des apprentissages faits dans la section.

DES RUBRIQUES PARTICULIÈRES

Chronique du passé

La rubrique « Chronique du passé » relate l'histoire de la mathématique et la vie de certains mathématiciens et mathématiciennes ayant contribué au développement de notions mathématiques directement associées au contenu de la *Vision*. Une série de questions permettant d'approfondir le sujet accompagne cette rubrique.

Le monde du travail

La rubrique « Le monde du travail » présente une profession ou un métier où sont exploitées les notions mathématiques étudiées dans la *Vision*. Une série de questions permettant d'approfondir le sujet accompagne cette rubrique.

Vue d'ensemble

La rubrique «Vue d'ensemble» clôt chaque *Vision* et présente une série d'exercices et de problèmes contextualisés permettant d'intégrer et de réinvestir les compétences développées et toutes les notions mathématiques étudiées dans la *Vision*. Cette rubrique se termine par une banque de problèmes dont chacun privilégie la résolution, le raisonnement ou la communication.

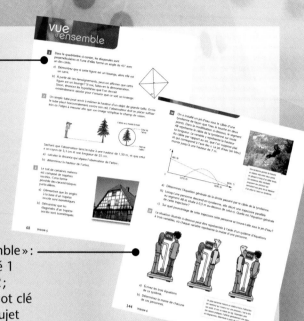

Dans les rubriques «Mise au point» et «Vue d'ensemble»:
- un numéro dans un carré bleu indique une priorité 1 et un numéro dans un carré orange, une priorité 2;
- lorsqu'un problème comporte des faits réels, un mot clé écrit en lettres majuscules et en rouge indique le sujet auquel il se rapporte.

Répertoire des SAÉ

Le «Répertoire des SAÉ» regroupe des situations d'apprentissage et d'évaluation qui sont liées par un fil conducteur thématique et dont chacune cible un domaine général de formation, une compétence disciplinaire et deux compétences transversales. Les apprentissages réalisés dans les sections aident à la réalisation des tâches proposées dans les SAÉ.

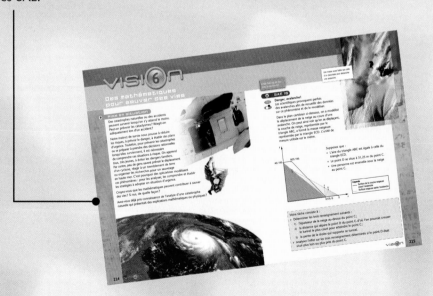

ALBUM

Situé à la fin du manuel, l'«Album» contient plusieurs outils qui viennent appuyer l'élève dans ses apprentissages. Il comporte deux parties distinctes.

La partie «Technologies» fournit des explications sur les principales fonctions de la calculatrice graphique, sur l'utilisation d'un tableur et d'un logiciel de géométrie dynamique.

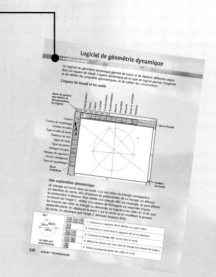

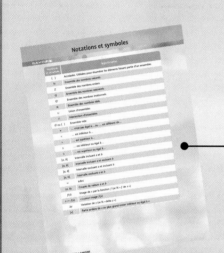

La partie «Savoirs» présente les notations et les symboles utilisés dans le manuel. Des énoncés de géométrie sont également proposés. Cette partie se termine par un glossaire et un index.

LES PICTOGRAMMES

 Indique qu'une fiche de travail est offerte dans le *Guide d'enseignement*.

 Indique que l'activité peut se faire en travail coopératif. Des précisions à ce sujet sont données dans le *Guide d'enseignement*.

 Indique que certains aspects de la compétence disciplinaire 1 sont mobilisés.

 Indique que certains aspects de la compétence disciplinaire 2 sont mobilisés.

 Indique que certains aspects de la compétence disciplinaire 3 sont mobilisés.

 Indique que la compétence disciplinaire 1 est particulièrement ciblée dans cette SAÉ.

 Indique que la compétence disciplinaire 2 est particulièrement ciblée dans cette SAÉ.

 Indique que la compétence disciplinaire 3 est particulièrement ciblée dans cette SAÉ.

VISI⑤N

Le raisonnement géométrique

Qu'il s'agisse de convaincre quelqu'un de son point de vue ou de démontrer une propriété géométrique, l'argumentation présentée doit être claire, organisée et cohérente. Dans *Vision 5*, on vous invitera à explorer des situations géométriques, à observer et à émettre des conjectures, à déduire des mesures manquantes et à démontrer diverses propriétés géométriques. Vous découvrirez des énoncés de géométrie qui permettent notamment d'affirmer que des triangles sont isométriques ou semblables, et vous utiliserez ces énoncés pour déterminer les mesures manquantes de figures géométriques. Vous étudierez également les relations métriques particulières au triangle rectangle, ainsi que d'autres théorèmes qui vous permettront d'améliorer votre compréhension des formes qui vous entourent.

Arithmétique et algèbre

Géométrie

- Triangles isométriques
- Triangles semblables
- Recherche de mesures manquantes à l'aide des propriétés des figures isométriques et des figures semblables
- Relations métriques dans le triangle rectangle

Statistique

RÉACTIVATION 1 Déductions autour d'une mosaïque

Cette mosaïque rectangulaire est formée d'un assemblage
de petites pièces de céramique composant divers motifs triangulaires.
Le motif central est représenté dans la figure ci-dessous, où chacun
des sommets des triangles est identifié. Dans cette représentation,
le triangle CIF est équilatéral, les triangles CID et FIE sont rectangles
isocèles, et les segments BF et CG sont respectivement parallèles
aux segments IE et DI.

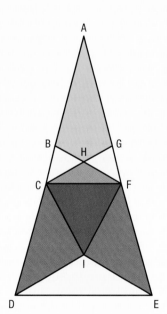

a. Déterminez les mesures des angles suivants en justifiant chacune
   de vos réponses.
   1) ∠DIE   2) ∠IDE   3) ∠DCI
   4) ∠BCF   5) ∠GCF   6) ∠CBF

b. De quel type est:
   1) le triangle BCF?   2) le triangle BCH?

c. Déterminez la mesure de chacun des angles intérieurs
   du quadrilatère ABHG.

Dans cette mosaïque, la mesure du segment CF est de 10 cm.

d. Déterminez l'aire du triangle CIF et celle des triangles CID et FIE.

e. Comparez l'aire du triangle CIF avec celle du triangle DIE.
   Utilisez cette comparaison pour déduire la mesure
   du segment DE.

f. Déterminez le rapport de l'aire du triangle ADE à l'aire
   du triangle ACF sachant que ces deux triangles
   sont semblables.

g. En utilisant vos réponses en **d**, **e** et **f**, calculez l'aire du triangle ACF.

h. À l'aide de votre réponse en **g**, déterminez l'aire totale de la mosaïque.

Un designer a créé un dallage à l'aide d'un logiciel de dessin. Il a d'abord construit un triangle scalène, et il a ensuite généré d'autres figures isométriques à ce triangle en lui appliquant successivement différentes translations, rotations et réflexions. Finalement, il a ajouté de la couleur à l'aide de l'outil REMPLISSAGE.

Pour faciliter l'analyse de ce dallage, on en a extrait six triangles.

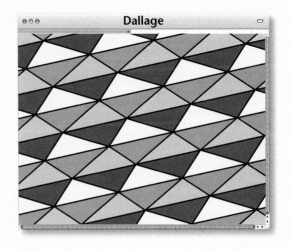

a. Quel type de transformation géométrique permet d'appliquer :

1) le triangle ① sur le triangle ② ?
2) le triangle ① sur le triangle ③ ?
3) le triangle ① sur le triangle ⑥ ?
4) le triangle ② sur le triangle ⑤ ?
5) le triangle ⑤ sur le triangle ④ ?

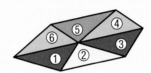

b. Imaginez que l'on applique à un autre triangle scalène les transformations que vous avez décrites en **a.** A priori, deux problèmes peuvent se poser.

Une partie de la surface autour du point central ne sera pas recouverte.

Toute la surface sera recouverte, mais il y aura deux triangles superposés.

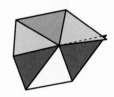

Selon vous, ces situations sont-elles possibles ? Justifiez votre réponse à l'aide de propriétés géométriques.

c. Si au départ, le designer avait utilisé un quadrilatère plutôt qu'un triangle, lui aurait-il été possible de créer un dallage ? En partant de différents quadrilatères, énoncez quelques conjectures et trouvez des arguments pour les valider.

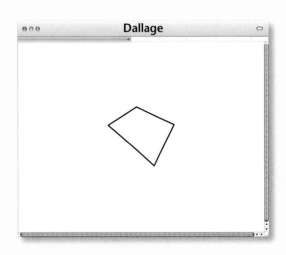

Cette photo d'une boulangerie a été prise à l'île de la Réunion. En insérant une copie de cette photo dans un fichier texte, on a obtenu une image trop petite. On l'a alors agrandie à l'aide de la fonction CHANGEMENT D'ÉCHELLE d'un logiciel. Sur l'écran, chaque carré du quadrillage mesure 1 cm de côté.

La grande photo est une image par homothétie de la petite.

a. Expliquez, dans vos mots ou à l'aide d'un schéma, une façon de déterminer le centre de cette homothétie.

b. Quel est le rapport d'homothétie ? Comment avez-vous déterminé ce rapport ?

c. Les deux rectangles formés par les photos sont-ils semblables ? Justifiez votre réponse.

Observez l'ouverture de la fenêtre sur chacune des photos. En raison de la perspective, ces ouvertures forment des trapèzes.

d. Que pouvez-vous dire des angles et des côtés homologues de ces deux trapèzes ?

e. Si l'on agrandit le plus possible cette photo tout en s'assurant qu'elle entre complètement sur une feuille de format 27,9 cm sur 21,6 cm, quelles seront les dimensions de la photo agrandie ?

savoirs en rappel

TRIANGLES

Nom	Scalène	Isocèle	Équilatéral	Isoangle	Équiangle
Caractéristique	Aucun côté isométrique	Deux côtés isométriques	Tous les côtés isométriques	Deux angles isométriques	Tous les angles isométriques
Représentation					

Quelques propriétés des triangles

1. La somme des mesures des angles intérieurs d'un triangle est 180°.

2. Dans un triangle, à des côtés isométriques sont toujours opposés des angles isométriques, et vice versa. Par conséquent, un triangle est isocèle si et seulement si il est isoangle.

ANGLES

1. Des angles adjacents dont les côtés extérieurs sont en ligne droite sont supplémentaires.

2. Les angles opposés par le sommet sont isométriques.

Ex.: $m\angle 1 + m\angle 2 = 180°$

Ex.: $\angle 1 \cong \angle 3$ et $\angle 2 \cong \angle 4$

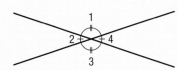

3. Lorsque deux droites parallèles sont coupées par une sécante:

• les angles alternes-internes sont isométriques;	Ex.: $\angle 3 \cong \angle 5$ et $\angle 4 \cong \angle 6$	
• les angles alternes-externes sont isométriques;	Ex.: $\angle 1 \cong \angle 7$ et $\angle 2 \cong \angle 8$	
• les angles correspondants sont isométriques.	Ex.: $\angle 1 \cong \angle 5$, $\angle 2 \cong \angle 6$, $\angle 3 \cong \angle 7$ et $\angle 4 \cong \angle 8$	$d_1 \mathbin{/\!/} d_2$

QUADRILATÈRES

Nom	Définition	Représentation
Trapèze	Quadrilatère ayant une paire de côtés parallèles.	$\overline{AD} \parallel \overline{BC}$
Parallélogramme	Quadrilatère ayant deux paires de côtés parallèles.	$\overline{AB} \parallel \overline{CD}$ $\overline{AD} \parallel \overline{BC}$
Rectangle	Quadrilatère ayant quatre angles droits.	
Cerf-volant	Quadrilatère convexe ayant deux paires de côtés adjacents isométriques.	
Losange	Quadrilatère ayant tous ses côtés isométriques.	
Carré	Quadrilatère ayant tous ses côtés isométriques et tous ses angles isométriques.	

ISOMÉTRIES

Les translations, les rotations et les réflexions sont des transformations géométriques, appelées **isométries,** qui préservent la mesure des angles et des segments. Les translations et les rotations de 180° ont de plus la propriété d'appliquer toute droite sur une droite qui lui est parallèle.

Ex. :

1) Translation de A vers A'.

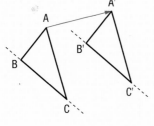

BC // B'C'

2) Rotation de 180° autour du centre O.

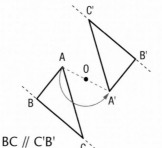

BC // C'B'

3) Réflexion selon l'axe de réflexion s.

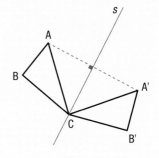

Deux **figures** sont **isométriques** s'il existe une isométrie ou une suite d'isométries qui applique l'une des figures sur l'autre. Dans ce cas, tous les angles et les segments homologues de ces figures ont la même mesure.

HOMOTHÉTIES

Une homothétie est une transformation géométrique définie par son centre et par son rapport d'homothétie k. Appliquée sur une figure, elle produit une image qui correspond à un agrandissement de la figure initiale (si $k > 1$) ou à une réduction de celle-ci (si $0 < k < 1$).

Ex. : Une homothétie de centre O et dont le rapport d'homothétie est 2.

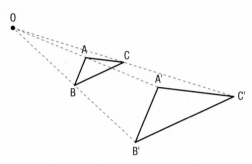

$$k = \frac{m\ \overline{OA'}}{m\ \overline{OA}} = \frac{m\ \overline{OB'}}{m\ \overline{OB}} = \frac{m\ \overline{OC'}}{m\ \overline{OC}} = 2$$

Dans la figure initiale et son image :

- les angles homologues sont isométriques ;
- les côtés homologues sont de longueurs proportionnelles.

Ex. : Dans les deux figures ci-dessus :

$$\angle A' \cong \angle A,\ \angle B' \cong \angle B \text{ et } \angle C' \cong \angle C$$

$$\frac{m\ \overline{A'B'}}{m\ \overline{AB}} = \frac{m\ \overline{B'C'}}{m\ \overline{BC}} = \frac{m\ \overline{A'C'}}{m\ \overline{AC}} = 2$$

FIGURES SEMBLABLES

Deux **figures** sont **semblables** s'il existe une isométrie, une homothétie ou une suite d'isométries ou d'homothéties qui applique l'une des figures sur l'autre. Dans ce cas, tous les angles homologues sont isométriques et les segments homologues sont de longueurs proportionnelles.

Sachant que deux figures sont semblables, on peut déduire la mesure de certains segments.

Ex. : On peut déterminer la mesure de $\overline{B'C'}$ du triangle ci-dessous.

Les deux triangles étant semblables, $\frac{m\ \overline{A'C'}}{m\ \overline{AC}} = \frac{m\ \overline{B'C'}}{m\ \overline{BC}}$.

Soit x la mesure recherchée. En substituant dans l'équation les valeurs connues des autres côtés du triangle, on obtient l'équation $\frac{3}{5} = \frac{x}{6}$ qui est équivalente à $x = 3{,}6$.

La mesure de $\overline{B'C'}$ est de 3,6 unités.

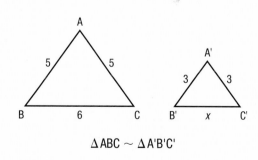

$\triangle ABC \sim \triangle A'B'C'$

1 Soit un triangle isocèle ABC dont l'angle A mesure 76°. Les bissectrices des angles B et C se rencontrent au point D. On cherche la mesure de l'angle BDC.

   a) Représentez cet énoncé par une figure en supposant que $\overline{AB} \cong \overline{AC}$, puis déterminez la mesure de l'angle BDC.

   b) Représentez à nouveau cet énoncé par une figure en supposant cette fois que $\overline{AB} \cong \overline{BC}$. Quelle est la mesure de l'angle BDC dans ce cas ?

   c) En comparant vos réponses aux questions a) et b), que pouvez-vous observer ?

   d) Analysez cette situation en utilisant d'autres mesures pour l'angle A et énoncez une conjecture sur la mesure de l'angle BDC.

2 Si deux paires de droites parallèles se croisent, quelles mesures doit-on minimalement prendre pour s'assurer que la figure formée soit un carré ? Donnez au moins deux façons de procéder.

On appelle *cœur de croisement* la pièce qui permet aux roues du train de franchir le croisement de deux rails.

3 Tracez un quadrilatère qui répond spécifiquement à chacune des descriptions ci-dessous, puis nommez-le.

   a) Il a un axe de symétrie qui passe par deux sommets.

   b) Ses diagonales sont isométriques et se coupent en leur milieu.

   c) Ses diagonales sont perpendiculaires et se coupent en leur milieu.

   d) Il possède deux paires d'angles adjacents supplémentaires.

   e) Il possède deux paires d'angles opposés isométriques.

4 En juxtaposant quatre exemplaires d'un tétromino, il est possible d'en construire un plus grand.

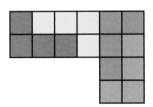

   a) Quel type de transformation géométrique permet d'appliquer le tétromino jaune sur chacun des trois autres ?

   Une homothétie permet d'appliquer le tétromino jaune sur le grand.

   b) Déterminez le rapport de cette homothétie ainsi que la position de son centre.

5 Comme le montrent les illustrations ci-contre, on peut construire des dallages avec des triangles équilatéraux ou des carrés.

   a) Est-il possible de construire un dallage avec des pentagones réguliers ? Justifiez votre réponse.

   b) Est-ce possible d'en construire avec les autres polygones réguliers ?

6 Au palais de l'Alhambra à Grenade, en Espagne, on trouve de nombreuses mosaïques qui ont été conçues par les Arabes. Voici une reproduction de l'une d'elles et du motif qui a été utilisé pour recouvrir le plan.

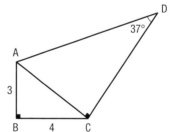

Partant du fait que toutes les figures de la mosaïque sont isométriques et que les segments qui paraissent parallèles le sont réellement, déterminez la mesure des angles intérieurs identifiés dans le schéma ci-contre.

7 Dans la figure ci-dessous, les deux triangles ABC et ACD sont semblables. Les mesures données sont arrondies à l'unité. Calculez :

   a) $m \angle BAD$;

   b) $m \angle BCD$;

   c) $m \overline{AD}$;

   d) le périmètre du triangle ACD ;

   e) l'aire du quadrilatère ABCD.

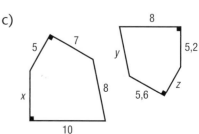

8 Les paires de figures ci-dessous sont semblables. Dans chaque cas, déterminez les mesures manquantes.

a)

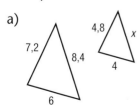

b)   c)

Cette section est en lien avec la SAÉ 13.

PROBLÈME Pour l'étoile en vous

L'école fondée par Pythagore au ve s. av. J.-C. regroupait deux catégories de disciples :

- les *akoustikoi*, ceux qui ne s'attachent qu'aux résultats d'une théorie, aussi appelés auditeurs ;

- les *mathematikoi*, ceux qui démontrent la validité des résultats, aussi appelés initiés.

Fragment de la fresque de Raphaël, *École d'Athènes*, qui orne un des murs de la chambre de la Signature du Palais apostolique du Vatican.

Le pentagramme était le symbole qui ralliait les membres de cette école. On construit ce pentagone étoilé en traçant les diagonales d'un pentagone régulier.

On dit que Pythagore soumettait régulièrement ses élèves à des épreuves mathématiques. Dans l'une de celles-ci, nommée « l'esprit de contradiction », Pythagore énonçait sa théorie et laissait ses élèves le contredire, afin de vérifier s'ils savaient réfléchir par eux-mêmes.

« J'affirme que la somme des mesures des angles intérieurs situés au sommet des cinq branches de notre symbole, le pentagramme, est égale à la somme des mesures des angles intérieurs d'un triangle. »

 Sauriez-vous démontrer ou contredire cette affirmation ?

ACTIVITÉ 1 À chacun son argument

Dans la classe de Mme Séguin, un débat a lieu pendant que ses élèves travaillent sur une manière de construire des rectangles à l'aide d'un logiciel de géométrie dynamique. C'est alors que Valéria intervient.

J'ai eu l'impression qu'en reliant les extrémités de deux diamètres d'un cercle, je pouvais toujours construire un rectangle. Mais je n'en suis pas sûre !

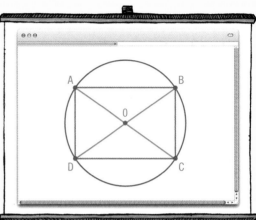

Lorsqu'on relie les extrémités de deux diamètres d'un cercle, obtient-on nécessairement un rectangle ?

Mme Séguin

En regardant l'exemple à l'écran, on voit bien qu'il s'agit d'un rectangle.

Renaud

On n'a qu'à faire d'autres exemples, mesurer les angles de la figure obtenue et on verra bien...

Morgane

Justement. J'ai changé la grandeur du cercle et la position des diamètres en déplaçant les points et je n'ai trouvé aucun contre-exemple.

C'est sûrement une bonne façon de construire un rectangle, puisque personne ne semble dire le contraire.

Valéria

Manuel

Je me rappelle avoir vu cette façon de construire des rectangles dans un manuel de mathématique. Cette proposition doit donc être vraie.

Patricia

a. Expliquez ce qui n'est pas convaincant dans chacun des arguments des élèves de cette classe.

b. Formulez une argumentation convaincante sur la véracité de la conjecture de Valéria.

Si l'on désire partager son point de vue, sa pensée, son raisonnement ou, encore, ses découvertes mathématiques, il est essentiel de savoir communiquer correctement, c'est-à-dire de savoir rendre son discours clair et cohérent.

Lisez attentivement la proposition suivante.

> Si un pentagone est régulier, alors les deux diagonales issues d'un sommet quelconque séparent l'angle intérieur à ce sommet en trois angles isométriques.

a. Tracez une figure qui représente cette proposition.

b. Déterminez l'hypothèse de la proposition.

c. Relevez la conclusion de cette proposition.

d. À première vue, cette proposition vous semble-t-elle vraie ? Expliquez votre réponse.

e. Quelles définitions ou quels énoncés de géométrie pourraient servir d'arguments pour valider ou invalider cette proposition ?

f. Rédigez une argumentation claire et cohérente qui représente votre point de vue.

g. Partagez votre communication écrite avec celle d'un ou une élève de la classe. À la suite de cet échange, améliorez votre communication.

Le Pentagone, nommé ainsi en raison de sa forme, abrite l'état-major des forces armées et le secrétariat d'État à la Défense des États-Unis. Inauguré en 1943, il est toujours considéré comme le « plus grand bureau du monde ».

Argumenter n'est pas toujours simple, que ce soit en mathématique ou dans une discussion de tous les jours. Si on veut convaincre une personne, on a intérêt à organiser son raisonnement en une structure logique.

En géométrie, on arrive à concevoir un raisonnement déductif solide lorsqu'on part d'énoncés reconnus comme vrais pour en arriver, par déduction, à un autre énoncé alors considéré comme vrai, qui peut à son tour servir de base à de nouvelles déductions.

Voici six énoncés de géométrie :

1 La mesure d'un angle extérieur d'un triangle est égale à la somme des mesures des angles intérieurs qui ne lui sont pas adjacents.

2 La somme des mesures des angles intérieurs d'un triangle est 180°.

3 Si une droite coupe deux droites parallèles, alors les angles alternes-internes sont isométriques.

4 Si une droite coupe deux droites parallèles, alors les angles correspondants sont isométriques.

5 Les angles opposés par le sommet sont isométriques.

6 La somme des mesures des angles intérieurs d'un quadrilatère est 360°.

a. Organisez ces six énoncés en une structure logique où les énoncés découlent les uns des autres.

b. En groupe classe, établissez un consensus sur une organisation de ces énoncés pour que tous s'entendent sur la clarté et la cohérence de la structure établie.

> Les *Éléments* d'Euclide sont une compilation de savoirs géométriques présentée en une structure logique. En partant de définitions, de postulats et d'axiomes, Euclide en déduit un maximum de propriétés et les démontre avec clarté et cohérence.

Euclide
(v. 325 av. J.-C.–v. 265 av. J.-C.)

Techno math

Un logiciel de géométrie dynamique permet de construire des droites qui se coupent selon des angles donnés à l'aide des outils DROITE, NOMBRE et ROTATION. On peut analyser les angles formés et la position relative des droites à l'aide des outils MESURE D'ANGLE et PARALLÈLE. À l'aide de l'outil POLYGONE, on peut aussi construire des polygones.

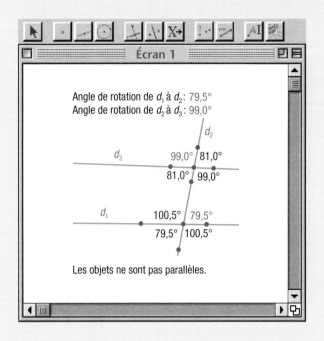

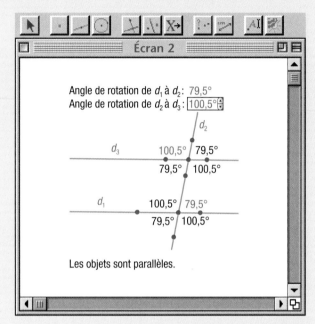

a. À l'écran **1** :

1) quel angle de rotation permet d'appliquer la droite d_1 sur la droite d_2 ? La droite d_2 sur la droite d_3 ?

2) quel angle de rotation permettrait d'appliquer directement la droite d_1 sur la droite d_3 ?

3) les droites d_1 et d_3 sont-elles parallèles ? Si elles ne le sont pas, quelle est la mesure de l'angle formé à leur point de rencontre ?

4) que pouvez-vous dire des angles correspondants, alternes-internes et alternes-externes ?

b. En vous référant à l'écran **2**, répondez aux mêmes questions qu'en **a**.

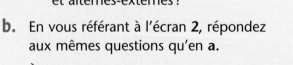

c. À l'écran **3**, que pouvez-vous dire de la mesure des angles intérieurs :

1) du quadrilatère ?   2) du pentagone croisé ?

d. À l'aide d'un logiciel de géométrie dynamique, observez la mesure des angles dans différentes figures. Émettez au moins une conjecture.

RAISONNEMENT DÉDUCTIF

Il existe divers types d'énoncés qui permettent de structurer un raisonnement déductif.

- Une **conjecture** est un énoncé mathématique que l'on croit être vrai, mais que l'on n'a pas encore démontré.

- Un **contre-exemple** est un exemple qui réfute une conjecture.

- La **définition** d'une figure géométrique est une description des caractéristiques essentielles qui permettent de la distinguer de toute autre figure.

- Un **axiome** est un énoncé non démontré et supposé acceptable par tous, parce qu'il est considéré comme évident.

Ex. : 1) Par deux points P_1 et P_2 passe une et une seule droite.

2) Par un point P extérieur à une droite d_1, on peut tracer une et une seule parallèle d_2 à cette droite.

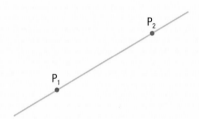

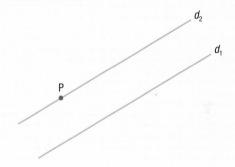

- Une **démonstration** est une suite d'arguments reliés logiquement entre eux qui permet d'établir des affirmations irréfutables à partir de propriétés précédemment établies ou admises.

- Un **théorème** est un énoncé mathématique dont on possède une démonstration faite à l'aide de définitions, d'axiomes ou de théorèmes déjà démontrés. L'énoncé du théorème contient des données connues, qu'on appelle **hypothèses**, et un résultat à trouver, qu'on appelle **conclusion**.

- La **réciproque** d'un théorème est un énoncé dans lequel l'hypothèse est la conclusion du théorème, et la conclusion, l'hypothèse du théorème. La réciproque d'un théorème n'est pas nécessairement vraie.

Ex. : Théorème : Un rectangle est un quadrilatère dont les diagonales sont isométriques.

La réciproque du théorème est : Un quadrilatère dont les diagonales sont isométriques est un rectangle.

La réciproque de ce théorème est fausse.

ARGUMENTATION EN GÉOMÉTRIE

Pour démontrer un énoncé mathématique, il faut savoir que :

- un contre-exemple suffit pour démontrer qu'un énoncé est faux ;
- l'absence apparente d'un contre-exemple ne suffit pas à prouver qu'un énoncé est vrai ;
- plusieurs exemples ne suffisent pas à prouver qu'un énoncé est vrai ;
- ni la mesure ni la constatation tirée d'une figure ne permettent de tirer des conclusions sur un énoncé.

CONCEVOIR ET COMMUNIQUER UNE DÉMONSTRATION

Pour effectuer une démonstration, il peut être utile de :

- représenter l'énoncé à l'aide d'une figure en la marquant, au besoin ;
- déterminer les hypothèses et la conclusion ;
- connaître la définition précise de tous les éléments concernés ;
- chercher des théorèmes ou des axiomes qui ont un lien avec l'énoncé à démontrer ;
- structurer le tout en ne conservant que les arguments pertinents.

L'utilisation d'un réseau déductif peut aider à structurer sa pensée.

Ex.: Dans un triangle isocèle ABC, on trace une droite parallèle à la base BC qui coupe les côtés isométriques AB et AC aux points D et E respectivement. On peut démontrer que les segments AD et AE sont isométriques.

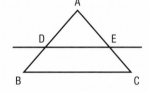

Le réseau déductif ci-dessous décrit la structure d'une démonstration possible.

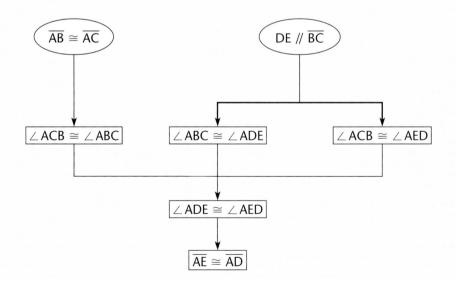

La communication d'une démonstration doit être claire et cohérente. Il existe deux principales façons de présenter la démonstration de cet énoncé.

1. La démonstration en deux colonnes

Ex.: Hypothèses: • $\overline{AB} \cong \overline{AC}$
            • DE // $\overline{BC}$

    Conclusion: $\overline{AD} \cong \overline{AE}$

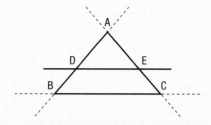

AFFIRMATION	JUSTIFICATION
1. $\overline{AB} \cong \overline{AC}$	1. Par hypothèse.
2. $\angle ACB \cong \angle ABC$	2. Dans un triangle isocèle, les angles opposés aux côtés isométriques sont isométriques.
3. DE // $\overline{BC}$	3. Par hypothèse.
4. $\angle ABC \cong \angle ADE$	4. AB coupe DE et BC, et si une sécante coupe deux droites parallèles, alors les angles correspondants sont isométriques.
5. $\angle ACB \cong \angle AED$	5. AC coupe DE et BC, et si une sécante coupe deux droites parallèles, alors les angles correspondants sont isométriques.
6. $\angle ADE \cong \angle AED$	6. Par transitivité de la relation d'isométrie appliquée aux affirmations 2, 4 et 5.
7. $\overline{AD} \cong \overline{AE}$	7. Dans un triangle isoangle, les côtés opposés aux angles isométriques sont isométriques.

2. La démonstration en paragraphes

Ex.: Hypothèses: • $\overline{AB} \cong \overline{AC}$
            • DE // $\overline{BC}$

    À démontrer: $\overline{AD} \cong \overline{AE}$

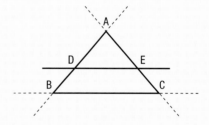

Dans un triangle, des côtés isométriques sont nécessairement opposés à des angles isométriques, et réciproquement. Ainsi, dans le triangle ABC, puisque $\overline{AB} \cong \overline{AC}$, on a $\angle ACB \cong \angle ABC$.

Or, $\angle ABC \cong \angle ADE$, car ce sont des angles correspondants formés par la sécante AB et les droites parallèles BC et DE, et l'on sait que des angles correspondants sont isométriques lorsque les droites coupées sont parallèles, comme c'est le cas ici. Pour la même raison, on a aussi $\angle ACB \cong \angle AED$, car ce sont également des angles correspondants formés par les mêmes droites parallèles coupées, cette fois, par la sécante AC.

Par transitivité, on peut affirmer que $\angle ADE \cong \angle AED$. Ces deux angles faisant partie du triangle ADE, les côtés qui leur sont opposés sont isométriques; donc $\overline{AD} \cong \overline{AE}$.

1 Pour chacun des énoncés suivants, s'il vous semble faux, donnez un contre-exemple ; s'il vous semble vrai, expliquez pourquoi.

a) Si le point C appartient au segment AB, alors les points A, B et C sont alignés.

b) Si les points A, B et C sont alignés, alors le point C appartient au segment AB.

c) Les diagonales d'un quadrilatère se coupent toujours dans la région intérieure du quadrilatère.

d) Par trois points distincts passe un et un seul cercle.

e) En reliant successivement les points milieux des côtés d'un rectangle, on obtient un losange.

f) Si m $\overline{AI}$ = m $\overline{IB}$, alors I est le point milieu du segment AB.

2 Voici trois définitions d'un carré proposées par des élèves :

Un carré, c'est un quadrilatère dont les diagonales sont isométriques et perpendiculaires entre elles.	Un carré, c'est un quadrilatère dont les quatre côtés sont isométriques et les côtés opposés sont parallèles deux à deux.	Un carré, c'est un quadrilatère qui possède quatre angles droits et dont les diagonales sont isométriques.

a) Ces nouvelles définitions d'un carré sont-elles valables ? Justifiez votre réponse.

b) Proposez votre propre définition d'un carré. Apportez des arguments montrant que votre définition est valable.

3 Sachant que le pourtour de la figure ci-contre est un carré et que le triangle ADE est équilatéral, trouvez la mesure de l'angle BEC. Justifiez chacune des étapes de votre raisonnement.

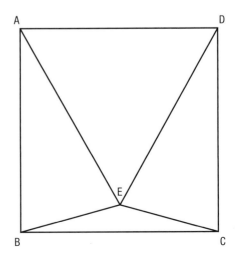

4 Considérez la proposition ci-dessous que l'on vous demande de démontrer.

> Tout trapèze possède deux paires d'angles supplémentaires.

Les questions et les tâches qui suivent vous guideront dans cette démonstration.

a) Que signifie l'expression « paires d'angles supplémentaires » ?

b) Tracez une figure représentative en identifiant les sommets par des lettres, puis précisez quelles sont les hypothèses et la conclusion.

c) Énoncez deux propriétés géométriques concernant les angles qui pourraient être utiles pour démontrer cette proposition.

d) Écrivez votre démonstration en prenant soin de bien la structurer.

5

a) Qu'est-ce qui ne va pas dans l'argumentation de ces deux élèves ?

b) Démontrez que les angles opposés d'un parallélogramme sont isométriques.

6 Pour chacun des théorèmes ci-dessous,

1) énoncez la réciproque du théorème ;

2) indiquez si cette réciproque est vraie ou fausse en justifiant votre réponse.

a) Tout losange est un parallélogramme.

b) Si l'on double les dimensions d'un carré, alors la longueur de ses diagonales sera doublée.

c) Un triangle rectangle possède deux angles aigus complémentaires.

d) Les diagonales d'un cerf-volant sont perpendiculaires.

e) Un triangle équilatéral est un triangle isocèle qui possède un angle de 60°.

7 Voici trois énoncés qui permettent d'affirmer que deux droites sont parallèles.

Énoncé 1 | Si deux droites sont perpendiculaires à une troisième, alors elles sont parallèles.

Énoncé 2 | Si une sécante coupant deux droites forme avec celles-ci des angles alternes-internes isométriques, alors les deux droites sont parallèles.

Énoncé 3 | Si deux droites sont parallèles à une troisième, alors elles sont aussi parallèles entre elles.

a) Représentez chacun de ces énoncés par une figure en précisant leurs hypothèses.

b) Sachant que la somme des mesures des angles intérieurs d'un triangle est 180°, démontrez l'énoncé **1**.

c) Sachant que l'énoncé **1** est vrai, démontrez l'énoncé **2**.

d) Sachant que l'énoncé **2** est vrai, démontrez l'énoncé **3**.

8 Tracez un angle quelconque, puis construisez sa bissectrice et une droite parallèle à l'un de ses côtés, comme le montre la figure ci-contre.

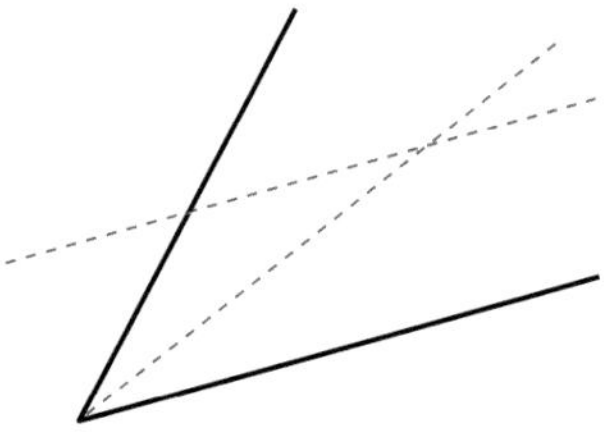

a) Que pouvez-vous dire du triangle ainsi formé?

b) Voici une suite d'affirmations concernant cette figure. Complétez cette démonstration en précisant la conclusion visée et en justifiant chacune des affirmations.

Hypothèses : • BE est la bissectrice de ∠ ABC.
           • DE ∥ BC

Conclusion : ▓▓▓▓▓▓▓▓▓▓▓▓▓▓▓▓▓▓

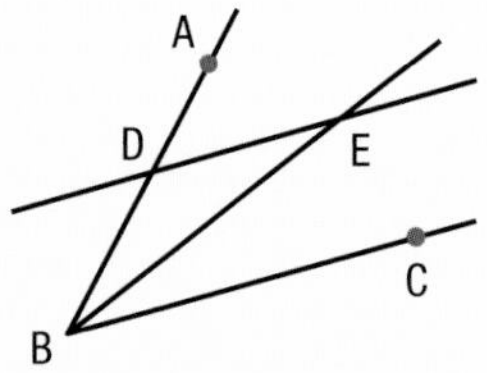

AFFIRMATION	JUSTIFICATION
1. ∠ EBC ≅ ∠ EBA	1.
2. ∠ EBC ≅ ∠ BED	2.
3. ∠ BED ≅ ∠ EBD	3.
4. ▓▓▓▓▓	4.

c) Transcrivez cette démonstration sous la forme d'une démonstration en paragraphes.

9 **TEMPLE DE DIANE** Le temple de Diane est un vestige romain que l'on peut visiter à Nîmes, dans le sud de la France. Ce temple construit sous le règne d'Hadrien comportait une rosace dont voici une restauration numérique. Au centre de cette rosace, on peut observer un dodécagone formé d'un hexagone régulier entouré de six carrés et de six triangles, comme le montre l'illustration ci-dessous.

 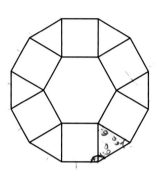

a) Démontrez que les triangles de ce dallage sont des triangles équilatéraux.

b) Démontrez que le dodécagone est régulier.

10 On a relié les deux droites parallèles d_1 et d_2 à l'aide d'une ligne brisée ABC.

a) Énoncez une conjecture concernant les angles 1, 2 et 3.

b) Démontrez votre conjecture.

c) Et si le point B n'était pas situé entre les deux parallèles, votre conjecture serait-elle encore vraie ? Sinon, que pourriez-vous dire des angles formés ?

11 Suivez les étapes de construction suivantes.

- Tracer un carré.

- Identifier le point milieu de chacun des côtés du carré.

- Relier successivement ces points milieux dans le sens des aiguilles d'une montre.

a) Émettez une conjecture sur la figure ainsi obtenue.

b) Démontrez cette conjecture.

12 **TÉLESCOPE DE NEWTON** Comme le montre
le schéma ci-contre, ce type de télescope, inventé
par Isaac Newton, est constitué d'un miroir principal
de forme parabolique qui réfléchit la lumière en
la concentrant dans un miroir secondaire plat.
Ce dernier miroir forme un angle de 45° avec
les parois du télescope. Dans le schéma, les rayons
lumineux réfléchis par le miroir principal forment
un angle de 84° avec l'horizontale. Sur le miroir
secondaire, l'angle d'incidence de chaque rayon
est isométrique à l'angle de réflexion. Les rayons
se croisent ensuite au foyer avant de toucher
l'oculaire selon un certain angle.

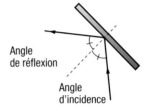

a) Déterminez la mesure de cet angle.

b) Qu'arriverait-il à la mesure de cet angle,
si l'angle de départ des rayons lumineux
était différent de 84°? Énoncez une conjecture
et démontrez-la.

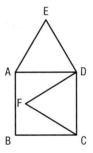

13 Kevin a construit un carré ABCD. À ce carré, il a ajouté un premier triangle équilatéral
ayant le segment AD pour un de ses côtés. Il a ensuite ajouté un second triangle
équilatéral ayant le segment DC pour un de ses côtés.

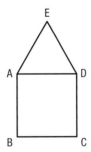

Kevin avance alors la conjecture suivante: Les points B, F et E sont alignés. Cette
conjecture est-elle vraie? Si oui, démontrez-la. Sinon, donnez un contre-exemple.

14 Observez la construction ci-dessous.

Étape 1	Étape 2	Étape 3

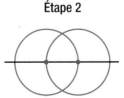

a) Le triangle formé à l'étape **3** est-il équilatéral? Justifiez votre réponse.

b) Considérez maintenant les points A, B et C reliés comme dans
la figure ci-contre.

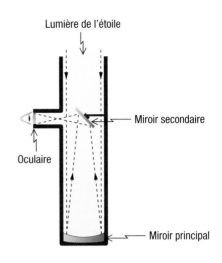

   1) Quelle conjecture pouvez-vous émettre sur le triangle formé?

   2) Démontrez votre conjecture.

15 Jacinthe a mis au défi son amie Brittany de construire un trapèze dont la différence des mesures des bases est plus grande que la somme des mesures des deux autres côtés. Après quelques essais infructueux, Brittany a conclu que c'était impossible.

a) Est-ce que l'argument de Brittany est valable? Expliquez votre réponse.

b) La construction proposée par Jacinthe est-elle possible?
Apportez un argument convaincant.

16 TRISECTION D'UN ANGLE L'un des plus célèbres problèmes posés par les mathématiciens grecs de l'Antiquité consistait à construire un angle dont la mesure égale le tiers d'un angle donné. Ce problème n'a pas de solution si l'on se limite à utiliser un compas et une règle non graduée. Cependant, Archimède a proposé la solution suivante.

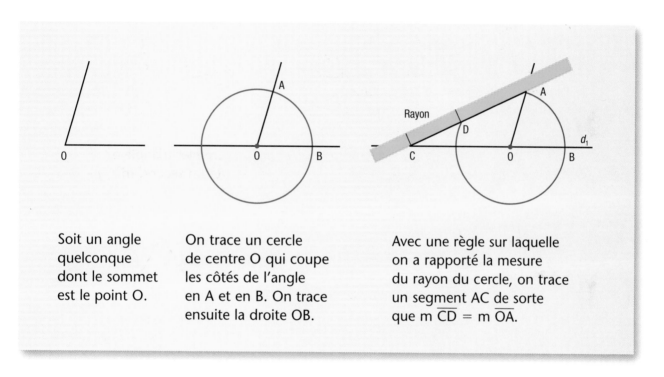

Soit un angle quelconque dont le sommet est le point O.

On trace un cercle de centre O qui coupe les côtés de l'angle en A et en B. On trace ensuite la droite OB.

Avec une règle sur laquelle on a rapporté la mesure du rayon du cercle, on trace un segment AC de sorte que m $\overline{CD}$ = m $\overline{OA}$.

Démontrez que la mesure de l'angle OCD est le tiers de celle de l'angle AOB.

Pendant des siècles, plusieurs mathématiciens ont tenté de résoudre ce problème qui paraît pourtant si simple. Certains d'entre eux, comme Archimède au IIIe s. av. J.-C., ont trouvé des façons de diviser un angle en trois parties isométriques, mais chaque fois ils utilisaient d'autres outils que ceux permis, soit le compas et la règle non graduée. En 1837, un mathématicien français nommé Pierre-Laurent Wantzel a démontré à l'aide de l'algèbre que cette construction est impossible si on se limite à ces deux instruments.

Cette section est en lien avec la SAÉ 14.

PROBLÈME Loin du bruit

Votre voisine possède un grand terrain sur lequel elle a fait bâtir une maison. Parce qu'elle aime la tranquillité, elle l'a fait construire le plus loin possible des quatre routes qui bordent le terrain. Fait exceptionnel, le centre de sa maison est situé à égale distance de ces quatre routes.

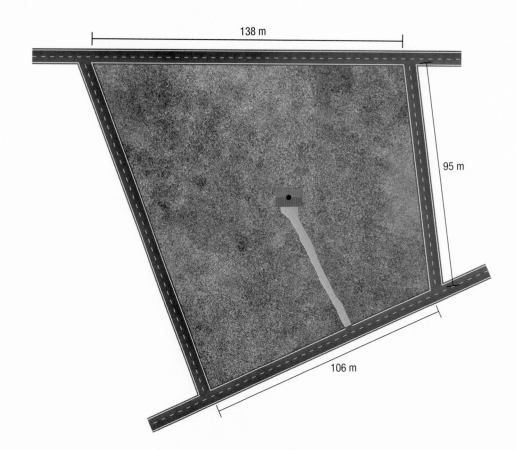

 Les renseignements donnés ci-dessus sont-ils suffisants pour déterminer le périmètre du terrain ? Si oui, calculez-le en justifiant votre démarche. Sinon, expliquez pourquoi ces renseignements sont insuffisants.

ACTIVITÉ 1 Des triangles isométriques

On a posé cette question à des élèves: Comment peut-on vérifier que deux triangles sont isométriques? Voici trois de leurs réponses:

① Il faut que les triangles aient la même forme et la même grandeur.

② Ils doivent pouvoir coïncider si on les superpose.

③ Tous les angles homologues et tous les côtés homologues doivent être isométriques.

a. Laquelle de ces réponses vous semble la plus juste? Laquelle vous semble la plus efficace pour vérifier que deux triangles sont isométriques? Expliquez votre point de vue.

Dans le tableau ci-contre, on a fourni des données sur un certain triangle.

b. Tracez un triangle possédant ces caractéristiques.

c. Quels renseignements supplémentaires devriez-vous donner à une personne qui n'a pas vu ce triangle pour qu'elle puisse tracer un triangle isométrique au vôtre?

Triangle 1
Un de ses angles mesure 45° et un autre, 75°.

Voici des données concernant deux autres triangles:

Triangle 2
Un de ses angles mesure 50° et un de ses côtés, 8 cm.

Triangle 3
Un de ses côtés mesure 10 cm et un autre, 6 cm.

d. En utilisant ces données, répondez à nouveau aux questions **b** et **c**.

e. À l'aide des exemples précédents, énoncez une conjecture sur les conditions minimales qui permettent d'affirmer que deux triangles sont isométriques.

Au IIIᵉ s. av. J.-C., le mathématicien grec Euclide a étudié l'isométrie des triangles. L'une des premières propositions de ses *Éléments* se formulerait aujourd'hui de la façon suivante : Deux triangles qui ont un angle isométrique compris entre des côtés homologues isométriques sont isométriques. La démonstration d'Euclide suivait à peu près les étapes ci-dessous.

> Euclide n'utilisait pas le concept moderne d'isométrie. Pour lui, deux triangles sont « égaux » si on peut les faire coïncider en déplaçant l'un de ces triangles sur l'autre.

Hypothèse : Dans les deux triangles ABC et DEF ci-contre, on suppose que m $\overline{AB}$ = m $\overline{DE}$, m $\overline{AC}$ = m $\overline{DF}$ et m ∠A = m ∠D.

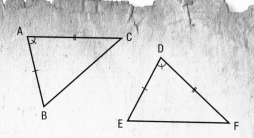

Le raisonnement qui suit démontre que l'on peut déplacer le triangle ABC pour le faire coïncider avec le triangle DEF.

Il est possible de déplacer le triangle ABC de telle sorte que le point A soit placé sur le point D et le segment AB, sur le segment DE ou son prolongement. Dans ce cas, le point B coïncidera avec le point E, car...

a. Après le déplacement du triangle ABC, est-il certain que le point B coïncidera avec le point E ? Ne pourrait-on pas, par exemple, obtenir le résultat illustré ci-contre ? Justifiez votre réponse.

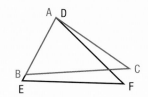

Le déplacement choisi peut faire en sorte que le point C soit du même côté de la droite DE que le point F. Dans ce cas, le segment AC sera sur la demi-droite DF, car...

b. Sachant que le segment AB coïncide avec le segment DE, le segment AC ne pourrait-il pas se trouver en dehors de la droite DF comme dans la figure ci-contre ?

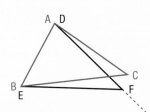

Finalement, le point C se trouvera sur le point F, car...

c. Pourquoi est-il certain que le point C coïncidera avec le point F ? Ne pourrait-il pas se trouver plus loin comme dans l'illustration ci-contre ?

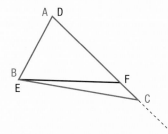

ACTIVITÉ 3 — Les objections de M. Ouimet

1ʳᵉ partie : Une élève a démontré une proposition sur l'isométrie des triangles.

M. Ouimet, plutôt sceptique, a commenté son travail. Examinez la démonstration de cette élève et répondez aux objections (en rouge) de M. Ouimet.

Oui, mais je ne suis pas convaincu qu'une telle isométrie existe toujours. Ne pourrait-il pas y avoir une situation où le point C' ne serait pas situé du même côté que le point F ?

Quelle propriété vous permet de conclure que l'angle EDC' est isométrique à l'angle EDF ?

Oui, mais ici, j'aimerais voir le raisonnement détaillé.

Proposition : Deux triangles qui ont un côté isométrique compris entre deux angles homologues isométriques sont isométriques.

Hypothèses : $\overline{AB} \cong \overline{DE}$, $\angle BAC \cong \angle EDF$ et $\angle ABC \cong \angle DEF$

À démontrer : $\triangle ABC \cong \triangle DEF$

1) Il existe une isométrie qui applique le côté AB sur le côté DE et pour laquelle l'image C' du point C se trouve du même côté de la droite DE que le point F.

Je vais démontrer que le point C' doit nécessairement coïncider avec le point F.

2) On peut affirmer que $\angle EDC' \cong \angle BAC$, puisque l'un de ces angles est l'image de l'autre par une isométrie. De plus, par hypothèse, $\angle BAC \cong \angle EDF$. Donc $\angle EDC' \cong \angle EDF$ et le point C' doit se situer sur la demi-droite DF.

3) De la même manière, on peut démontrer que le point C' doit se situer sur la demi-droite EF.

4) Le point C', comme le point F, se situe sur les deux droites DF et EF. Or, deux droites non confondues ne peuvent se rencontrer qu'en un seul point. Le point C' doit donc coïncider avec le point F.

2ᵉ partie : En vous inspirant du travail de cette élève, démontrez la proposition suivante.

> **Deux triangles qui ont tous leurs côtés homologues isométriques sont isométriques.**

Structurez votre démonstration de manière à contrer d'éventuelles objections que pourrait soulever un certain M. Ouimet.

Les yeux sont parfois de mauvais juges de la réalité.

a. Observez les figures ci-dessous et répondez aux questions les concernant.

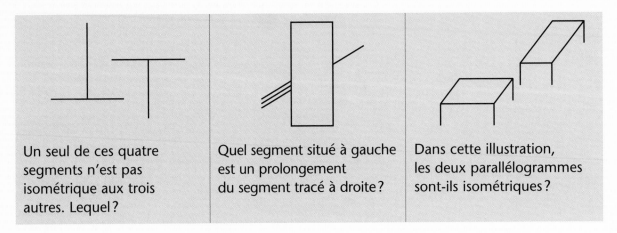

Un seul de ces quatre segments n'est pas isométrique aux trois autres. Lequel?

Quel segment situé à gauche est un prolongement du segment tracé à droite?

Dans cette illustration, les deux parallélogrammes sont-ils isométriques?

Pour faire de la géométrie, on doit pouvoir douter de tout, même de ce qui paraît évident. Observez la construction ci-dessous. À partir d'une droite *d* et d'un point A situé à l'extérieur de cette droite, on a construit une droite AD qui semble parallèle à la droite *d*.

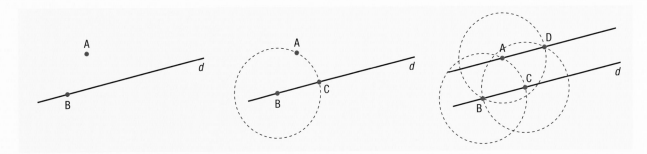

Mais ces deux droites sont-elles vraiment parallèles?

b. Pour vous en assurer, reproduisez cette construction sachant que les trois cercles ont le même rayon, puis répondez aux questions suivantes.

1) De quel type est le quadrilatère ABCD?

2) Que pouvez-vous dire des triangles ABD et CDB?

3) Les angles ADB et CBD sont-ils isométriques? Que pouvez-vous en conclure?

Voici les étapes d'une autre construction géométrique qui vous permettra d'exercer encore une fois votre jugement critique.

- Tracer deux cercles concentriques et un diamètre dans chacun d'eux.
- Tracer un quadrilatère en reliant les extrémités de ces diamètres.

c. Le quadrilatère construit est-il nécessairement un parallélogramme? Démontrez-le.

Techno math

Un logiciel de géométrie dynamique permet de comparer des figures géométriques. En utilisant principalement les outils TRIANGLE, DISTANCE et MESURE D'ANGLE, on peut construire des triangles et vérifier s'ils sont isométriques.

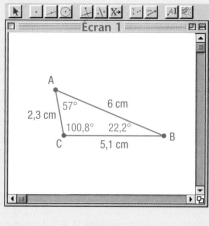

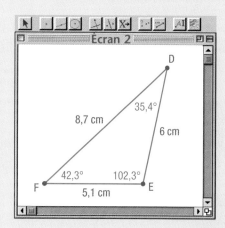

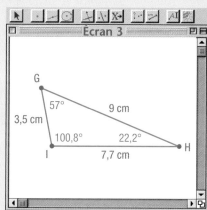

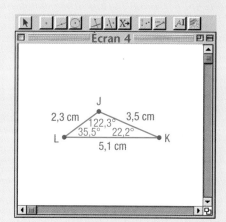

a. En comparant les mesures des angles et les mesures des côtés, qu'ont en commun les triangles:

1) des écrans **1** et **2**?   2) des écrans **1** et **3**?   3) des écrans **1** et **4**?

b. Parmi les triangles des écrans **1, 2, 3** et **4**, y a-t-il une paire de triangles isométriques?

c. Peut-on affirmer que deux triangles sont isométriques si:

1) deux des côtés d'un triangle sont isométriques à deux des côtés de l'autre triangle?

2) les trois angles d'un triangle sont isométriques aux trois angles de l'autre triangle?

d. Deux côtés et un angle du triangle MNO sont isométriques à deux côtés et à un angle du triangle PQR. À l'aide d'un logiciel de géométrie dynamique:

1) construisez les triangles MNO et PQR;

2) en explorant plusieurs configurations possibles, expliquez à quelle condition les triangles MNO et PQR sont isométriques.

CONDITIONS MINIMALES DES TRIANGLES ISOMÉTRIQUES

Les théorèmes ci-dessous présentent les conditions minimales qui permettent d'affirmer que deux triangles sont isométriques.

1. Deux triangles qui ont un angle isométrique compris entre des côtés homologues isométriques sont isométriques (Côté-Angle-Côté ou CAC).

Ex.: Dans le carré ci-contre, on a relié le point milieu E du segment AD aux deux sommets B et C. On peut démontrer que les triangles ABE et DCE sont isométriques.

- $\overline{AB} \cong \overline{DC}$, car les côtés d'un carré sont isométriques;

- $\angle A \cong \angle D$, car les angles intérieurs d'un carré sont isométriques;

- $\overline{AE} \cong \overline{DE}$, car E est le point milieu de $\overline{AD}$.

Les triangles ABE et DCE sont donc isométriques par la condition minimale d'isométrie CAC.

2. Deux triangles qui ont un côté isométrique compris entre des angles homologues isométriques sont isométriques (Angle-Côté-Angle ou ACA).

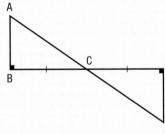

Ex.: Dans la figure ci-contre, les segments AD et BE se croisent au point C. On peut démontrer que si le point C est situé au milieu de $\overline{BE}$, alors les deux triangles sont isométriques.

En effet:

- $\angle B \cong \angle E$, car ce sont deux angles droits;

- $\overline{BC} \cong \overline{EC}$, car C est le point milieu de $\overline{BE}$;

- $\angle ACB \cong \angle DCE$, car les angles opposés par le sommet sont isométriques.

Les triangles ABC et DEC sont donc isométriques par la condition minimale d'isométrie ACA.

3. Deux triangles qui ont leurs côtés homologues isométriques sont isométriques (Côté-Côté-Côté ou CCC).

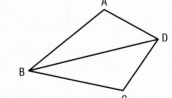

Ex.: On peut démontrer que la diagonale BD du cerf-volant ABCD ci-contre détermine deux triangles isométriques.

En effet:

- $\overline{AD} \cong \overline{CD}$ ⎫ car ce sont les côtés adjacents
  $\overline{AB} \cong \overline{CB}$ ⎭ isométriques du cerf-volant;

- $\overline{BD}$ est un côté commun aux deux triangles.

Les triangles ABD et CBD sont donc isométriques par la condition minimale d'isométrie CCC.

DÉMONSTRATION À L'AIDE DES TRIANGLES ISOMÉTRIQUES

Les conditions minimales des triangles isométriques permettent de démontrer certaines propriétés des figures. Voici deux exemples de démonstrations :

Ex. : On peut démontrer que tous les triangles isocèles sont isoangles.

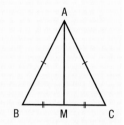

Hypothèse : $\triangle$ ABC est isocèle ($\overline{AB} \cong \overline{AC}$).

Conclusion : $\triangle$ ABC est isoangle ($\angle$ B $\cong$ $\angle$ C).

Construction : Dans le $\triangle$ ABC, on trace la médiane AM.
On obtient ainsi les triangles ABM et ACM.

AFFIRMATION	JUSTIFICATION
1. $\overline{AB} \cong \overline{AC}$	1. Par hypothèse.
2. $\overline{BM} \cong \overline{MC}$	2. Car $\overline{AM}$ est la médiane issue du sommet A et, par conséquent, le point M est le point milieu de $\overline{BC}$.
3. $\overline{AM} \cong \overline{AM}$	3. Car tout segment est isométrique à lui-même.
4. $\triangle$ ABM $\cong$ $\triangle$ ACM	4. Par la condition minimale d'isométrie CCC.
5. $\angle$ B $\cong$ $\angle$ C	5. Car des triangles isométriques ont des angles homologues isométriques.

Ex. : On peut démontrer que les diagonales d'un losange sont perpendiculaires.

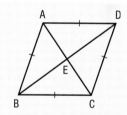

Hypothèse : ABCD est un losange ($\overline{AB} \cong \overline{BC} \cong \overline{CD} \cong \overline{DA}$).

Conclusion : Les diagonales du losange sont perpendiculaires ($\overline{AC} \perp \overline{BD}$).

Tout d'abord, les triangles ABC et ADC sont isométriques par la condition minimale d'isométrie CCC. En effet, $\overline{AB} \cong \overline{AD}$ et $\overline{BC} \cong \overline{DC}$ par hypothèse, et $\overline{AC}$ est un côté commun aux deux triangles.

Ces triangles étant isométriques, les angles BAC et DAC le sont également, puisque des triangles isométriques ont des angles homologues isométriques.

De plus, les triangles BAE et DAE sont isométriques par la condition minimale d'isométrie CAC. En effet, $\overline{AB} \cong \overline{AD}$ par hypothèse, $\angle$ BAC $\cong$ $\angle$ DAC, comme on vient de le montrer, et $\overline{AE}$ est un côté commun aux deux triangles.

Finalement, les angles BEA et DEA mesurent tous deux 90°, car des triangles isométriques ont des angles homologues isométriques, et des angles supplémentaires qui sont isométriques mesurent nécessairement 90° chacun.

On peut donc conclure que les diagonales du losange sont perpendiculaires.

1 Parmi les triangles ci-dessous, lesquels sont isométriques ? Justifiez votre réponse.

A   **B**   **C**   **D**   **E**

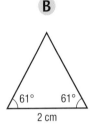 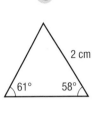 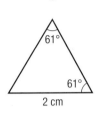 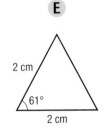

2 La figure ci-contre est formée de quatre triangles juxtaposés.

a) Démontrez que ces quatre triangles sont isométriques.

b) Quelle est la mesure de l'angle rentrant CDE ?

c) Quelles sont les mesures des angles ABC et AFE ?

Cette figure est également formée de trois quadrilatères.

d) De quels types de quadrilatères s'agit-il ? Justifiez votre réponse.

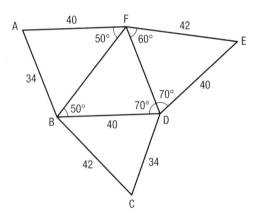

3 Après avoir tracé une diagonale du rectangle ABCD, un élève observe que les deux triangles rectangles formés paraissent isométriques.

a) Démontrez que c'est bien le cas.

À partir de cette figure, il énonce la conjecture suivante.

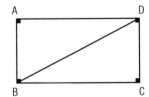

> Deux triangles rectangles ayant des hypoténuses isométriques sont isométriques.

b) Cette conjecture est-elle vraie ? Justifiez votre réponse.

c) Selon vous, quelles sont les conditions minimales pour que deux triangles rectangles soient isométriques ?

4 Quelles sont les conditions minimales pour que :

a) deux triangles isocèles soient isométriques ?

b) deux triangles équilatéraux soient isométriques ?

Dans chaque cas, justifiez votre réponse.

5 Dans chacun des cas ci-dessous, indiquez le nombre de triangles non isométriques qui possèdent les caractéristiques données.

a) Un côté de 6 cm, un de 5 cm et un de 4 cm.

b) Un angle de 30°, un côté de 6 cm et un côté de 4 cm.

c) Un angle de 30°, un angle de 70° et un côté de 6 cm.

d) Un angle de 30°, un de 70° et un de 80°.

e) Un triangle isocèle ayant un angle de 30° et un côté de 4 cm.

6 Le deltoïde est un quadrilatère non convexe qui possède deux paires de côtés adjacents isométriques.

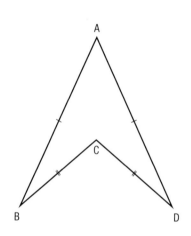

> Certaines pointes de flèches ont la forme d'un deltoïde.

Dans le deltoïde ci-dessus, $\overline{AB} \cong \overline{AD}$ et $\overline{CB} \cong \overline{CD}$.

À partir de cette figure, démontrez les deux propositions suivantes.

a) La demi-droite issue du point A et passant par le point C est la bissectrice de l'angle BAD.

b) Si la mesure de l'angle obtus BCD est le double de la mesure de l'angle BAD, alors le sommet C est situé à égale distance des trois autres sommets du deltoïde.

7 Dans le trapèze ci-dessous, la diagonale BD est isométrique à la grande base BC. Le point E est situé sur la diagonale de telle sorte que ∠ECB ≅ ∠ABD.

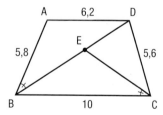

a) Démontrez que les triangles ABD et ECB sont isométriques.

b) Calculez le périmètre du triangle CDE.

8 Ariane observe la figure formée par deux pailles de même longueur qui se croisent sur une table. Elle complète mentalement la figure en reliant les extrémités des deux pailles et estime la mesure de trois segments, comme l'indique l'illustration ci-dessous. Elle en conclut que les triangles formés sont isométriques.

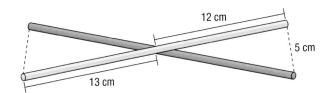

Êtes-vous d'accord avec la conclusion d'Ariane? Si oui, faites-en la démonstration. Sinon, indiquez quelle autre information est nécessaire pour s'assurer de l'isométrie de ces triangles.

9 Soit le triangle isocèle ABC ci-contre. À partir des sommets de la base BC, on a tracé les médianes BE et CD.

a) Démontrez que les triangles ABE et ACD sont isométriques.

b) Quelle propriété permet d'affirmer que $\overline{CD}$ et $\overline{BE}$ sont isométriques?

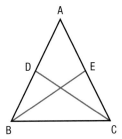

Dans le même triangle, on a tracé les bissectrices des angles ABC et ACB.

c) Démontrez que les segments CF et BG sont isométriques.

d) Qu'en est-il des segments BF et CG?

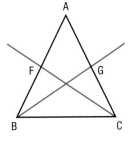

10 Le schéma ci-dessous représente une planche posée sur un cylindre et dont l'une des extrémités touche le sol. Deux longueurs, *a* et *b*, sont indiquées. Démontrez que ces deux longueurs sont identiques.

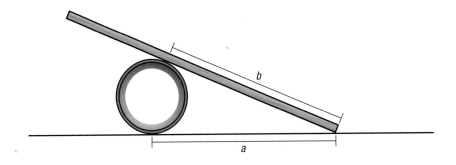

11 En prolongeant les côtés d'un hexagone régulier, on forme six triangles.

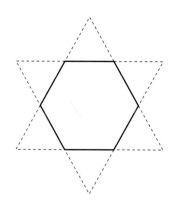

a) Quelle condition minimale d'isométrie des triangles permet d'affirmer que ces six triangles sont isométriques ? Expliquez votre réponse.

b) En reliant successivement les pointes de l'étoile ainsi formée, démontrez qu'on obtient un hexagone régulier.

c) Si les côtés de l'hexagone initial mesurent 1 cm, quel est le périmètre de :

    1) l'étoile ?   2) l'hexagone construit en b) ?

12 Quatre bâtonnets du jeu de mikado sont tombés dans la disposition représentée ci-dessous.

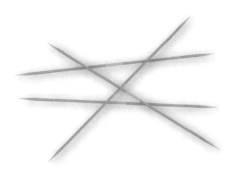

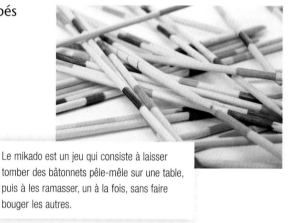

Le mikado est un jeu qui consiste à laisser tomber des bâtonnets pêle-mêle sur une table, puis à les ramasser, un à la fois, sans faire bouger les autres.

Comment pourrait-on déplacer un seul de ces bâtonnets pour que les triangles formés par ceux-ci soient isométriques ?

13 La propriété ci-dessous est utile pour résoudre certains problèmes de géométrie.

> **Un quadrilatère convexe qui a deux côtés parallèles et isométriques est un parallélogramme.**

Démontrez cette propriété en suivant les étapes indiquées ci-dessous.

- Représentez l'énoncé à l'aide d'une figure appropriée en identifiant chaque sommet par une lettre.

- Décrivez l'hypothèse et la conclusion recherchée.

- Ajoutez un ou deux segments à la figure dans le but de faire apparaître deux triangles isométriques, puis démontrez que ces triangles sont bien isométriques.

- Utilisez les propriétés des triangles isométriques pour compléter la démonstration.

14 **GUYANA** Le drapeau ci-contre est celui de la Guyana, un État du nord de l'Amérique du Sud. Dans ce drapeau rectangulaire, la surface rouge est délimitée par un triangle isocèle dans lequel $\overline{AE} \cong \overline{BE}$. Les segments AF et BF coïncident avec les bissectrices des angles EAD et EBC respectivement.

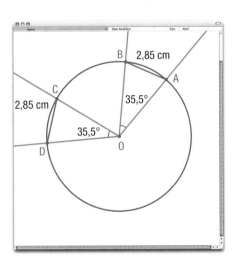

À partir des hypothèses ci-dessus, peut-on affirmer que le point F est situé au milieu de $\overline{CD}$? Justifiez votre réponse.

15 À l'aide d'un logiciel de géométrie dynamique, deux élèves explorent ensemble les propriétés de la figure ci-dessous. Chacun énonce ensuite une conjecture.

Élève 1

 Dans un cercle, deux angles au centre isométriques interceptent des cordes isométriques.

Élève 2

 Si deux cordes dans un même cercle sont isométriques, alors les angles au centre qui passent par leurs extrémités sont également isométriques.

a) En quoi ces deux conjectures sont-elles différentes?

b) Quelle condition minimale d'isométrie des triangles permet de démontrer chacune de ces conjectures?

Observez maintenant la figure ci-dessous, dans laquelle on suppose que les cordes AB et CD sont isométriques.

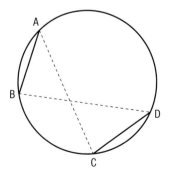

c) Que pouvez-vous dire des segments AC et BD? Justifiez votre réponse.

16 **GRANDE ROUE** La photographie ci-dessous montre une partie de la Grande Roue du parc d'attractions La Ronde, à Montréal. Chaque cabine est rattachée à l'extrémité d'un rayon issu du centre de la roue. Les angles au centre formés par les rayons successifs sont isométriques.

Lorsque la Grande Roue est immobile, la force de gravité fait en sorte que le point le plus bas de chaque cabine est situé exactement au-dessous de son point d'attache, comme le montre l'illustration ci-contre.

Démontrez que pour tout triplet de cabines successives, la distance entre les points A et B est la même que la distance entre les points B et C, quelle que soit la position de ces cabines sur la Grande Roue.

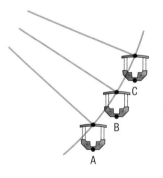

17 Soit les constructions géométriques ci-dessous.

Construction géométrique 1	Construction géométrique 2
Tracez un segment de droite, puis construisez sa médiatrice. Choisissez un point quelconque sur la médiatrice et mesurez la distance qui le sépare des extrémités du segment. Faites varier la position du point choisi et la longueur du segment de droite.	Tracez un angle quelconque, puis construisez sa bissectrice. Choisissez un point sur cette bissectrice et mesurez la distance qui le sépare des deux côtés de l'angle. Faites varier la position du point choisi et la mesure de l'angle.

Pour chacune d'elles :

a) réalisez la construction demandée ;

b) énoncez une conjecture appropriée à la situation ;

c) démontrez cette conjecture.

SECTION 5.3 Les triangles semblables

Cette section est en lien avec la SAÉ 15.

PROBLÈME Le Flatiron Building

En circulant dans les rues de New York, Myriam a vu le fameux Flatiron Building, appelé ainsi en raison de sa forme qui rappelle celle d'un fer à repasser. Enchantée par cette découverte, elle écrit une carte postale à sa sœur, passionnée d'architecture.

Chère Phyllis,

J'ai beaucoup pensé à toi lorsque j'ai vu le Flatiron Building, ce bâtiment haut de 87 m. Je n'ai pu m'empêcher d'en faire le tour, surprise par sa forme triangulaire. N'est-ce pas une forme bizarre pour un édifice ? Néanmoins, j'ai pu apprécier ses belles façades de 33 m, de 60 m et de 66 m de largeur qui donnent respectivement sur la 22ᵉ Rue, la 5ᵉ Rue et Broadway. Le portier m'a précisé que le plus petit angle aigu mesurait 30° ! Tu imagines avoir un bureau à cet endroit ? Par chance, m'a-t-il dit, les deux autres coins sont plus facilement habitables avec des angles de 65° et de 85°. J'aurais aimé que tu sois avec moi pour apprécier toute l'originalité de ce bel édifice.

Je t'embrasse,

Myriam

Phyllis Forbes

3333, 33ᵉ Rue

Trois-Rivières (Québec)

G3T 3T3

CANADA

Pour avoir une idée de l'ampleur de cet édifice, Phyllis veut calculer son volume. Pour y arriver, elle doit d'abord connaître l'aire du triangle à la base de l'édifice. À la recherche de l'information nécessaire, elle a l'idée de construire un triangle semblable. Elle représente le plus petit côté de la base de l'édifice par un segment de 10 cm sur une feuille de papier millimétré.

En poursuivant le travail de Phyllis, déterminez le volume du Flatiron Building.

Dans un manuel d'initiation à l'arpentage publié au début du xxᵉ siècle, on trouve le texte ci-dessous.

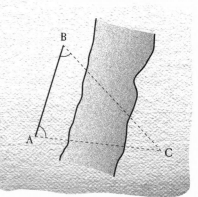

Sur un terrain, il se présente quelquefois un point inaccessible, trop haut ou isolé par une rivière, mais dont on désire néanmoins connaître la distance à partir d'autres points. Voici comment on doit procéder dans ce cas:

On se donne une base AB, puis on mesure à partir du point A l'angle CAB et à partir du point B, l'angle CBA. On peut alors construire sur une feuille un triangle semblable au triangle ABC.

À première vue, il peut sembler étonnant que les mesures de deux angles seulement soient suffisantes pour construire un triangle semblable. Voici, par exemple, un triangle DEF, construit de telle sorte que ∠D ≅ ∠A et ∠E ≅ ∠B. Ce triangle est-il nécessairement semblable au triangle ABC? Peut-on le démontrer?

Observez la figure ci-contre où est reproduit le triangle ABC du manuel d'arpentage. Le triangle AB'C' est l'image du triangle ABC par une homothétie de centre A.

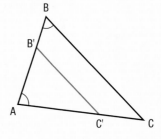

a. Que pouvez-vous dire de la mesure de ∠AB'C'?

b. Quel doit être le rapport de cette homothétie pour que $\overline{AB'}$ soit isométrique à $\overline{DE}$?

c. Dans ce cas, quelle condition minimale permet d'affirmer que les triangles DEF et AB'C' sont isométriques?

d. Peut-on affirmer que les triangles DEF et ABC sont semblables? Justifiez votre réponse.

e. En vous inspirant du raisonnement ci-dessus, démontrez les deux propositions suivantes.

Proposition 1	**Proposition 2**
Deux triangles dont les mesures des côtés homologues sont proportionnelles sont semblables.	Deux triangles qui ont un angle isométrique compris entre des côtés homologues de longueurs proportionnelles sont semblables.

Tout autour de nous, on trouve différentes formes géométriques dans les objets usuels. Observez chacun des objets ci-dessous et leur représentation à l'aide d'un modèle.

Objet ①

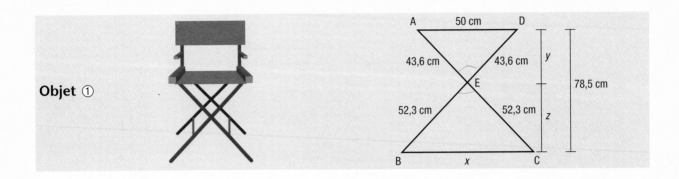

Objet ②

Objet ③

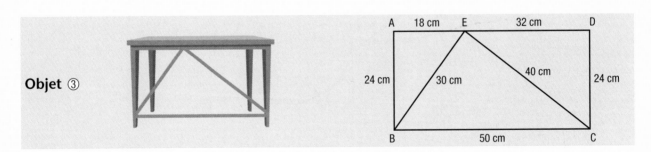

Dans chacune de ces illustrations, on peut repérer des triangles semblables.

a. Dans chaque cas, identifiez les triangles qui vous paraissent semblables et indiquez les côtés et les sommets homologues.

b. Démontrez que ces triangles sont semblables.

c. Utilisez les propriétés des triangles semblables pour déterminer les mesures manquantes indiquées dans les représentations des deux premiers objets.

d. Démontrez que les côtés AD et BC sont parallèles dans la représentation du troisième objet.

Techno math

Un logiciel de géométrie dynamique permet de comparer des figures géométriques. En utilisant principalement les outils TRIANGLE, DISTANCE et MESURE D'ANGLE, on peut construire des triangles et vérifier s'ils sont semblables.

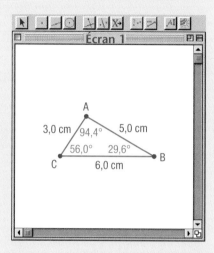

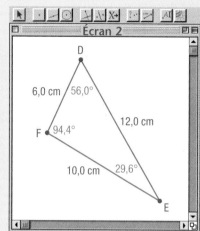

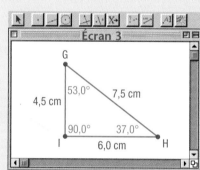

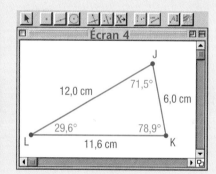

a. Combien de paires d'angles isométriques y a-t-il si l'on compare les triangles :

1) des écrans **1** et **2**? 　　2) des écrans **1** et **3**? 　　3) des écrans **1** et **4**?

b. Vérifiez que :

1) $\dfrac{m\ \overline{EF}}{m\ \overline{AB}} = \dfrac{m\ \overline{DE}}{m\ \overline{BC}} = \dfrac{m\ \overline{DF}}{m\ \overline{AC}}$

2) $\dfrac{m\ \overline{GH}}{m\ \overline{AB}} = \dfrac{m\ \overline{GI}}{m\ \overline{AC}}$

3) $\dfrac{m\ \overline{JK}}{m\ \overline{AC}} = \dfrac{m\ \overline{JL}}{m\ \overline{BC}}$

c. Parmi les triangles des écrans **1, 2, 3** et **4,** y a-t-il une paire de triangles semblables?

d. Peut-on affirmer que deux triangles sont semblables si :

1) les mesures de deux des côtés d'un triangle sont proportionnelles aux mesures de deux des côtés de l'autre triangle?

2) un angle d'un triangle est isométrique à un angle de l'autre triangle?

e. Les mesures de deux côtés du triangle MNO sont proportionnelles aux mesures de deux côtés du triangle PQR. Un angle du triangle MNO est isométrique à un angle du triangle PQR. À l'aide d'un logiciel de géométrie dynamique :

1) construisez les triangles MNO et PQR;

2) explorez plusieurs configurations possibles et expliquez à quelle condition les triangles MNO et PQR sont semblables.

CONDITIONS MINIMALES DES TRIANGLES SEMBLABLES

Les théorèmes ci-dessous présentent les conditions minimales qui permettent d'affirmer que deux triangles sont semblables.

1. Deux triangles qui ont deux angles homologues isométriques sont semblables (Angle-Angle ou AA).

Ex.: Dans le trapèze ABCD ci-contre, on a tracé les diagonales AC et DB. On peut démontrer que les triangles AED et BEC sont semblables.

En effet:

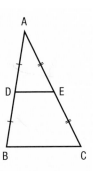

- $\overline{AD} \mathbin{/\mkern-5mu/} \overline{BC}$, car les bases d'un trapèze sont parallèles;

- $\angle\,BCE \cong \angle\,DAE$, car lorsqu'une sécante coupe des droites parallèles, les angles alternes-internes sont isométriques;

- $\angle\,AED \cong \angle\,CEB$, car les angles opposés par le sommet sont isométriques.

La condition minimale de similitude AA permet d'affirmer que $\triangle\,AED \sim \triangle\,BEC$.

2. Deux triangles dont les mesures des côtés homologues sont proportionnelles sont semblables (Côté-Côté-Côté ou CCC).

Ex.: On peut démontrer que les triangles ADC et ABC ci-contre sont semblables.

En effet:

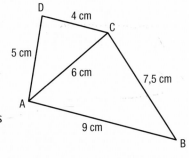

- $\dfrac{m\,\overline{DC}}{m\,\overline{AC}} = \dfrac{4}{6} = \dfrac{2}{3}$ $\qquad \dfrac{m\,\overline{AD}}{m\,\overline{CB}} = \dfrac{5}{7,5} = \dfrac{2}{3}$ $\qquad \dfrac{m\,\overline{AC}}{m\,\overline{AB}} = \dfrac{6}{9} = \dfrac{2}{3}$

- Les trois rapports étant égaux, les mesures des côtés homologues sont donc proportionnelles.

La condition minimale de similitude CCC permet d'affirmer que $\triangle\,ADC \sim \triangle\,ABC$.

3. Deux triangles qui ont un angle isométrique compris entre des côtés homologues de longueurs proportionnelles sont semblables (Côté-Angle-Côté ou CAC).

Ex.: Dans le triangle ABC ci-contre, on a relié par un segment le milieu des côtés AB et AC. On peut démontrer que le triangle ADE ainsi formé est semblable au triangle ABC.

En effet:

- $\dfrac{m\,\overline{AD}}{m\,\overline{AB}} = \dfrac{m\,\overline{AE}}{m\,\overline{AC}} = \dfrac{1}{2}$, car les points D et E sont les points milieux des côtés AB et AC respectivement.

- $\angle\,DAE \cong \angle\,BAC$, car ce sont des angles communs aux deux triangles.

La condition minimale de similitude CAC permet d'affirmer que $\triangle\,ADE \sim \triangle\,ABC$.

RECHERCHE DE MESURES MANQUANTES À L'AIDE DES TRIANGLES SEMBLABLES

Les conditions minimales de similitude des triangles permettent de déduire des mesures manquantes dans certaines situations.

Ex.: Dans un triangle ABC ayant un angle obtus de 100° en C, on trace le segment CD de manière à former avec le côté AB un angle de 100° et un angle de 80°. On peut déduire la mesure de ce segment à l'aide d'une condition minimale de similitude.

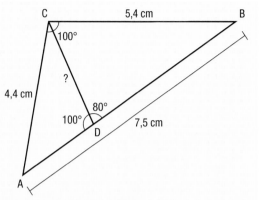

En effet, on a:

- $\angle CAB \cong \angle CAD$, car ce sont des angles communs aux deux triangles;

- $\angle ACB \cong \angle ADC$, car ces deux angles mesurent 100°.

La condition minimale de similitude AA permet d'affirmer que $\triangle ABC \sim \triangle ACD$.

Ces deux triangles semblables permettent d'établir la proportion $\dfrac{m\,\overline{CD}}{m\,\overline{CB}} = \dfrac{m\,\overline{AC}}{m\,\overline{AB}}$.

Autrement dit, $\dfrac{m\,\overline{CD}}{5,4} = \dfrac{4,4}{7,5}$. Ainsi, $m\,\overline{CD} = 3,168$.

Le segment CD mesure donc environ 3,2 cm.

DÉMONSTRATION À L'AIDE DES TRIANGLES SEMBLABLES

Les conditions minimales des triangles semblables permettent de démontrer certaines propriétés des figures.

Ex.: On peut démontrer qu'un quadrilatère dont les diagonales se coupent au tiers de leur longueur est un trapèze.

Hypothèses: $\dfrac{m\,\overline{BE}}{m\,\overline{BD}} = \dfrac{1}{3}$ et $\dfrac{m\,\overline{CE}}{m\,\overline{CA}} = \dfrac{1}{3}$

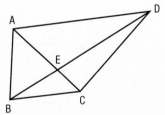

Conclusion: Le quadrilatère ABCD est un trapèze.

AFFIRMATION	JUSTIFICATION
1. $\dfrac{m\,\overline{BE}}{m\,\overline{ED}} = \dfrac{m\,\overline{CE}}{m\,\overline{EA}} = \dfrac{1}{2}$	1. Selon l'hypothèse, les diagonales se coupent au tiers de leur longueur. Le point E partage donc chacune des diagonales dans un rapport de 1 : 2.
2. $\angle AED \cong \angle CEB$	2. Les angles opposés par le sommet sont isométriques.
3. $\triangle AED \sim \triangle CEB$	3. Par la condition minimale de similitude CAC.
4. $\angle EAD \cong \angle ECB$	4. Car les angles homologues de triangles semblables sont isométriques.
5. $\overline{AD} \parallel \overline{BC}$	5. Lorsque des angles alternes-internes sont isométriques, c'est qu'ils sont formés par une sécante qui coupe deux droites parallèles.
6. ABCD est un trapèze.	6. Car un quadrilatère dont deux côtés sont parallèles est un trapèze.

1 Dans chaque cas, déterminez si les deux triangles qui composent la figure sont semblables. Justifiez votre réponse.

a)
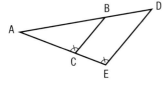

b)
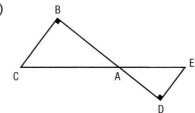

c)
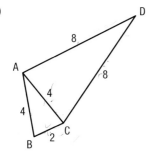

d)
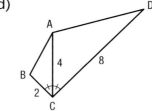

2 La figure ci-dessous est formée de deux triangles juxtaposés.

a) Sachant que l'aire du triangle ABC est environ de 48 cm², calculez l'aire du quadrilatère ABCD.

b) Tracez un nouveau triangle BCE plus grand, mais semblable au triangle ABC, et déterminez l'aire du pentagone ABCDE ainsi obtenu.

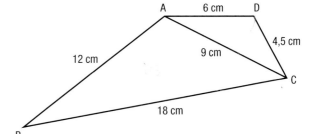

3 Si on observe un chevalet, on peut remarquer qu'il est constitué de deux triangles (tracés en bleu dans l'illustration ci-contre). Quelles conditions ces deux triangles doivent-ils respecter pour que l'on puisse affirmer qu'ils sont semblables ? Justifiez votre réponse.

4 Voici les étapes d'une construction géométrique :

> 1. Tracer un triangle quelconque ABC.
>
> 2. Tracer une droite sécante à deux côtés du triangle et parallèle au troisième côté.

a) Avec vos instruments de géométrie ou un logiciel de géométrie dynamique, réalisez trois constructions différentes qui suivent cette procédure.

b) Émettez une conjecture concernant les triangles ainsi formés.

c) Démontrez-la.

5 Dans le triangle ABC ci-contre, on a relié par un segment le milieu du côté AB au milieu du côté AC. Déterminez le périmètre du quadrilatère BCDE. Justifiez toutes les étapes de votre démarche.

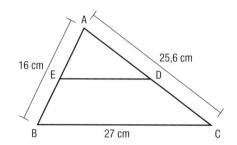

6 Une designer analyse un modèle de chaise dans le but d'en simplifier la fabrication. La structure des pattes de la chaise est un rectangle métallique de 40 cm sur 50 cm auquel on a ajouté des barres de renforcement. L'ensemble possède les caractéristiques illustrées dans le schéma ci-contre.

La designer est persuadée que les deux triangles rectangles que l'on peut voir sont semblables. Êtes-vous d'accord avec elle ? Justifiez votre réponse.

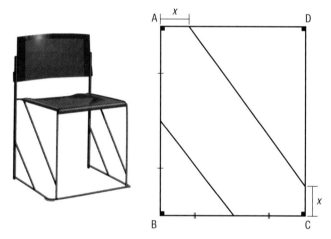

7 SKI NAUTIQUE La rampe réglementaire la plus abrupte de sauts à ski nautique respecte les dimensions suivantes :

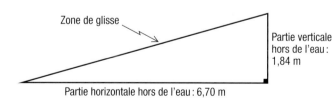

Il est permis de construire une rampe plus petite à condition qu'elle soit semblable à celle-ci.

Quelle sera la longueur de la zone de glisse si les organisateurs choisissent une rampe dont la partie horizontale hors de l'eau mesure 6,40 m ? Justifiez chacune des étapes de votre raisonnement.

8 Les voisins de Simon construisent leur nouvelle maison. Par la fenêtre, Simon observe une partie de la charpente représentée comme ceci:

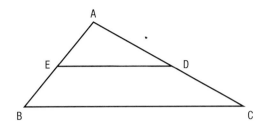

Il avance l'hypothèse que le support horizontal posé à l'intérieur de la charpente triangulaire relie le milieu des côtés AB et AC.

a) Émettez une conjecture concernant la position du support ED relativement au côté BC de la charpente. Démontrez votre conjecture.

b) Émettez une conjecture concernant la mesure du support ED relativement à celle du côté BC de la charpente. Démontrez votre conjecture.

9 Les points D, E et F sont les points milieux des côtés du triangle ABC. Que pouvez-vous supposer à propos des quatre triangles obtenus en reliant ces points milieux par des segments? Démontrez votre conjecture.

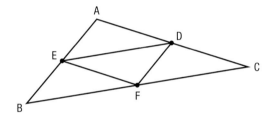

10 Le silo à grains ci-dessous est presque vide. Les grains n'occupent que le tiers de la hauteur du cône inférieur comme l'illustre la figure à droite.

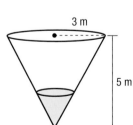

a) Quel volume de grains (en m³) peut contenir la partie conique inférieure du silo?

b) Quel volume de grains (en m³) reste-t-il dans le silo? Justifiez les étapes de votre raisonnement.

11 En partant d'un triangle ABC, on trace trois droites : la première est parallèle au côté AB, la deuxième, parallèle au côté BC, et la troisième, parallèle au côté AC, toutes sécantes à deux des côtés du triangle ABC, formant ainsi le triangle DEF.

Démontrez que les triangles ABC et DEF sont semblables.

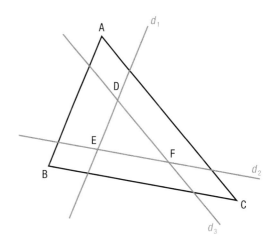

12 Voici un plan d'urbanisme dans lequel on peut reconnaître les triangles ABE et CDE.

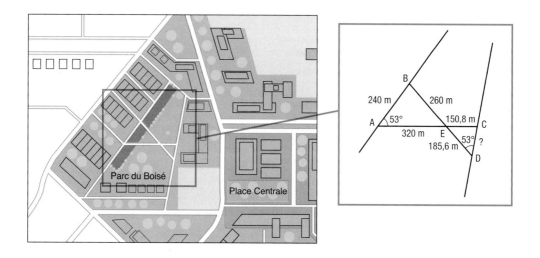

Quelle est la mesure du tronçon de route représenté par le segment CD ? Laissez les traces de votre démarche.

13 À l'aide d'un logiciel de géométrie dynamique, il est possible de relier les points milieux des côtés d'un quadrilatère ABCD quelconque comme le montre la figure ci-contre.

a) Émettez une conjecture sur le nouveau quadrilatère EFGH ainsi obtenu.

b) Démontrez votre conjecture.

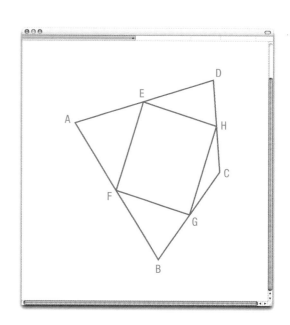

14 Devant le terrain ci-contre ayant la forme d'un quadrilatère, un arpenteur-géomètre affirme qu'il s'agit d'un trapèze en raison du simple fait que la diagonale AC mesure 18 m. Démontrez que cette affirmation est fondée.

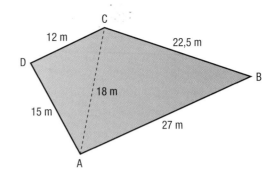

15 L'extrémité de la structure d'un pont ferroviaire est formée de poutres d'acier dont on connaît les trois mesures indiquées dans l'illustration ci-contre. Déterminez la mesure de chacune des quatre autres poutres. Justifiez toutes les étapes de votre démarche.

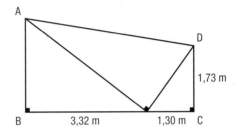

16 Les tours de transmission de signaux satellites sont des supports métalliques composés d'un assemblage de membrures et de barres disposées en treillis. L'illustration ci-dessous représente la vue de côté d'une tour de transmission constituée, entre autres, de barres horizontales parallèles au sol.

a) Émettez une conjecture concernant la position des points A et B par rapport aux deux barres horizontales qui se trouvent au-dessus et au-dessous de ces points.

b) Démontrez votre conjecture.

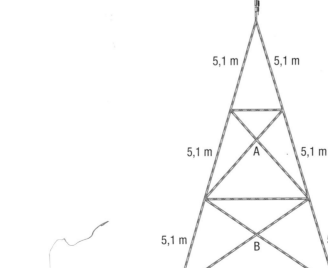

17 Considérez l'illustration ci-contre. À l'aide des données fournies, démontrez que le quadrilatère AEFD est un parallélogramme.

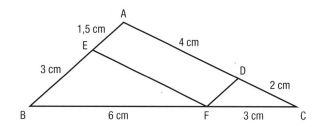

18 Dans trois cercles concentriques dont les rayons mesurent 1 dm, 2 dm et 3 dm, on trace deux diamètres du grand cercle, la corde AB, qui mesure 1,5 cm, et la corde CD comme l'illustre la figure ci-contre.

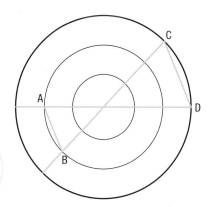

a) Démontrez que les cordes ainsi tracées sont parallèles entre elles.

b) Déterminez la longueur de la corde CD.

La cible du tir à l'arc olympique est composée de 10 cercles concentriques définissant 10 zones, à chacune desquelles est associé un certain nombre de points.

19 Le schéma ci-contre représente la vue aérienne d'un terrain ayant la forme d'un triangle rectangle.

On planifie la construction d'une route qui partira perpendiculairement du milieu du côté le plus long du terrain et qui le traversera de part en part.

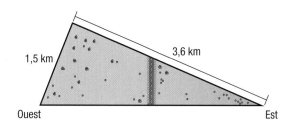

a) Démontrez que le terrain triangulaire à l'est de la route est semblable à la totalité du terrain.

b) Déterminez la longueur de la route projetée.

c) Le terrain triangulaire à l'est de la route serait-il toujours semblable à la totalité du terrain, si la route partait perpendiculairement de tout autre point du côté le plus long? Justifiez votre réponse.

d) À quel endroit la route devrait-elle passer pour que le terrain soit partagé en deux parties équivalentes?

Cette section est en lien avec la SAÉ 15.

PROBLÈME Sous le toit

On veut aménager l'espace sous le toit d'un chalet afin d'y construire une mezzanine. Dans le croquis ci-dessous, les côtés de 9,6 m et de 7,2 m représentent les deux versants de la toiture.

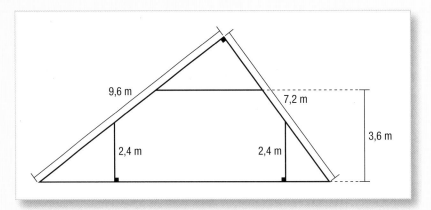

Voici une représentation en perspective cavalière de cette pièce dont la profondeur sera de 4 m. On prévoit couvrir de lattes de bois toutes les surfaces qui sont colorées dans cette représentation, à l'exception de la surface de 2 m² qu'occupera une fenêtre sur le mur du fond.

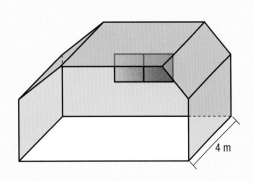

Quelle sera l'aire totale de la surface à couvrir de lattes de bois ?

ACTIVITÉ 1 De la musique à la géométrie

En musique, chaque note émet un son distinct d'une fréquence déterminée. Par exemple, la fréquence du *la* au centre d'un piano est de 440 Hz et celle du *sol* qui le précède, de 392 Hz. La fréquence du *sol* dièse, qui se situe entre ces deux notes, est de 415,3 Hz. Existe-t-il une relation mathématique entre ce dernier nombre et les deux premiers? On peut constater que ce n'est pas leur moyenne arithmétique. Il existe cependant d'autres sortes de moyennes.

Une quantité *x* est moyenne proportionnelle entre deux quantités *a* et *b* si le rapport de *a* à *x* est équivalent au rapport de *x* à *b*.

Le *hertz* (Hz) est une unité de mesure de fréquence d'un phénomène périodique. Une fréquence de 440 Hz correspond à 440 oscillations par seconde.

a. Représentez cette définition à l'aide d'une équation.

b. Vérifiez que la fréquence du *sol* dièse est moyenne proportionnelle entre 392 et 440 Hz.

c. Quelle est la moyenne proportionnelle entre 8 et 32?

La moyenne proportionnelle peut apparaître également dans une construction géométrique. Observez le triangle rectangle ABC ci-contre. Dans cette figure, chaque variable représente la longueur d'un segment. La hauteur CD relative à l'hypoténuse détermine deux nouveaux triangles, CBD et ACD.

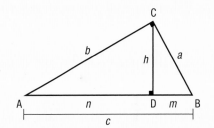

d. Démontrez que les trois triangles ABC, CBD et ACD sont semblables.

Voici une autre représentation de ces trois triangles:

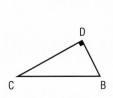 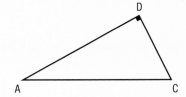 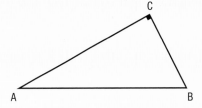

e. À l'aide des triangles CBD et ACD, montrez que *h* est moyenne proportionnelle entre *m* et *n*.

f. À l'aide des triangles ACD et ABC, montrez que *b* est moyenne proportionnelle entre *n* et *c*.

g. À l'aide des triangles CBD et ABC, montrez que *a* est moyenne proportionnelle entre *m* et *c*.

h. Sachant que *m* = 8 et *c* = 40, déterminez la longueur des quatre autres segments définis dans le triangle ABC.

En étudiant les triangles semblables, Alain et Alice ont eu l'occasion d'observer que les proportions possèdent différentes propriétés.

Par exemple, Alain a énoncé la conjecture suivante.

$$\text{Si } \frac{a}{b} = \frac{c}{d}, \text{ alors } \frac{a}{b} = \frac{a + c}{b + d}.$$

Pour démontrer cette conjecture, Alain a tracé deux triangles rectangles semblables, les triangles ABC et A'B'C', dont les côtés forment la proportion $\frac{a}{b} = \frac{c}{d}$. Au-dessous de la base de chacun d'eux, il a ajouté un triangle rectangle isocèle, en pointillé.

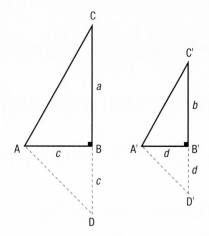

a. Démontrez que les triangles ADC et A'D'C' sont semblables.

b. Que pouvez-vous dire du rapport de similitude entre ces deux triangles?

c. Utilisez vos réponses aux questions précédentes pour démontrer la conjecture d'Alain.

De son côté, Alice, qui préfère l'algèbre à la géométrie, se dit qu'il doit bien exister une preuve algébrique de cette conjecture.

d. Complétez son raisonnement.

> Si $\frac{a}{b} = \frac{c}{d}$, j'en déduis que $ad = bc$, car [____].
>
> En ajoutant le terme ab de chaque côté du signe d'égalité, j'obtiens [____].
>
> Je factorise chacune des expressions ainsi obtenues : [____].
>
> J'en conclus que [____], car [____].

Satisfaite de sa démonstration, Alice énonce une autre conjecture.

$$\text{Si } \frac{a}{b} = \frac{c}{d}, \text{ alors } \frac{a}{b} = \frac{a - c}{b - d}.$$

e. Démontrez la conjecture d'Alice à l'aide d'un raisonnement géométrique ou algébrique.

ACTIVITÉ 3 — Une découverte de Thalès

Thalès de Milet (v. 625-v. 546 av. J.-C.) est considéré par plusieurs comme le premier philosophe, scientifique et mathématicien grec. Il s'est particulièrement intéressé aux figures géométriques et il en a déduit un certain nombre de théorèmes.

L'un de ceux qu'on lui attribue traditionnellement traite de deux droites sécantes coupées par des droites parallèles. Ce théorème a toutefois été démontré pour la première fois par Euclide près de 300 ans plus tard.

Originaire de Milet, en Asie Mineure, Thalès s'est distingué par ses connaissances en astronomie. C'est lui qui aurait introduit la géométrie en Grèce.

À l'aide d'un logiciel de géométrie dynamique, on trace les droites parallèles d_1, d_2 et d_3 et les sécantes d_4 et d_5 comme l'illustre l'écran **1**. On modifie ensuite la position des sécantes et des parallèles pour en observer l'effet sur la mesure de certains segments.

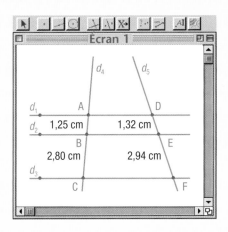

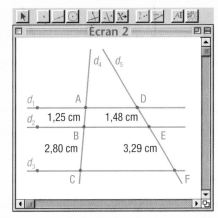

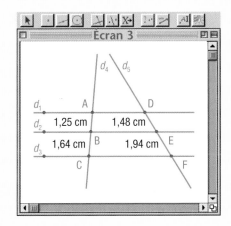

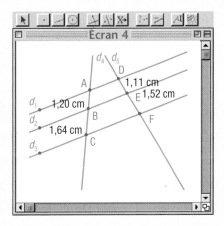

a. Énoncez une conjecture concernant les mesures de ces segments.

b. Démontrez votre conjecture.

RELATIONS MÉTRIQUES DANS LE TRIANGLE RECTANGLE

La hauteur issue du sommet de l'angle droit dans un triangle rectangle détermine trois triangles semblables. En utilisant le fait que les mesures des côtés homologues des triangles semblables sont proportionnelles, on peut démontrer les théorèmes suivants.

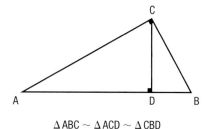

$\triangle ABC \sim \triangle ACD \sim \triangle CBD$

1. **Dans un triangle rectangle, la mesure de chaque côté de l'angle droit est moyenne proportionnelle entre la mesure de sa projection sur l'hypoténuse et celle de l'hypoténuse entière.**

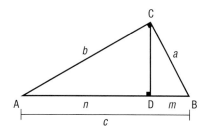

Dans le triangle ABC, la projection de $\overline{AC}$ sur l'hypoténuse est $\overline{AD}$ et la projection de $\overline{BC}$ est $\overline{BD}$. On a donc les relations suivantes.

1) $\dfrac{m}{a} = \dfrac{a}{c}$ ou $a^2 = mc$

2) $\dfrac{n}{b} = \dfrac{b}{c}$ ou $b^2 = nc$

2. **Dans un triangle rectangle, la mesure de la hauteur issue du sommet de l'angle droit est moyenne proportionnelle entre les mesures des deux segments qu'elle détermine sur l'hypoténuse.**

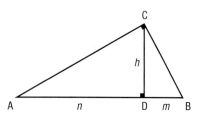

On a donc la relation suivante.

$\dfrac{m}{h} = \dfrac{h}{n}$ ou $h^2 = mn$

3. **Dans un triangle rectangle, le produit des mesures de l'hypoténuse et de la hauteur correspondante égale le produit des mesures des côtés de l'angle droit.**

On a donc la relation suivante.

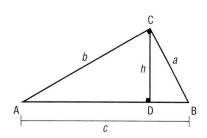

$ch = ab$ ou $h = \dfrac{ab}{c}$

L'application de ces théorèmes peut faciliter la recherche de mesures manquantes.

Ex.: Dans un rectangle ABCD, les segments AE et CF, perpendiculaires à la diagonale BD, séparent celle-ci en 3 segments de 1 unité chacun. L'application des théorèmes ci-dessus permet de déduire l'aire de ce rectangle.

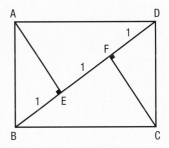

Dans le triangle rectangle BAD, $\overline{BE}$ est la projection de $\overline{BA}$ sur l'hypoténuse, alors que $\overline{DE}$ est la projection de $\overline{DA}$.

Par conséquent,

$\text{m } \overline{BA} = \sqrt{\text{m } \overline{BE} \times \text{m } \overline{BD}} = \sqrt{1 \times 3} = \sqrt{3}$ et $\text{m } \overline{DA} = \sqrt{\text{m } \overline{DE} \times \text{m } \overline{BD}} = \sqrt{2 \times 3} = \sqrt{6}$.

L'aire du rectangle est donc $\sqrt{3} \times \sqrt{6} = \sqrt{18} = 3\sqrt{2}$.

THÉORÈME DE THALÈS

Des sécantes coupées par des parallèles sont partagées en segments de longueurs proportionnelles.

Il est possible de démontrer ce théorème à l'aide des propriétés des triangles semblables et des proportions.

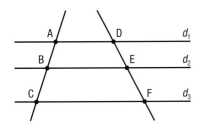

Dans cette figure, si d_1, d_2 et d_3 sont parallèles, alors :

$$\frac{\text{m } \overline{AB}}{\text{m } \overline{DE}} = \frac{\text{m } \overline{BC}}{\text{m } \overline{EF}}$$

L'application du théorème de Thalès peut faciliter la recherche de mesures manquantes.

Ex.: On veut déterminer les valeurs de x et de y dans la figure ci-contre.

Tous les segments perpendiculaires à la droite horizontale sont parallèles. Par le théorème de Thalès, on sait que ces segments partagent les deux sécantes en segments de longueurs proportionnelles.

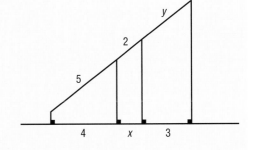

On a donc la proportion : $\frac{5}{4} = \frac{2}{x} = \frac{y}{3}$.

La résolution des deux équations qui en résultent donne $x = 1,6$ et $y = 3,75$.

1 Pour chacun des triangles ci-dessous:

   1) déterminez la mesure associée à la variable *x*;

   2) indiquez les théorèmes qui permettent ce calcul.

a)
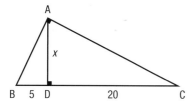

b)
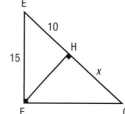

c)

d)
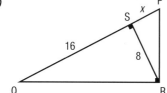

e)
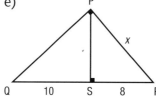

f)
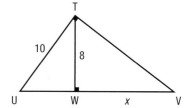

2 Dans la figure ci-contre, chaque variable représente la mesure d'un segment. À partir des deux mesures données, déterminez la valeur de toutes les autres variables.

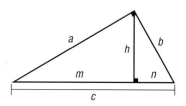

a) *b* = 9 et *c* = 15

b) *m* = 12 et *c* = 16

c) *h* = 8 et *n* = 6

d) *a* = 4 et *n* = 6

3 Dans les figures ci-dessous, trois droites parallèles sont coupées par deux sécantes. Dans chaque cas, déterminez la valeur de *x*.

a)
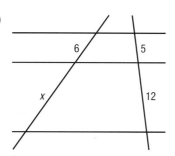

b)
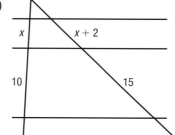

c)
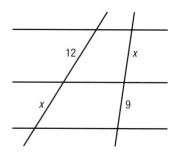

4 **TOUR DU CN** Deux touristes visitent Toronto.
De deux endroits opposés par rapport à la tour
du CN, ils observent le sommet de celle-ci avec
des angles d'élévation complémentaires.
L'un se trouve sur le pont d'un bateau situé
à environ 1200 m de la base de la tour, alors
que l'autre est assis à la terrasse d'un café,
à 250 m de la base de la tour. À l'aide
de ces données, estimez la hauteur de la tour
du CN à la dizaine de mètres près.

La tour du CN, construite en 1976, est
rapidement devenue l'emblème de la ville
de Toronto. Elle a été, jusqu'en 2007,
la plus haute structure autoportée du monde.

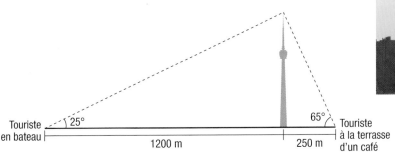

Touriste
en bateau

25°

1200 m

65°

250 m

Touriste
à la terrasse
d'un café

5 Dans un coin de sa cour arrière, un horticulteur a aménagé
un jardin ayant la forme d'un triangle rectangle dont
les dimensions sont données dans l'illustration ci-contre.

Quelle est la distance qui sépare le coin du terrain
de la bordure du jardin? Arrondissez au décimètre
près.

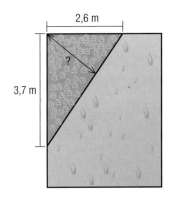

2,6 m

3,7 m

?

6 Pour solidifier cette charpente triangulaire, une ingénieure propose d'y ajouter
deux poutres, illustrées par les segments DE et DF, chacune perpendiculaire
à un côté de la charpente. Quelle est la longueur de chacune des poutres
à ajouter? Justifiez votre réponse.

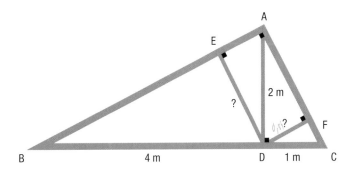

A

E

2 m

?

?

F

B

4 m

D

1 m

C

7 Marie doit plier une feuille en trois pour la mettre dans une enveloppe. Alors qu'elle cherche un moyen de procéder pour que chaque pli soit bien au tiers de la feuille, elle l'échappe par terre.

« J'ai trouvé ! » s'exclame-t-elle en regardant la feuille posée sur le plancher de bois franc. Selon vous, quelle est l'idée de Marie ? Justifiez votre réponse.

8 Les deux triangles rectangles ABC et DEF sont semblables, car les longueurs de leurs cathètes sont proportionnelles. En effet, $\dfrac{15}{24} = \dfrac{25}{40}$.

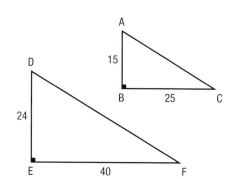

a) De cette proportion, il est possible d'en déduire d'autres. Complétez les égalités suivantes en justifiant vos réponses.

1) $\dfrac{15}{25} = \dfrac{\blacksquare}{40}$

2) $\dfrac{15}{24} = \dfrac{15 + \blacksquare}{24 + 40}$

3) $\dfrac{15 + 25}{24 + \blacksquare} = \dfrac{25 - \blacksquare}{40 - 24}$

4) $\dfrac{15 + 24}{24} = \dfrac{\blacksquare + 40}{\blacksquare}$

b) Démontrez la proposition suivante : si $\dfrac{a}{b} = \dfrac{c}{d}$, alors $\dfrac{a + b}{c + d} = \dfrac{b}{d}$.

9 Dans le plan ci-dessous, quatre avenues perpendiculaires à la rue Saint-André croisent les rues Saint-André et Pascal, délimitant ainsi trois pâtés de maisons. À l'aide des mesures données dans le plan, déterminez la longueur des voies publiques suivantes :

a) la rue Saint-André de la 3ᵉ Avenue à la 4ᵉ Avenue ;

b) la rue Saint-André de la 2ᵉ Avenue à la 3ᵉ Avenue ;

c) la 2ᵉ Avenue ;

d) la rue Pascal de la 1ʳᵉ Avenue à la 2ᵉ Avenue ;

e) la 1ʳᵉ Avenue.

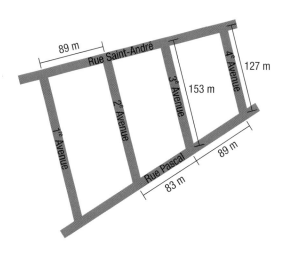

10 Dans le cadre d'une exposition scientifique, un groupe d'élèves devait concevoir le projet d'un pont. Ce groupe a présenté une maquette au design asymétrique et original.

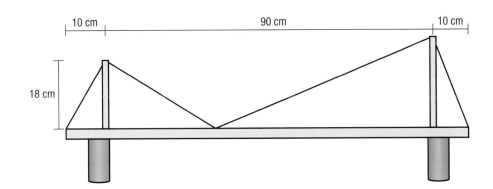

Une corde retient le tablier du pont de la maquette. Elle est fixée à deux tours qui sont perpendiculaires au tablier. Au sommet de chacune des tours, la corde forme un angle droit. La hauteur de la tour de gauche est de 18 cm.

a) Quelle est la hauteur de l'autre tour?

b) Quelle est la longueur totale de la corde utilisée?

11 Il existe de nombreuses démonstrations de la relation de Pythagore, probablement le plus connu de tous les énoncés mathématiques. Les théorèmes à l'étude dans la présente section permettent de réaliser l'une des plus courtes de ces démonstrations. Quelle est-elle?

12 En observant le triangle ci-dessous, une élève a formulé la conjecture suivante.

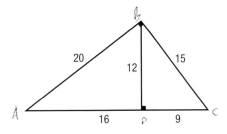

> Le rapport des aires des deux nouveaux triangles formés en traçant la hauteur relative à l'hypoténuse d'un triangle rectangle est égal au rapport des carrés des mesures des cathètes de ce triangle.

a) Vérifiez sa conjecture à l'aide du triangle ci-dessus.

b) Cette conjecture est-elle vraie pour tous les triangles rectangles? Justifiez votre réponse.

13 Dans le rectangle ABCD ci-contre, les côtés AB et BC mesurent respectivement 10 et 24 unités. On a tracé les segments AE et CF, perpendiculaires à la diagonale BD.

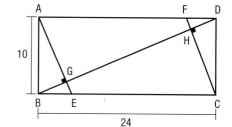

a) Déterminez la mesure du segment GH.

b) Calculez l'aire du parallélogramme AECF.

c) Vérifiez votre réponse en b) en procédant d'une autre façon pour calculer l'aire de ce parallélogramme.

14 Dans le triangle ABC ci-contre, on a tracé la hauteur AD relative au plus grand côté BC.

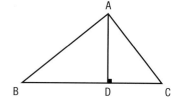

a) Si $(m \overline{AB})^2 = m \overline{BD} \times m \overline{BC}$, le triangle ABC est-il nécessairement rectangle? Justifiez votre réponse.

b) Que pouvez-vous dire du triangle ABC si $(m \overline{AB})^2 < m \overline{BD} \times m \overline{BC}$?

15 Lanick a constaté qu'en calculant la moyenne proportionnelle entre deux nombres positifs différents, il obtient toujours une valeur qui est inférieure à leur moyenne arithmétique. Par exemple, la moyenne proportionnelle entre 4 et 9 est 6, soit $\sqrt{4 \times 9}$, alors que leur moyenne arithmétique est de 6,5, soit $\frac{4 + 9}{2}$. Il a donc énoncé la conjecture suivante.

> Si x et y sont deux nombres positifs différents, alors $\sqrt{xy} < \frac{x + y}{2}$.

Lanick pourrait démontrer cette conjecture algébriquement, mais il a une autre idée.

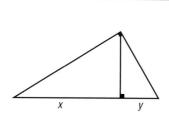

a) Complétez la démonstration de Lanick en précisant d'abord le segment qui correspond à chacune des moyennes.

b) Qu'arrive-t-il à cette démonstration si $x = y$?

16 Un cerf-volant est inscrit dans un cercle de 6 cm de rayon. La diagonale BD du cerf-volant est un diamètre du cercle. L'autre diagonale coupe ce diamètre aux deux tiers de sa longueur. Déterminez l'aire de la surface en rouge. Justifiez chaque étape de votre démarche.

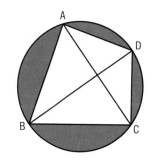

17 Deux droites parallèles qui coupent un cercle de 6,5 cm de rayon interceptent deux cordes AB et CD mesurant 5 cm chacune. L'une des droites passe par le centre O du cercle. Quelle est la distance entre ces deux droites parallèles?

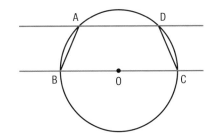

18 Une table de jardin est soutenue, de chaque côté, par une structure métallique formée de deux triangles rectangles isométriques entrecroisés. Les cathètes de ces deux triangles mesurent respectivement 40 cm et 80 cm. Sous les angles droits sont fixés les pieds de la table. Quelle distance les sépare?

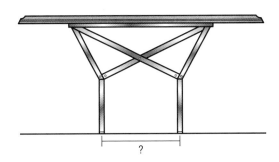

19 Pour couvrir un plancher rectangulaire, un menuisier doit poser les planches en biais. Le schéma ci-contre, que son client lui a fourni comme modèle, n'est pas à l'échelle. Il montre cependant que les planches centrales, que le menuisier devra poser en premier, se joindront le long de la diagonale du rectangle. Les planches qu'il utilisera mesurent 365 cm sur 14,4 cm.

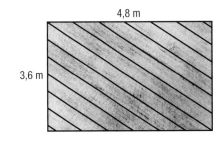

a) Combien de rangées de planches y aura-t-il sur ce plancher?

b) Déterminez les dimensions des triangles qui se trouveront dans les deux coins du plancher.

c) Dans ce projet, les rangées sont composées d'un ou de deux morceaux de planche. Combien de morceaux de planches au minimum seront nécessaires pour couvrir le plancher?

Chronique du
passé

Les mathématiciens grecs

Du VIe s. av. J.-C. jusqu'au IIIe siècle de notre ère, avec Thalès de Milet, en passant par Pythagore, Euclide, Archimède, Ératosthène, Apollonius, Héron, Diophante et tant d'autres, les mathématiciens grecs ont fortement contribué à l'avancement de la mathématique.

Thalès de Milet
(v. 625 av. J.-C.-v. 546 av. J.-C.)

Philosophe et mathématicien, Thalès de Milet est considéré par plusieurs comme le père de la géométrie déductive. Dans ses recherches mathématiques, il ne se contentait pas d'observer des propriétés géométriques. En bon philosophe, il se posait des questions fondamentales : Pourquoi cette propriété existe-t-elle ? Est-elle toujours vraie ? Peut-on la démontrer ?

Il semble que Thalès ait été marchand pendant la première partie de sa vie. La fortune qu'il a alors acquise lui a permis d'étudier et de voyager. Il a séjourné un certain temps en Égypte où il s'est familiarisé avec la mathématique et l'astronomie égyptiennes.

Euclide d'Alexandrie
(v. 325 av. J.-C.-v. 265 av. J.-C.)

On ne connaît presque rien de la vie de ce mathématicien, mais son œuvre, en 13 volumes, intitulé *Éléments* a marqué l'histoire de la mathématique. Traduit dans presque toutes les langues, c'est certainement l'un des ouvrages scientifiques qui a été le plus lu, étudié et commenté.

Dans ses *Éléments*, Euclide ordonne toutes les connaissances mathématiques de son époque en une suite logique de théorèmes à partir d'un petit nombre d'axiomes, dont cinq *postulats*, c'est-à-dire « des énoncés que l'on demande d'accepter sans preuve ».

1. Dans la figure ci-dessous, l'angle ABC inscrit dans le cercle intercepte l'arc AC, dont la mesure est de 180°, soit la même que celle de l'angle au centre AOC. Thalès a démontré que, dans ce cas, l'angle ABC est toujours un angle droit.

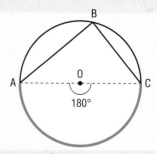

a) Selon vous, comment aurait-il fait ?

b) Qu'arrive-t-il à la mesure de l'angle inscrit si la mesure de l'arc intercepté est différente de 180° ? Démontrez votre conjecture comme l'aurait sûrement demandé Thalès.

Archimède de Syracuse
(287 av. J.-C.-212 av. J.-C.)

C'est probablement le plus grand mathématicien de l'Antiquité. Son œuvre est colossale, tant en mathématique qu'en sciences. On lui doit d'importantes découvertes en physique, notamment la fameuse « poussée d'Archimède » qui permet d'expliquer la flottaison, ainsi qu'un bon nombre d'inventions, dont la vis d'Archimède.

La vis d'Archimède est encore utilisée aujourd'hui pour permettre l'irrigation de terrains surélevés.

En mathématique, sa contribution est remarquable par son étendue et sa diversité. Il a été le premier à appliquer un raisonnement rigoureux afin d'obtenir une approximation du nombre π, prouvant ainsi que ce nombre se situe entre $3\frac{10}{71}$ et $3\frac{1}{7}$. Grâce à des méthodes nouvelles et ingénieuses, il a résolu des problèmes sur lesquels tous ses prédécesseurs avaient buté. Par exemple, il a trouvé la façon de calculer le volume d'une boule à partir de son diamètre. Il a également résolu divers problèmes concernant la numération, les solides semi-réguliers (aussi appelés solides d'Archimède), la quadrature des paraboles, etc.

Il est mort tragiquement en 212 av. J.-C., tué par un soldat romain au cours de l'invasion de la ville de Syracuse.

2. Le cinquième postulat d'Euclide est équivalent à l'énoncé suivant :

> Par un point extérieur à une droite, on peut tracer une et une seule parallèle à cette droite.

a) Puisqu'il n'y a pas de preuve de ce postulat, on peut bien imaginer qu'il est faux. Dans ce cas, quelles sont les possibilités ?

b) Donnez un exemple de théorème qui ne serait plus vrai si l'on rejetait ce postulat.

3. Dans le *Livre des lemmes*, Archimède étudie une forme appelée « arbelos » ou « couteau du cordonnier ». On obtient cette forme en retirant, d'un demi-disque, deux demi-disques plus petits, comme le montre l'illustration ci-dessous.

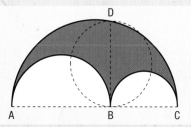

Dans cette figure, les segments AB, BC et AC sont les diamètres des demi-disques. Le segment BD est perpendiculaire à $\overline{AC}$. À la proposition 4 de son ouvrage, Archimède montre que l'aire de l'arbelos est égale à l'aire du disque dont le diamètre est $\overline{BD}$. Démontrez cette propriété.

Le monde

du travail Les architectes

Un domaine en symbiose avec la mathématique

L'architecture est un domaine intimement lié à la mathématique, à la géométrie en particulier, et au domaine des arts. Dans une œuvre architecturale, toutes les formes doivent être en harmonie entre elles et avec leur milieu. Les architectes, tout comme les mathématiciens, travaillent avec les perspectives, les proportions, les angles, les courbes, l'équilibre et les calculs.

De grands mathématiciens bâtisseurs

Jadis, l'architecture faisait partie intégrante de la mathématique. Ces deux domaines étaient même indissociables. Les temples égyptiens, grecs et romains montrent bien que les architectes de l'époque devaient aussi être mathématiciens, sans quoi ils n'auraient pas pu réaliser ces ouvrages. Aujourd'hui, certains experts du domaine affirment que l'architecture de ces grands monuments constitue un traité muet de géométrie.

Les pyramides d'Égypte
(entre 2700 et 2200 av. J.-C.)

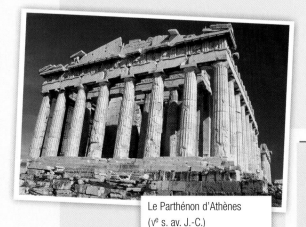

Le Parthénon d'Athènes
(Ve s. av. J.-C.)

Le Colisée de Rome,
(Ier s. apr. J.-C.)

1. Dans la pyramide de Khéops, à une certaine hauteur par rapport au sol, on trouve une chambre qui était destinée à la dépouille du roi. Si on coupait la pyramide parallèlement au sol à la hauteur du plancher de cette chambre, on pourrait observer une relation remarquable entre le carré ainsi obtenu et celui de la base de la pyramide. En fait, le carré situé au niveau de la chambre du roi a pour côté la demi-diagonale du carré à la base de la pyramide.

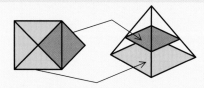

Sachant que les arêtes à la base de la pyramide mesurent 440 coudées et que la hauteur de la pyramide mesure 280 coudées, déterminez à quelle hauteur du sol les architectes ont placé le plancher de la chambre du roi. Expliquez votre raisonnement

Durant sa longue carrière d'architecte, Phyllis Lambert a participé à plusieurs projets d'envergure. Parmi ceux-ci : la construction du Centre Toronto-Dominion (Toronto), la rénovation de l'hôtel Biltmore (Los Angeles) et la fondation du Centre canadien d'architecture (Montréal).

Phyllis Lambert, une grande architecte d'ici

Les activités de l'architecte sont variées. Il ou elle intervient à toutes les étapes d'un projet, de sa conception à sa réalisation. L'architecte maîtrise tout autant les règles du dessin que les principes physiques de la construction, manie les concepts géométriques, en plus de s'acquitter des tâches administratives inhérentes à la gestion de projets.

Phyllis Lambert confiait à un journaliste d'une revue scientifique que, bien qu'elle ait dû faire de la mathématique avancée dans le cadre de ses études en architecture, elle n'était pas une experte en la matière. Selon elle, pour être un bon ou une bonne architecte et concevoir un bâtiment adapté à sa fonction première et à son environnement, il faut posséder une grande culture, faire preuve de beaucoup d'imagination et savoir se projeter dans l'avenir.

Une autre vision de l'architecture

Frank Lloyd Wright (1867-1959) est un célèbre architecte américain qui percevait les pièces d'un bâtiment comme des organes autonomes qui constituent un corps cohérent. Une de ses réalisations a été de restaurer le hall d'entrée du Rookery Building de Chicago.

2. La poutre triangulée se distingue tant par sa solidité que par son esthétisme, ce qui fait d'elle une poutre appréciée des architectes.

a) Quels types de triangles composent cette poutre ?

b) En considérant les hypothèses établies en a), nommez un quadrilatère qui peut être observé dans cette poutre. Expliquez votre réponse.

3. En observant le plafond en verre du hall du Rookery Building, on peut voir la forme du cerf-volant ABCD ci-contre. Dans ce cerf-volant, les points E et F sont des points milieux, $\overline{FG}$ // $\overline{BC}$ et $\overline{GE}$ // $\overline{CD}$. Démontrez que le polygone AFGE est aussi un cerf-volant et que son aire représente le quart de celle du cerf-volant ABCD.

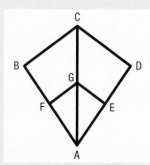

1 Dans le quadrilatère ci-contre, les diagonales sont perpendiculaires et l'une d'elles forme un angle de 45° avec un des côtés.

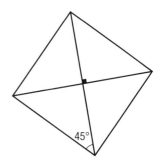

a) Démontrez que si cette figure est un losange, alors elle est un carré.

b) À partir de ces renseignements, peut-on affirmer que cette figure est un losange? Si oui, faites-en la démonstration. Sinon, énoncez les hypothèses que l'on devrait minimalement ajouter pour s'assurer que ce soit un losange.

2 Un simple tube peut servir à estimer la hauteur d'un objet de grande taille. En tenant le tube placé horizontalement contre son œil, l'observateur doit se placer suffisamment loin de l'objet à mesurer afin que son image remplisse le champ de vision.

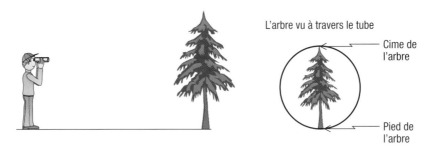

L'arbre vu à travers le tube

Cime de l'arbre

Pied de l'arbre

Sachant que l'observateur tient le tube à une hauteur de 1,50 m, et que celui-ci a un rayon de 3,3 cm et une longueur de 25 cm:

a) calculez la distance qui sépare l'observateur de l'arbre;

b) déterminez la hauteur de l'arbre.

3 Le toit de certaines maisons est composé de trapèzes isocèles. Cette forme possède des caractéristiques particulières.

a) Démontrez que les angles à la base d'un trapèze isocèle sont isométriques.

b) Démontrez que les diagonales d'un trapèze isocèle sont isométriques.

4 **DRAPEAU UNIQUE** Le drapeau du Népal est le seul drapeau national qui n'est pas rectangulaire, même si l'on peut l'inscrire dans un rectangle, comme le montre l'illustration ci-dessous. En l'observant, on pourrait y voir les hauts sommets de l'Himalaya. On peut également y voir des triangles.

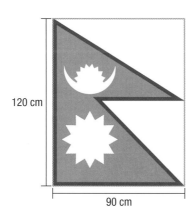

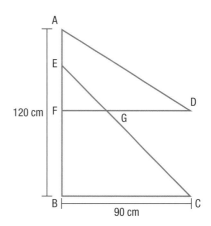

Sachant que les segments FD et BC sont parallèles et isométriques, peut-on affirmer que les triangles suivants sont semblables? Justifiez chacune de vos réponses.

a) Les triangles EFG et EBC.

b) Les triangles AFD et EBC.

c) Les triangles EFG et AFD.

5 Les pattes d'un établi sont formées de quatre parallélogrammes identiques juxtaposés deux à deux. Pour augmenter la stabilité, on y a ajouté des barres de renforcement (illustrées en noir dans la figure ci-dessous) en reliant le milieu d'un des côtés de chaque parallélogramme à chacun des sommets opposés.

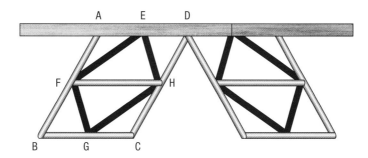

Considérez la figure géométrique formée par les pattes de l'établi et les barres de renforcement dans la partie gauche de l'illustration.

a) Identifiez les triangles isométriques de cette figure. Justifiez votre réponse.

b) Démontrez que les triangles FBG et GCH sont équivalents.

c) Émettez une conjecture sur le quadrilatère EFGH et démontrez-la.

6 **TOUR DU STADE OLYMPIQUE** Étendue sur la pelouse du parc du Stade olympique, Audrey regarde son petit frère qui se tient debout et lui dit : « D'ici, on dirait que tu es aussi grand que la tour du stade ! »

La tour du Stade olympique de Montréal est la plus haute tour inclinée du monde.

Sachant qu'Audrey se trouve à 100 m du pied de la tour et à 0,80 m de son frère, et que celui-ci mesure 1,40 m, répondez aux questions suivantes.

a) Quelle est la hauteur de la tour du Stade olympique ? Justifiez les étapes de votre démarche.

b) Si Audrey se trouvait à 250 m du pied de la tour, à quelle distance de son frère devrait-elle se placer pour avoir encore l'illusion qu'il est aussi grand que la tour ?

7 Considérez le vitrail de forme carrée ci-contre. Trois profilés en plomb fixés à l'intérieur du vitrail relient le coin inférieur droit du carré : 1) au milieu d'un côté non adjacent ; 2) au sommet opposé ; 3) au milieu de l'autre côté non adjacent du carré. Démontrez que les triangles jaune et vert, délimités par les profilés en plomb, sont isométriques.

8 À l'aide d'un plan, on sectionne un cube de manière à obtenir une pyramide à base triangulaire, comme l'illustre la figure ci-contre.

Si les angles ① et ② mesurent chacun 40°, quelle est la mesure de l'angle ③ ? Justifiez les étapes de votre raisonnement.

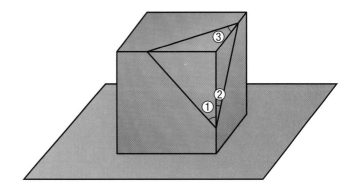

9 TAMIS DE SIERPINSKI Le mathématicien polonais Waclaw Sierpinski a été le premier à construire une figure que l'on nomme aujourd'hui «tamis de Sierpinski». À partir d'une surface délimitée par un triangle équilatéral, on relie les points milieux de chacun des côtés par un segment de droite, puis on retire la surface triangulaire formée au centre par ces trois segments. Pour obtenir le tamis de Sierpinski, on répète cette opération un nombre infini de fois sur chacune des surfaces triangulaires qui restent à chaque étape.

1er niveau du tamis de Sierpinski

2e niveau du tamis de Sierpinski

3e niveau du tamis de Sierpinski

a) Démontrez que les quatre petits triangles du 1er niveau du tamis de Sierpinski sont isométriques entre eux et semblables au triangle initial.

b) Déterminez le rapport de similitude entre les plus petits triangles des niveaux suivants et le triangle initial.

1) 2e niveau

2) 3e niveau

3) 5e niveau

4) ne niveau

c) Si le triangle initial n'était pas équilatéral, la suite des opérations permettant de créer le tamis de Sierpinski engendrerait-elle des triangles semblables? Émettez une conjecture et démontrez-la.

d) Si l'aire du triangle initial est de 1 carré unité, quelle est l'aire de la surface bleue de chacun des niveaux du tamis illustré ci-dessus? Quelle serait cette aire au ne niveau? Expliquez votre réponse.

Le tamis de Sierpinski a permis aux biochimistes de comprendre les réactions chimiques qui se sont produites lors de la formation de ce coquillage.

10 Une élève trace un parallélogramme ABCD. Par un point quelconque de la diagonale BD, elle fait passer les droites d_1 et d_2, parallèles aux côtés AD et AB respectivement. Elle avance alors la conjecture suivante.

> Deux des parallélogrammes ainsi obtenus de chaque côté de la diagonale ont la même aire.

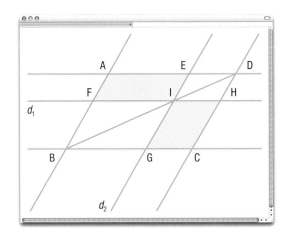

Que pensez-vous de cette conjecture? Expliquez votre réponse.

11 Soit le trapèze rectangle ABCD ci-contre et sa diagonale BD. Sachant que les angles BFA et BAD sont isométriques, déterminez la mesure des cinq segments à l'intérieur du trapèze. Justifiez toutes les étapes de votre raisonnement.

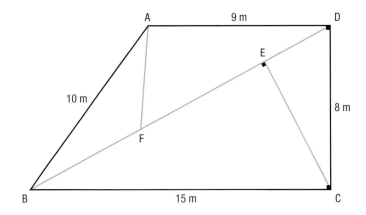

12 Pauline conçoit, pour son équipe de soccer, un drapeau rectangulaire aux couleurs de celui de son pays d'origine, le Bénin.

En le concevant, elle fait en sorte que les points B, H et E soient alignés, de même que les points A, H et C. De plus, $\overline{FG}$ qui passe par le point H est perpendiculaire à $\overline{BC}$.

Quelle est l'aire de la région verte représentée par le quadrilatère CDEH? Justifiez les étapes de votre raisonnement.

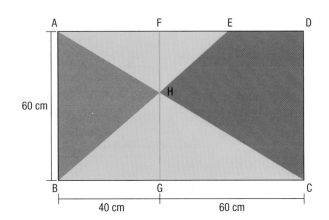

13 Considérez la figure ci-dessous.

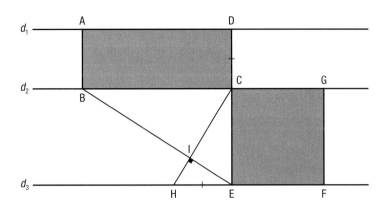

Sachant que d_1 // d_2 // d_3, ABCD est un rectangle, CEFG est un carré et $\overline{CD} \cong \overline{HE}$, démontrez que le carré et le rectangle ont la même aire.

14 MATHÉMATIQUE CHINOISE *Les neuf chapitres* est un ouvrage classique chinois, rédigé il y a environ 2000 ans, qui traite de la résolution de plus de 200 problèmes couramment rencontrés dans la pratique de l'ingénierie, de l'arpentage, de l'agriculture, du commerce et de la fiscalité.

Voici une version adaptée de l'un de ces problèmes :

Une forteresse, dont la base a la forme d'un carré de dimension inconnue, a une porte au milieu de chaque côté, chacune parfaitement orientée vers un des quatre points cardinaux. Si on sort de la forteresse par la porte du côté nord et qu'on fait 20 pas en ligne droite, on rencontre un arbre. Si on quitte la forteresse par la porte du côté sud et qu'on fait 14 pas vers le sud, puis 1775 pas vers l'ouest, on peut alors apercevoir l'arbre. On cherche les dimensions de la forteresse.

Porte de la forteresse de la famille Chang, province du Shanxi, Chine

a) Quelles sont les dimensions de la base de la forteresse ? Laissez les traces de votre raisonnement.

b) Imaginez qu'une fois arrivé à l'endroit où l'on aperçoit l'arbre, on se dirige en ligne droite vers cet arbre. Quelle distance doit-on parcourir avant de ne plus voir le mur sud de la forteresse ? Justifiez votre réponse.

banque _{de} problèmes

15 En 1637, le mathématicien et philosophe français René Descartes a publié un traité de géométrie dans lequel il décrit une façon de représenter géométriquement toutes les opérations usuelles sur les nombres : addition, soustraction, multiplication, division et extraction de la racine carrée.

Un extrait de ce traité est présenté ci-dessous. Descartes y explique comment, à partir de deux segments BD et BC, il est possible de construire un segment BE, tel que m $\overline{BE}$ = m $\overline{BD}$ × m $\overline{BC}$. Il explique ensuite qu'à l'aide d'une construction semblable, on peut également représenter une division de deux longueurs. Finalement, à l'aide d'une autre construction, il montre comment obtenir un segment dont la longueur est égale à la racine carrée d'un segment GH.

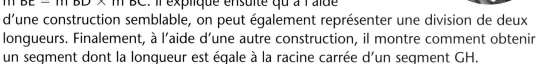

Tracez trois segments comme ceux représentés ci-contre. Le plus petit segment représentera l'unité et les deux autres, des longueurs quelconques *a* et *b*. En vous inspirant des explications de Descartes, construisez ensuite un segment dont la longueur mesurera *a* × *b*, *a* ÷ *b* ou, encore, $\sqrt{a}$. Justifiez votre démarche.

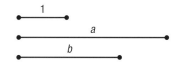

16 L'aire d'un certain trapèze est 100 fois plus grande que l'aire de la surface triangulaire comprise entre ses diagonales et sa petite base. Combien de fois la grande base de ce trapèze est-elle plus grande que la petite base ?

Le pentagramme, symbole des pythagoriciens, correspond en fait aux diagonales d'un pentagone régulier, comme le montre l'illustration ci-contre. On peut comprendre que cette figure géométrique ait fasciné les mathématiciens grecs de l'Antiquité, car elle possède plusieurs propriétés intéressantes. L'une d'elles est étonnante :

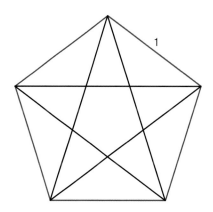

> Dans un pentagone régulier dont les mesures des côtés sont de 1 unité, les mesures des diagonales sont égales au nombre d'or.

Démontrez cette propriété.

Le nombre d'or est associé au partage harmonieux d'un segment en deux parties inégales.

A   C   B

Le point C est situé de telle sorte que $\dfrac{m\,\overline{AB}}{m\,\overline{AC}} = \dfrac{m\,\overline{AC}}{m\,\overline{CB}}$.

La valeur de ces rapports est appelée *nombre d'or* et est symbolisée par la lettre grecque Φ (phi) :

$$\Phi = \frac{1 + \sqrt{5}}{2} \approx 1{,}618\ldots$$

18

À partir du sommet d'un angle A, et toujours en s'en éloignant, on trace une ligne brisée formée de segments isométriques dont les extrémités touchent les deux côtés de l'angle. Le nombre de triangles que l'on peut ainsi construire dépend de la mesure de l'angle A, comme l'illustrent les figures ci-dessous.

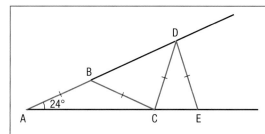

À partir du sommet d'un angle A de 24°, on peut construire 3 triangles.

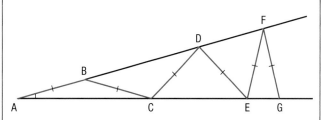

À partir du sommet de cet angle A, plus petit, on peut construire 5 triangles.

Combien de triangles peut-on construire à partir du sommet d'un angle A de 4° ?

19 Un des morceaux du vitrail ci-dessous est brisé. Afin de le remplacer, on pourrait mesurer les quatre angles et les quatre côtés de ce morceau, mais toutes ces données ne sont pas absolument nécessaires. Quelles données minimales pourrait-on communiquer par téléphone à un artisan pour s'assurer d'obtenir un morceau adéquat? Justifiez votre réponse.

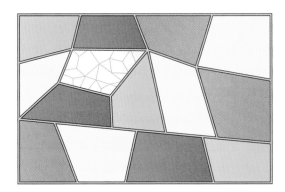

20 À l'aide d'un logiciel de géométrie dynamique, on a exploré les bissectrices des triangles. On sait que dans un triangle isocèle, la bissectrice de l'angle opposé à la base coupe celle-ci en deux segments de même mesure. Que se passe-t-il lorsque le triangle n'est pas isocèle?

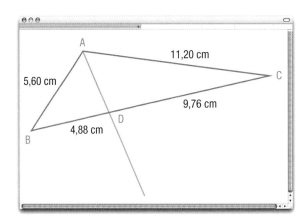

Après avoir construit la bissectrice d'un angle intérieur d'un autre triangle, énoncez une conjecture qui répond à cette question. Démontrez ensuite votre conjecture en ajoutant, si nécessaire, un ou plusieurs segments à la figure que vous avez construite.

21 Une mouche s'est posée au milieu d'une arête entre le plafond et l'un des murs d'une pièce mesurant 3 m de hauteur sur 3 m de largeur sur 6 m de longueur. Le plancher est recouvert d'un tapis dont les lignes bleues du motif sont très attirantes pour la mouche. Quelle est la distance minimale que la mouche doit franchir pour se déposer sur l'une de ces lignes?

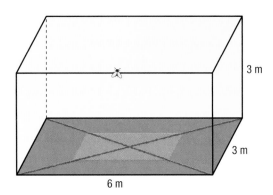

22 Un élève affirme que tous les triangles scalènes sont isocèles, et il en veut pour preuve la démonstration suivante.

Proposition : Tous les triangles scalènes sont isocèles.

Hypothèse : Le triangle ABC est scalène.

Conclusion : Le triangle ABC est isocèle.

Construction : On trace la bissectrice de l'angle BAC et la médiatrice du côté BC. À partir de leur point de rencontre D, on trace les segments DB et DC, puis on abaisse les segments perpendiculaires DE et DF sur les côtés de l'angle BAC.

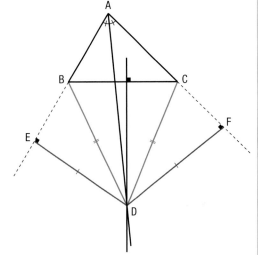

AFFIRMATION	JUSTIFICATION
1. ∠ EAD ≅ ∠ FAD	1. La bissectrice AD sépare l'angle BAC en deux angles isométriques.
2. $\overline{AD}$ ≅ $\overline{AD}$	2. Tout segment est isométrique à lui-même.
3. Δ DEA ≅ Δ DFA	3. Par les affirmations 1 et 2 et, car deux triangles rectangles qui possèdent un angle aigu homologue et un côté homologue isométriques sont isométriques.
4. m $\overline{AE}$ = m $\overline{AF}$	4. Par l'affirmation 3 et, car les côtés homologues des triangles isométriques sont isométriques.
5. $\overline{DE}$ ≅ $\overline{DF}$	5. Tout point situé sur une bissectrice d'un angle se trouve à égale distance des côtés de cet angle.
6. $\overline{DB}$ ≅ $\overline{DC}$	6. Tout point situé sur une médiatrice d'un segment se trouve à égale distance des extrémités de ce segment.
7. Δ DEB ≅ Δ DFC	7. Par les affirmations 5 et 6 et, car deux triangles rectangles qui possèdent deux côtés homologues isométriques sont isométriques.
8. m $\overline{EB}$ = m $\overline{FC}$	8. Par l'affirmation 7 et, car les côtés homologues des triangles isométriques sont isométriques.
9. m $\overline{AB}$ = m $\overline{AE}$ − m $\overline{EB}$ m $\overline{AC}$ = m $\overline{AF}$ − m $\overline{FC}$	9. Car le point B se situe entre les points A et E, et le point C, entre les points A et F.
10. Δ ABC est isocèle.	10. Par les affirmations 4, 8 et 9, les segments AB et AC sont isométriques.

Où se trouve l'erreur dans cette démonstration ? Expliquez votre réponse.

VISI⊙N 6

La géométrie analytique et les systèmes d'équations

Le plan cartésien est un outil ingénieux qui permet de modéliser des situations concrètes pour mieux les comprendre. En associant certains points d'un objet ou d'un lieu à des coordonnées d'un plan cartésien, il devient possible de situer d'autres points, de calculer des distances, d'associer des équations à des segments de droite ou de courbe, de décrire mathématiquement des surfaces. Cette démarche est également utile pour analyser des situations plus abstraites, en géométrie notamment. Dans *Vision 6*, vous approfondirez d'abord vos connaissances sur les droites en abordant, entre autres, le concept de pente. Vous aurez ensuite à résoudre des systèmes d'équations de différentes formes selon différentes méthodes et à représenter des régions du plan par des inéquations du premier ou du second degré.

Arithmétique et algèbre

- Systèmes d'équations du 1er degré à deux variables
- Systèmes d'équations composés d'une équation du 1er degré et d'une équation du 2e degré
- Inéquations du 1er degré ou du 2e degré à deux variables

Géométrie

- Pente d'une droite
- Équation d'une droite
- Droites parallèles et droites perpendiculaires
- Démonstration en géométrie analytique

Statistique

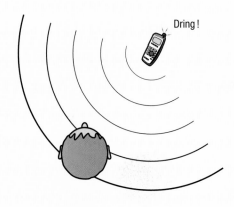

RÉACTIVATION **1** Deux oreilles, c'est mieux !

C'est grâce à nos deux oreilles que nous pouvons localiser la provenance d'un bruit. L'oreille qui est le plus près de la source du bruit reçoit l'onde sonore en premier et transmet son influx nerveux au cerveau une fraction de seconde avant l'autre oreille.

Le cerveau peut alors interpréter cet intervalle de temps pour situer approximativement la direction de la source. Pour en connaître la direction précise, on tourne la tête jusqu'au moment où les deux oreilles perçoivent le bruit en même temps.

Dans le plan cartésien ci-dessous les points G et D représentent respectivement les oreilles gauche et droite d'une personne. Sa tête est placée de telle sorte que la sonnerie d'un téléphone cellulaire est perçue en même temps par les deux oreilles.

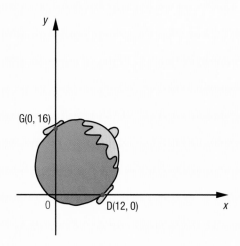

a. Déterminez la position exacte du téléphone cellulaire s'il se trouve :

   1) en un point A sur la droite d'équation $x = 50$;

   2) en un point B sur la droite d'équation $y = 50$.

b. Trouvez les coordonnées de trois autres points où pourrait se situer le téléphone cellulaire.

c. Déterminez l'équation de la droite passant par les points A et B.

d. Les points A et B et les trois autres points obtenus en **b** sont-ils alignés ?

e. Que pouvez-vous dire de la droite passant par les points A et B ?

Les téléphones intelligents permettent d'accéder à Internet, de prendre des photos, d'écouter de la musique, d'organiser des vidéoconférences et plus encore. Mais à quel prix! Comment un consommateur peut-il faire un choix éclairé?

Les forfaits ci-dessous, offerts par trois différentes entreprises, proposent à peu près la même gamme de services. Par contre, ils n'ont pas la même tarification.

FORFAIT 1

Abonnement : **60 $**/mois

Branchement au réseau : **35 $**, à l'abonnement.

Appareil : **250 $**

Premier mois gratuit à l'achat d'un forfait

FORFAIT 2

45 $/mois

Appareil : **450 $**

FORFAIT 3

Appareil **gratuit** à l'achat d'un forfait à

70 $/mois

a. Pour chacun de ces trois forfaits, déterminez la règle qui permet de calculer la somme à payer en fonction du nombre de mois d'utilisation.

b. Représentez graphiquement ces trois fonctions dans un même plan cartésien.

c. Lequel de ces trois forfaits est le plus avantageux si vous désirez vous abonner au service pour une période de :

1) 1 an? 2) 2 ans? 3) 3 ans?

d. En utilisant une table de valeurs, déterminez à partir de quel moment il devient plus avantageux de choisir le forfait **2** plutôt que le forfait **3**.

e. Déterminez, à l'aide de la méthode de comparaison, les coordonnées exactes de chacun des points d'intersection du graphique tracé en **b**. Que représentent ces points d'intersection dans ce contexte?

f. Quelle doit être la durée de l'abonnement au service pour qu'il soit avantageux de choisir le forfait **1**?

DISTANCE ENTRE DEUX POINTS

Dans un plan cartésien, on peut calculer la distance entre deux points P_1 et P_2 à l'aide de la relation suivante :

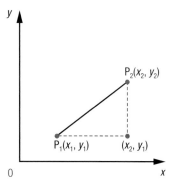

$$d(P_1, P_2) = \sqrt{(x_2 - x_1)^2 + (y_2 - y_1)^2}$$

Ex. : Un point sur l'axe des ordonnées se situe à 5 unités du point A(3, 2). On peut déterminer les coordonnées de ce point à l'aide de la relation ci-dessus.

Soit B(0, y) le point recherché.

Puisque d(A, B) = 5, on a : $\sqrt{(0 - 3)^2 + (y - 2)^2} = 5$.

En élevant au carré, on obtient l'équation $9 + (y - 2)^2 = 25$.

La résolution de cette équation donne $y = 6$ ou $y = \text{-}2$.

Les coordonnées du point B sont donc (0, 6) ou (0, -2).

RÉSOLUTION DE SYSTÈMES D'ÉQUATIONS

Lorsque les variables dépendantes de deux fonctions sont de même nature et que ces dernières sont associées à la même variable indépendante, il est parfois nécessaire de déterminer les valeurs qui vérifient simultanément les deux équations.

Ex. : Une voiture, qui se trouve à 200 km d'une ville, s'en éloigne à une vitesse de 100 km/h. Une seconde voiture, située à 665 km de la même ville, s'en approche à 50 km/h. À quel moment les deux voitures se trouveront-elles à la même distance de cette ville ? Quelle sera alors cette distance ?

On définit les variables :

x : le temps écoulé (en h) ;

y_1 : la distance (en km) qui sépare la première voiture de la ville ;

y_2 : la distance (en km) qui sépare la seconde voiture de la ville.

Les équations associées à cette situation sont :

$y_1 = 100x + 200$

$y_2 = \text{-}50x + 665$

Représentation graphique

Dans une représentation graphique, les coordonnées du point d'intersection des deux droites constituent la solution du système d'équations associé à ces deux droites. La représentation graphique ne fournit souvent qu'une approximation de la solution.

Ex.: On représente graphiquement les équations :

$$y_1 = 100x + 200$$

$$y_2 = {-50}x + 665$$

On estime qu'au bout de 3 h environ les deux voitures se trouveront approximativement à 500 km de la ville.

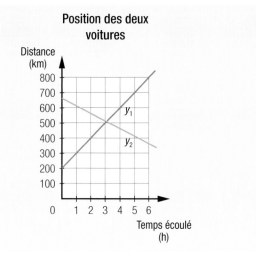

Position des deux voitures

Table de valeurs

Pour obtenir des valeurs plus précises que celles obtenues avec la représentation graphique, on peut construire une table de valeurs à l'aide d'un outil technologique.

Ex.: $y_1 = 100x + 200$

$y_2 = {-50}x + 665$

Les valeurs des variables dépendantes sont les mêmes lorsque la variable indépendante vaut 3,1. Au bout de 3,1 h (soit 3 h 6 min), les deux voitures se trouveront à 510 km de la ville.

Position des deux voitures

x	2,8	2,9	3,0	**3,1**	3,2	3,3
y_1	480	490	500	**510**	520	530
y_2	525	520	515	**510**	505	500

Méthode de comparaison

On peut résoudre algébriquement un système d'équations de la forme $\begin{cases} y_1 = a_1x + b_1 \\ y_2 = a_2x + b_2 \end{cases}$ à l'aide de la méthode de comparaison en posant l'équation $y_1 = y_2$.

Ex.: Pour résoudre le système d'équations $\begin{cases} y_1 = 100x + 200 \\ y_2 = {-50}x + 665 \end{cases}$ à l'aide de la méthode de comparaison, on peut :	
1. Former une équation avec les deux expressions algébriques comportant la variable qui n'est pas isolée.	$100x + 200 = {-50}x + 665$
2. Résoudre l'équation ainsi obtenue.	$100x + 200 = {-50}x + 665$ $150x = 465$ $x = 3,1$
3. Remplacer la valeur obtenue dans l'une des équations de départ, afin de déterminer la valeur de l'autre variable.	$y_1 = 100 \times \mathbf{3,1} + 200 = 510$
Au bout de 3,1 h (soit 3 h 6 min), les deux voitures se trouveront à 510 km de la ville.	

1 Un pilote possède un petit avion basé à Bora Bora. Tous les jours, il transporte des touristes d'une île à l'autre. Voici le trajet qu'il emprunte :

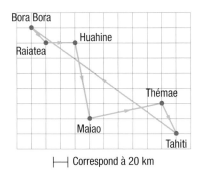

⊢—⊣ Correspond à 20 km

Bora Bora est une île volcanique dans l'archipel de la Société (Polynésie française).

a) Quelle distance le pilote parcourt-il quotidiennement ?

b) Proposez à ce pilote un trajet plus court qui passe par toutes les îles et déterminez la longueur de ce trajet.

2 Considérez les points A(4, 7), B(6, 4) et C(12, ⁻5) dans le plan cartésien.

a) Quelle est l'équation de la droite passant par les points :

1) A et B ?   2) B et C ?

b) Que pouvez-vous dire des trois points A, B et C ?

3 On veut suspendre un pot de fleurs dans une verrière à l'aide de deux cordes de même longueur comme le montre l'illustration ci-dessous.

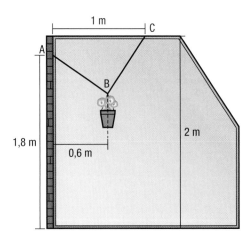

a) Représentez cette situation dans un plan cartésien en indiquant les coordonnées des points A et C.

b) Quelles sont les coordonnées du point B ?

c) Quelle est la longueur de chacune des cordes qui retiennent le pot de fleurs ?

4 Résolvez les systèmes d'équations ci-dessous.

a) $y_1 = \frac{3}{4}x + 2$

   $y_2 = 5x - 15$

b) $y_1 = x + 1$

   $y_2 = \frac{1}{2}x$

c) $y_1 = -x + 1$

   $y_2 = 6 - x$

d) $y_1 = 2{,}5x + 3$

   $y_2 = -7x + 10$

e) $y_1 = 2x - 1$

   $y_2 = 2(4x + 1)$

f) $y_1 = 3(x - 2) + 2$

   $y_2 = x + 2(x - 2)$

5 Jonathan et Léonie ont rendez-vous chez Samuel. Jonathan, qui habite à 3 km de chez Samuel, part à midi pour s'y rendre à pied à une vitesse de 3 km/h. Léonie, qui habite à 2,5 km de chez Samuel, part 30 min plus tard que Jonathan pour s'y rendre à bicyclette. On suppose qu'elle roule à une vitesse constante de 15 km/h.

Soit x le temps écoulé (en h) depuis midi, y_1 la distance (en km) qui sépare Jonathan de chez Samuel et y_2 la distance (en km) qui sépare Léonie de chez Samuel.

a) Décrivez la relation entre x et y_1 à l'aide d'une équation.

La relation entre x et y_2 est plus complexe. Elle correspond à une fonction définie par parties, soit :

$$y_2 = \begin{cases} 2{,}5 & \text{si } x < \frac{1}{2} \\ 2{,}5 - 15\left(x - \frac{1}{2}\right) & \text{si } x \geq \frac{1}{2} \end{cases}$$

b) À l'aide d'un même graphique, représentez la relation entre les deux variables dépendantes y_1 et y_2 et la variable indépendante x.

c) À quels moments, Jonathan et Léonie se trouvent-ils à la même distance de chez Samuel ? Dans chaque cas, déterminez la distance qu'il leur reste à parcourir.

d) À quel moment, Léonie se trouve-t-elle deux fois plus proche de chez Samuel que Jonathan ? Quelle distance Jonathan doit-il alors encore parcourir ?

6 Au cours d'une expérience, on chauffe séparément 500 g d'alcool et 500 g d'eau jusqu'à ce que leur température atteigne 80 °C. On observe la température de chaque liquide selon le temps écoulé. Les résultats de l'expérience sont présentés dans le graphique ci-contre.

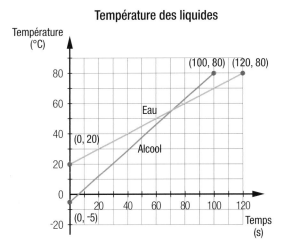

a) Que représente l'ordonnée à l'origine associée à chacune de ces fonctions ?

b) À l'aide de la représentation graphique, estimez les coordonnées du point d'intersection et interprétez-les.

c) Déterminez la règle de chacune de ces fonctions.

d) Calculez, au dixième près, les coordonnées du point d'intersection.

SECTION 6.1 L'étude des droites

Cette section est en lien avec la SAÉ 16.

PROBLÈME Prolongement d'autoroute

On prévoit le prolongement de l'autoroute 55 jusqu'à l'autoroute 70 pour que les automobilistes de la région nord-est puissent éviter la circulation dense de Grandeville. Ils pourront alors se rendre plus rapidement à Bienville. Voici une représentation de la situation :

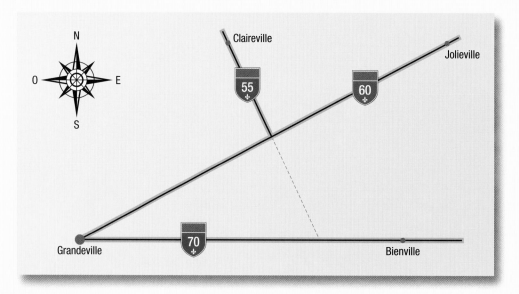

- Jolieville est située à 12 km à l'est et à 6 km au nord de Grandeville.

- Claireville est située à 5 km à l'est et à 6 km au nord de Grandeville.

- Bienville est située à 10,5 km à l'est de Grandeville.

- L'autoroute 55 est perpendiculaire à l'autoroute 60.

Quelle sera la distance par la route entre Claireville et Bienville une fois le prolongement de l'autoroute 55 achevé ?

L'autoroute est une voie réservée exclusivement aux véhicules automobiles rapides et ne comporte qu'un nombre restreint de liaisons avec le reste du réseau routier. La première autoroute a été construite en 1914, près de New York.

ACTIVITÉ 1 Rampe d'accès

Afin de permettre un accès facile à différents lieux publics ou privés, une norme québécoise spécifie que la pente d'une rampe d'accès doit être au plus de $\frac{1}{12}$.

a. Que signifie une pente de $\frac{1}{12}$?

b. Si la norme spécifiait une pente maximale de $\frac{1}{8}$, de $\frac{1}{10}$ ou, encore, de $\frac{1}{15}$, quelles en seraient les conséquences pour les personnes en fauteuil roulant ?

Le code de la construction du Québec comporte des exigences qui visent à permettre une accessibilité universelle aux lieux publics. La rampe d'accès est l'une des solutions d'aménagement à cet effet souvent retenue par les concepteurs.

Dans le plan cartésien ci-dessous, on a représenté un fauteuil roulant sur une rampe d'accès.

c. Est-ce que la pente de cette rampe d'accès respecte l'exigence de la norme ?

d. Quelle est la pente de :

1) la droite d_1, parallèle à la rampe d'accès, qui passe par le siège du fauteuil roulant ?

2) la droite d_2, parallèle à la rampe d'accès, qui passe par la poignée du fauteuil roulant ?

3) la droite d_3, perpendiculaire à la rampe d'accès, qui passe par le dossier du fauteuil roulant ?

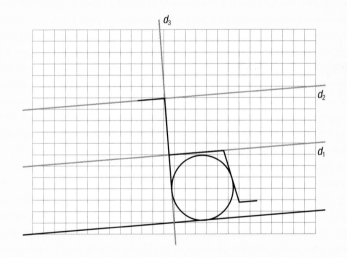

e. Quelles seraient les réponses aux questions posées en **d** si la pente de la rampe d'accès était de $\frac{1}{15}$?

f. Que pouvez-vous dire de la pente :

1) d'une droite horizontale dans le plan cartésien ?

2) d'une droite verticale dans le plan cartésien ?

Les membres d'un comité de quartier demandent à la Ville de Montréal de construire une rue piétonnière qui traversera le Parc olympique.

Dans le dossier d'analyse de sa demande, le Comité présente une image satellite du parc dans un plan cartésien.

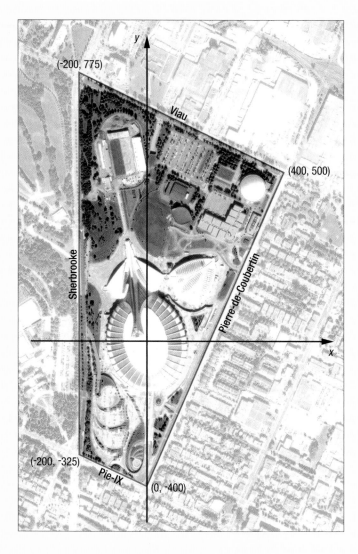

a. Si cela est possible, associez chacune des rues délimitant le Parc olympique à une équation de la forme $y = mx + b$.

b. Parmi ces quatre rues, y en a-t-il qui sont réellement perpendiculaires ? Justifiez votre réponse.

c. Associez chacune des rues délimitant le Parc olympique à une équation de la forme générale $Ax + By + C = 0$.

La rue piétonnière projetée va de la rue Sherbrooke à la rue Pierre-de-Coubertin. Cette rue peut être associée à la droite d'équation $4x + 9y - 3300 = 0$.

d. Dans un plan cartésien, représentez les rues délimitant le quadrilatère et la rue piétonnière.

e. Utilisez les cinq équations de droite écrites sous la forme générale pour compléter le tableau ci-dessous.

Rue	Équation sous la forme générale	A	B	C	Pente	Abscisse à l'origine	Ordonnée à l'origine
Sherbrooke							
Viau							
Pierre-de-Coubertin							
Pie-IX							
Rue piétonnière	$4x + 9y - 3300 = 0$	4	9	-3300			

f. À l'aide des paramètres A, B et C de l'équation d'une droite exprimée sous la forme $Ax + By + C = 0$, comment peut-on déterminer :

1) la pente ?   2) l'abscisse à l'origine ?   3) l'ordonnée à l'origine ?

ACTIVITÉ 3 Pour garder la forme

Julie-Anne garde la forme en s'entraînant au gymnase. Elle consacre exactement une heure à son entraînement en faisant de la course à pied sur un tapis roulant et du vélo stationnaire.

Le *Guide d'activité physique canadien* recommande de faire 60 min d'activité physique par jour pour demeurer en santé. On peut réduire cet objectif à 30 min si l'intensité de l'activité physique est élevée.

Sachant que *x* représente la distance (en km) parcourue par Julie-Anne sur le tapis roulant et *y*, la distance (en km) enregistrée sur le vélo stationnaire, répondez aux questions suivantes.

a. Julie-Anne consacre une fraction de son heure d'entraînement à courir à une vitesse de 10 km/h. Quelle expression algébrique représente cette fraction?

b. Elle consacre aussi une fraction de son heure d'entraînement à pédaler à une vitesse de 25 km/h. Quelle expression algébrique représente cette fraction?

c. Sachant que le temps d'entraînement de Julie-Anne est d'une heure et considérant les réponses obtenues aux questions **a** et **b**, déterminez l'équation qui représente cette situation.

d. Représentez graphiquement l'équation obtenue en **c**.

e. Trouvez l'abscisse à l'origine, l'ordonnée à l'origine et la pente de la droite représentant cette situation. Interprétez chacune de ces valeurs d'après le contexte.

f. Dans le même plan cartésien, représentez de nouveau la situation sachant que Julie-Anne maintient les vitesses suivantes durant son heure d'entraînement:

1) course: 5 km/h et vélo: 12,5 km/h;

2) course: 12 km/h et vélo: 30 km/h;

3) course: 15 km/h et vélo: 30 km/h.

g. Déterminez les équations associées aux situations représentées en **f**.

La géométrie analytique permet de résoudre des problèmes de géométrie à l'aide de calculs algébriques. Cette nouvelle façon de faire de la géométrie est attribuable au mathématicien français René Descartes qui a développé cette méthode au XVIIe siècle.

René Descartes a publié son essai «La géométrie» dans le *Discours de la méthode* en 1637. Cet essai constitue une application de sa méthode.

On veut démontrer la proposition suivante.

|| Un quadrilatère qui a deux côtés parallèles et isométriques est un parallélogramme.

Voici le début d'une démonstration de cette proposition :

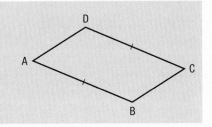

Hypothèses : • $\overline{AB} \; // \; \overline{DC}$
             • $\overline{AB} \cong \overline{DC}$

On doit démontrer que $\overline{AD}$ et $\overline{BC}$ sont parallèles.

L'idée de Descartes est de situer judicieusement la figure dans un plan cartésien et d'exprimer ensuite les coordonnées des sommets à l'aide d'expressions algébriques comprenant aussi peu de variables que nécessaire. Dans le cas présent, trois variables, *a*, *b* et *c*, sont suffisantes.

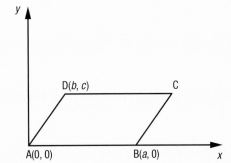

a. Exprimez les coordonnées du point C à l'aide des variables *a*, *b* et *c*. Justifiez votre réponse.

b. Quelle expression algébrique représente la pente :

1) du segment AD ?

2) du segment BC ?

c. Que pouvez-vous conclure des réponses obtenues en **b** ?

d. Démontrez la proposition suivante à la manière de Descartes.

|| Dans un carré, les diagonales sont isométriques et se coupent à angles droits.

Techno math

Un logiciel de géométrie dynamique permet de tracer des droites dans un plan cartésien et de les manipuler par la suite. En utilisant principalement les outils MONTRER LES AXES, POINT, DROITE, DROITE PARALLÈLE, DROITE PERPENDICULAIRE et ÉQUATION, on peut tracer des droites parallèles, des droites perpendiculaires et afficher leurs équations sous différentes formes.

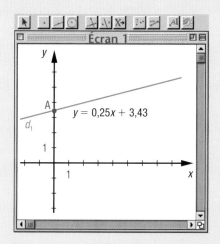

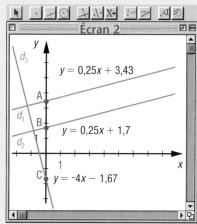

En modifiant l'inclinaison de la droite d_1 ou la position des points A, B et C, on observe certains changements liés aux équations des droites.

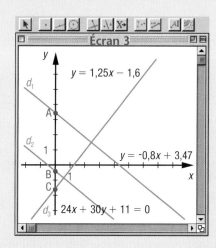

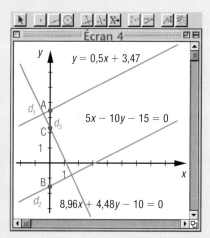

a. Déterminez les coordonnées de 4 points appartenant à la droite de l'écran **1**.

b. En quoi les équations des droites d_1 et d_2 de l'écran **2** permettent-elles d'affirmer que $d_1 \;/\!/\; d_2$?

c. Vérifiez que le produit des pentes des droites d_1 et d_3 de l'écran **2** est -1.

d. Écrivez sous la forme fonctionnelle l'équation de la droite d_2 de l'écran **3**.

e. Déterminez l'ordonnée à l'origine de chacune des droites de l'écran **4**.

f. Sachant que $d_1 \perp d_3$ à l'écran **4**, que peut-on dire de la position de la droite d_2 par rapport aux deux autres?

g. À l'aide d'un logiciel de géométrie dynamique, déterminez ce qu'il advient de l'équation d'une droite:

1) parallèle à l'axe des abscisses;
2) parallèle à l'axe des ordonnées.

PENTE D'UNE DROITE

La pente d'une droite est un nombre qui donne l'inclinaison de la droite. C'est le rapport de la variation verticale à la variation horizontale.

Ex. :

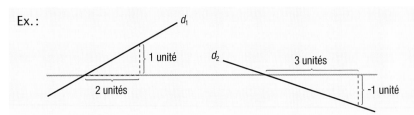

La pente de la droite d_1 est $\frac{1}{2}$, alors que celle de la droite d_2 est $-\frac{1}{3}$.

Pente d'une droite dans le plan cartésien

La pente m d'une droite qui passe par les points (x_1, y_1) et (x_2, y_2) correspond à :

$$m = \frac{\Delta y}{\Delta x} = \frac{y_2 - y_1}{x_2 - x_1}$$

La pente d'une droite horizontale est 0, alors que celle d'une droite verticale n'existe pas.

Ex. :

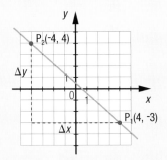

La pente m de la droite P_1P_2 se calcule ainsi :

$$m = \frac{\Delta y}{\Delta x} = \frac{y_2 - y_1}{x_2 - x_1} = \frac{4 - (-3)}{-4 - (4)} = \frac{7}{-8} = -\frac{7}{8}$$

Droites parallèles et droites perpendiculaires

Deux droites parallèles ont la même pente.

Le produit des pentes de deux droites perpendiculaires est -1.

Ex. :

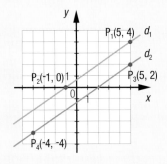

Pente de d_1 : $m_1 = \frac{\Delta y}{\Delta x} = \frac{4 - 0}{5 - (-1)} = \frac{4}{6} = \frac{2}{3}$

Pente de d_2 : $m_2 = \frac{\Delta y}{\Delta x} = \frac{2 - (-4)}{5 - (-4)} = \frac{6}{9} = \frac{2}{3}$

d'où $m_1 = m_2$.

Ex. :

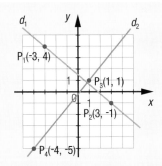

Pente de d_1 : $m_1 = \frac{\Delta y}{\Delta x} = \frac{4 - (-1)}{-3 - 3} = \frac{5}{-6} = -\frac{5}{6}$

Pente de d_2 : $m_2 = \frac{\Delta y}{\Delta x} = \frac{1 - (-5)}{1 - (-4)} = \frac{6}{5}$

d'où $m_1 m_2 = -\frac{5}{6} \times \frac{6}{5} = -1$.

ÉQUATION D'UNE DROITE

Il existe plusieurs façons d'écrire l'équation d'une droite. En voici trois :

Forme	Équation	Rôle des paramètres	Caractéristique
Fonctionnelle ou canonique	$y = mx + b$	Pente : m Ordonnée à l'origine : b Abscisse à l'origine : $-\dfrac{b}{m}$	Peut être utilisée pour décrire toute droite non verticale.
Générale	$Ax + By + C = 0$	Pente : $-\dfrac{A}{B}$ Ordonnée à l'origine : $-\dfrac{C}{B}$ Abscisse à l'origine : $-\dfrac{C}{A}$	Peut être utilisée pour décrire toute droite.
Symétrique	$\dfrac{x}{a} + \dfrac{y}{b} = 1$	Pente : $-\dfrac{b}{a}$ Ordonnée à l'origine : b Abscisse à l'origine : a	Peut être utilisée pour décrire toute droite oblique ne passant pas par l'origine.

DÉMONSTRATION À L'AIDE DE LA GÉOMÉTRIE ANALYTIQUE

Pour démontrer un énoncé de géométrie à l'aide de l'algèbre, il est utile :

- de représenter la figure dans un plan cartésien ;
- d'exprimer les coordonnées des points importants de la figure à l'aide de variables en tenant compte des hypothèses de l'énoncé.

Ex. : Le segment qui relie le milieu des côtés SU et ST du triangle ci-dessous est parallèle au côté UT.

Hypothèses : • M_1 est le point milieu de $\overline{SU}$.
      • M_2 est le point milieu de $\overline{ST}$.

Conclusion : $\overline{M_1M_2} \parallel \overline{UT}$

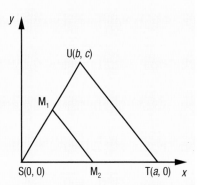

M_1 et M_2 étant les points milieux de $\overline{SU}$ et $\overline{ST}$ respectivement, leurs coordonnées sont :

$M_1\left(\dfrac{b}{2}, \dfrac{c}{2}\right)$ et $M_2\left(\dfrac{a}{2}, 0\right)$.

Pente de la droite M_1M_2 : $\dfrac{0 - \dfrac{c}{2}}{\dfrac{a}{2} - \dfrac{b}{2}} = \dfrac{\dfrac{-c}{2}}{\dfrac{a - b}{2}} = \dfrac{-c}{a - b}$

Pente de la droite UT : $\dfrac{0 - c}{a - b} = \dfrac{-c}{a - b}$

$\overline{M_1M_2} \parallel \overline{UT}$, car les deux pentes sont égales.

1 Chacune des droites représentées ci-contre passe par certains points dont les coordonnées sont des nombres entiers.

a) Déterminez la pente de chaque droite.

b) Quelles droites ont une pente négative?

c) Quelle est la pente de la droite qui forme un angle de 45° avec les axes?

d) Classez ces droites par ordre croissant de pente.

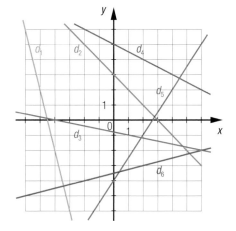

2 Chaque paire de points ci-dessous définit une droite. Pour chacune de ces droites, déterminez:

1) la pente;	2) l'équation sous la forme générale;	3) les coordonnées à l'origine.

a) A(4, 2) et B(5, -1) b) C(3, -1) et D(-3, -3) c) E(-2, 1) et F(6, 1)

d) G(-1, -4) et H(-4, 1) e) I(2, -1) et J(2, -5) f) K(-5, 2) et L(-1, -4)

3 Dans chaque cas:

1) écrivez l'équation sous la forme générale;

2) écrivez l'équation sous la forme symétrique;

3) déterminez la pente et les coordonnées à l'origine de la droite associée à l'équation.

a) $y = -\dfrac{1}{2}x + 3$ b) $y = 0{,}2x - 1{,}4$ c) $y = \dfrac{2x - 4}{3} + 4$

d) $y = -0{,}4(x - 1) - 0{,}5$ e) $x = 3y + 6$ f) $4(x - 1) + 2(y - 2) = 0$

4 Déterminez l'équation générale de la médiatrice du segment AB sachant que les coordonnées des points A et B sont respectivement:

a) (0, 0) et (6, -4) b) (15, -3) et (3, 1) c) (2, -10) et (10, -10)

d) (-1, 5) et (5, -1) e) (4, 4) et (4, 8) f) (3, -2) et (5, -3)

5 Pour chacune des descriptions suivantes, exprimez l'équation de la droite sous la forme :

1) fonctionnelle ; 2) générale ; 3) symétrique.

a) Droite dont la pente est 8 et l'ordonnée à l'origine est ⁻3.

b) Droite dont la pente est ⁻2 et qui passe par le point P(12, 5).

c) Droite dont la pente est $\frac{2}{5}$ et l'abscisse à l'origine est 10.

d) Droite dont l'abscisse à l'origine est ⁻3 et l'ordonnée à l'origine est 6.

e) Droite dont l'abscisse à l'origine est 2 et qui passe par le point Q(3, 4).

f) Droite dont les coordonnées à l'origine sont identiques et qui passe par le point R(2, ⁻5).

6 Cinq droites sont définies par les équations générales suivantes.

$$d_1 : 2x - y - 2 = 0 \qquad d_2 : x - 2y = 0 \qquad d_3 : x + 2y - 2 = 0$$

$$d_4 : x - 2y + 2 = 0 \qquad d_5 : x - y + 2 = 0$$

a) Quelles droites sont parallèles ?

b) Quelles droites sont perpendiculaires ?

c) Quelles droites ont la même abscisse à l'origine ?

d) Quelle droite ne peut pas se décrire à l'aide d'une équation symétrique ?

7 L'une des faces latérales des bacs à fleurs illustrés ci-dessous est représentée dans un plan cartésien. Déterminez l'aire de cette face sachant que ses côtés non parallèles ont une pente de ⁻10 et 10.

 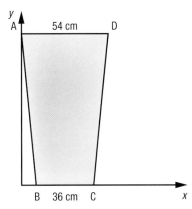

8 Les coordonnées des sommets d'un quadrilatère ABCD sont : A(0, 0), B(12, 0), C(10, 8) et D(6, 4).

a) Démontrez qu'en reliant successivement les milieux des quatre côtés de ce quadrilatère, on obtient un parallélogramme.

b) Démontrez que cette propriété est vraie, quelle que soit la forme du quadrilatère ABCD.

9 La représentation ci-contre montre la position relative de trois arbres. Démontrez de deux façons différentes que la position de ces arbres définit un triangle rectangle.

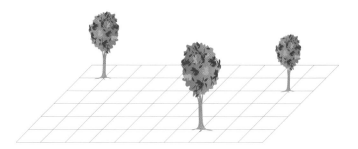

10 Deux droites ont été tracées dans un plan cartésien. L'une d'elles est définie par l'équation $3x + y - 6 = 0$; l'autre passe par les points A(3, 5) et B(5, k). Déterminez la valeur de k, si:

a) les deux droites sont parallèles;

b) les deux droites sont perpendiculaires;

c) les deux droites ont la même ordonnée à l'origine;

d) les deux droites ont la même abscisse à l'origine;

e) les deux droites se croisent au point de coordonnées (1, 3).

11 CONSTELLATION D'ORION Parmi toutes les constellations visibles à l'œil nu, Orion est l'une de celles que l'on repère facilement en raison de l'intensité lumineuse des étoiles qui la forment. Sept étoiles de cette constellation sont représentées dans le plan cartésien ci-dessous.

a) Estimez les coordonnées de chacune des étoiles dans cette représentation.

En reliant les étoiles par des segments, il est possible de former différentes figures géométriques. Répondez aux questions suivantes à l'aide des coordonnées trouvées en a).

b) Le segment reliant Bételgeuse à Alnilam est-il parallèle à celui reliant Mintaka et Rigel?

c) Repérez trois étoiles qui sont alignées.

d) Trois étoiles forment un triangle qui est presque isocèle. Quelles sont ces étoiles?

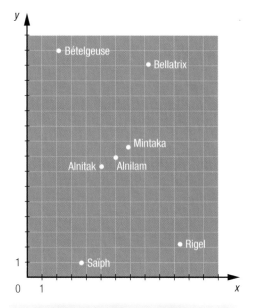

La constellation d'Orion est située près de l'équateur céleste, c'est pourquoi on peut l'observer de presque partout dans le monde.

Une constellation permet de repérer un groupe d'étoiles dans le ciel, sans que cela ait de lien avec la position réelle de ces étoiles dans l'espace. Par exemple, les étoiles d'Orion sont situées à des distances très diverses de la Terre, allant de 243 années-lumière, pour Bellatrix, jusqu'à 1342 années-lumière, pour Alnilam.

12 Trois droites se croisent dans un plan cartésien formant un triangle rectangle isocèle. La pente d'une de ces droites est 2 et la pente d'une autre est ⁻0,5. Quelle peut être la pente de la troisième droite?

13 On a représenté un vélo dans un plan cartésien. L'unité de mesure utilisée est le centimètre.

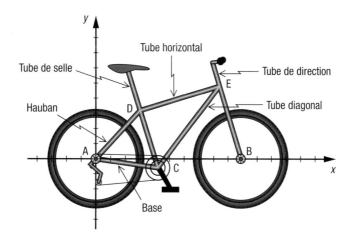

- L'origine du plan est située au centre A de la roue arrière.
- L'axe des abscisses passe par le centre B de la roue avant.
- Le point C(42, ⁻6) est le centre du pédalier et correspond au point de jonction du tube de selle, du tube diagonal et de la base.
- Le tube de selle passe par le point D(30, 30).
- Le tube diagonal relie le point C au point E(84, 48).

a) Déterminez la pente des segments qui représentent les parties suivantes du vélo:

   1) la base $(\overline{AC})$;   2) l'hauban $(\overline{AD})$;

   3) le tube diagonal $(\overline{CE})$;   4) le tube horizontal $(\overline{DE})$.

b) Le tube horizontal est-il perpendiculaire au tube de selle? Justifiez votre réponse.

c) Quelle est l'aire de la surface délimitée par le triangle CDE?

d) Quelle est l'équation de la droite passant par le tube de selle?

e) À quelle hauteur du sol se trouve le centre de la selle si son abscisse est 20?

f) Sachant que le tube de direction est parallèle au tube de selle, déterminez la distance entre le centre des deux roues.

14 Un avion commercial entreprend sa descente en vue de l'atterrissage. À partir d'une altitude de 10 000 m, il descend à 3000 m selon une pente qui ne dépasse pas 5 %, cela afin d'assurer le confort des passagers. Tout le long de sa descente, la vitesse de l'avion par rapport au sol est de 840 km/h. Déterminez la durée minimale de cette descente.

15 Les axiomes de la géométrie euclidienne permettent d'affirmer que par un point situé à l'extérieur d'une droite ne passent qu'une seule parallèle et une seule perpendiculaire à cette droite.

a) Démontrez que le point P(4, 3) n'appartient pas à la droite d dont l'équation est $\frac{x}{5} + \frac{y}{2} = 1$.

b) Déterminez l'équation de l'unique droite qui passe par P et qui est :
1) parallèle à la droite d ;
2) perpendiculaire à la droite d.

16 Soit la proposition suivante.

> **Un parallélogramme dont les diagonales sont perpendiculaires est un losange.**

Pour démontrer cette proposition, reproduisez la figure ci-dessous et effectuez les tâches demandées.

a) Sachant que le quadrilatère ABCD est un parallélogramme, exprimez les coordonnées du point C à l'aide des variables a, b et c.

b) Sachant que $\overline{AC}$ est perpendiculaire à $\overline{BD}$, trouvez une relation entre les variables a, b et c.

c) Complétez la démonstration en montrant que $\overline{AB} \cong \overline{AD}$.

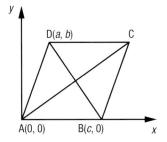

17 Les médiatric2es d'un triangle se rencontrent en un point situé à égale distance des trois sommets. Vérifiez cette propriété à l'aide du triangle illustré ci-contre en passant par les étapes suivantes.

a) Déterminez l'équation de chacune des médiatrices du triangle.

b) Démontrez que les trois médiatrices passent par le point de coordonnées (7, 9).

c) Démontrez que ce point est situé à égale distance des trois sommets.

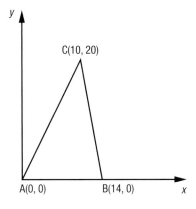

18 L'équation générale de la droite d est $2x + 3y - 12 = 0$. Déterminez l'équation générale des droites suivantes :

a) l'image de la droite d par une réflexion par rapport à l'axe des ordonnées ;

b) l'image de la droite d par une réflexion par rapport à l'axe des abscisses ;

c) l'image de la droite d par une rotation de 90° autour de l'origine ;

d) l'image de la droite d par une rotation de 180° autour de l'origine.

19 Un célèbre tour de magie consiste à augmenter de 1 cm² la surface d'un carré en juxtaposant différemment quatre morceaux découpés de la manière illustrée ci-dessous. Utilisez le concept de pente pour expliquer ce tour de magie.

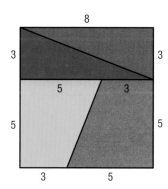

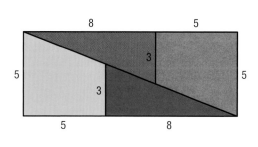

20 Pour mesurer la hauteur d'un immeuble, on déplace deux tiges de différentes longueurs, la première mesurant 1,50 m et la seconde, 1,95 m, en s'assurant qu'elles restent verticales, jusqu'à ce que leur extrémité soit alignée avec le sommet de l'immeuble. On mesure alors la distance qui sépare ces deux tiges et on obtient 2,46 m.

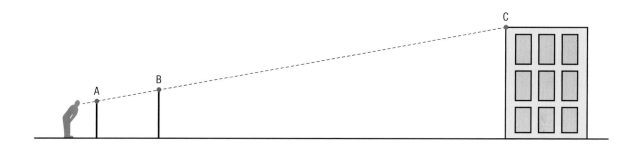

a) Représentez cette situation dans un plan cartésien et déterminez l'équation de la droite AB.

b) Déterminez la hauteur de l'immeuble si la plus petite tige se trouve à 50 m de celui-ci.

21 À partir d'une certaine borne, une arpenteuse a déterminé la position de deux sommets du trapèze rectangle représentant un terrain. Le point A est situé à 96 m au nord de la borne et à 40 m à l'est; le point B, à 144 m au nord et à 112 m à l'est. Les points C et D sont alignés sur l'axe est-ouest passant par la borne. Quelle est l'aire de ce terrain?

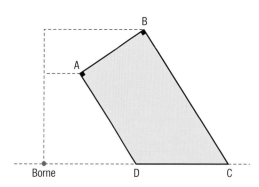

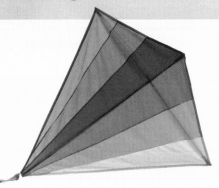

Cette section est en lien avec la SAÉ 17.

PROBLÈME Le meilleur endroit

Au milieu d'une petite plage de 1 hm de longueur, Sophie fait voler un cerf-volant lorsque Florence arrive avec le sien. Pour éviter qu'elles se nuisent l'une l'autre, Florence se place à mi-chemin entre Sophie et l'extrémité droite de la plage.

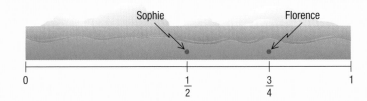

Voyant cela, Sophie se déplace vers la gauche afin de se trouver elle aussi à mi-chemin entre Florence et l'extrémité gauche de la plage.

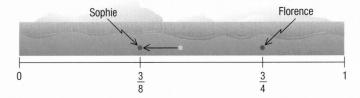

Constatant qu'il y a un peu plus d'espace à sa gauche, Florence se déplace pour s'installer à mi-chemin entre Sophie et l'extrémité droite de la plage.

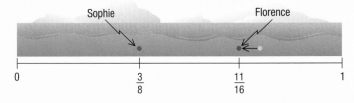

Sophie pourrait encore se déplacer afin de se trouver à mi-chemin entre Florence et l'extrémité gauche de la plage, à $\frac{11}{32}$ hm de cette extrémité, et ainsi de suite.

Existe-t-il un endroit sur la plage où Sophie et Florence pourraient se placer pour que chacune d'elles se trouve en même temps à mi-chemin entre l'autre fille et une extrémité de la plage ?

ACTIVITÉ 1 Quel est le prix du billet?

Une nouvelle salle de spectacles ouvrira bientôt ses portes au public. On a effectué deux études de marché pour déterminer les prix des billets.

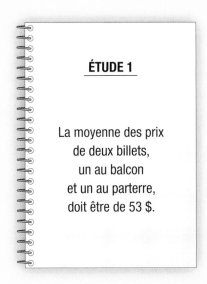

ÉTUDE 1

La moyenne des prix
de deux billets,
un au balcon
et un au parterre,
doit être de 53 $.

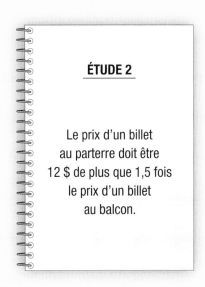

ÉTUDE 2

Le prix d'un billet
au parterre doit être
12 $ de plus que 1,5 fois
le prix d'un billet
au balcon.

a. Traduisez chacune des études par une équation où x est le prix (en $) d'un billet au balcon, et y, le prix (en $) d'un billet au parterre.

b. Selon l'étude **1**, quel serait le prix d'un billet au parterre si celui d'un billet au balcon était de :
   1) 15 $?   2) 20 $?   3) 30 $?   4) 45 $?   5) 50 $?

c. Selon l'étude **2**, quel serait le prix d'un billet au parterre si celui d'un billet au balcon était de :
   1) 15 $?   2) 20 $?   3) 30 $?   4) 45 $?   5) 50 $?

d. Dans un même plan cartésien, représentez graphiquement les deux équations établies en **a**.

e. Selon le graphique tracé en **d**, quels seraient approximativement les prix des billets au balcon et au parterre qui respecteraient les recommandations des deux études?

f. En utilisant les équations établies en **a** :
   1) si nécessaire, isolez y dans une de ces équations;
   2) remplacez y dans l'autre équation par l'expression qui lui est égale pour former une équation à une seule variable;
   3) déterminez le prix d'un billet au balcon et celui d'un billet au parterre.

On doit acheter des thermomètres et des burettes pour les laboratoires de chimie de deux écoles. Les deux techniciens de laboratoire font appel au même fournisseur pour acheter ces instruments.

Technicien 1

- 4 thermomètres
- 5 burettes
- Prix total : 580 $

Technicien 2

- 8 thermomètres
- 2 burettes
- Prix total : 336 $

Soit :

x : le prix (en $) d'un thermomètre ;

y : le prix (en $) d'une burette.

a. Traduisez la situation décrite ci-dessus par deux équations.

b. Dans le même plan cartésien, représentez graphiquement les deux équations établies en **a**.

Considérez maintenant que :

- le technicien **1** a acheté 6 fois plus d'instruments que dans la situation précédente ;
- le technicien **2** a acheté 3 fois plus d'instruments que dans la situation précédente.

c. Quel système d'équations traduirait alors cette situation ?

d. Le système d'équations établi en **c** a-t-il la même solution que celui établi en **a** ? Expliquez votre réponse.

e. En considérant le nouveau système d'équations obtenu en **c** :
1) combien de thermomètres le technicien **1** a-t-il achetés de plus que le technicien **2** ?
2) combien de burettes le technicien **1** a-t-il achetées de plus que le technicien **2** ?
3) quelle somme le technicien **1** a-t-il déboursée de plus que le technicien **2** ?

f. À l'aide des réponses précédentes, déterminez le prix d'un thermomètre et celui d'une burette.

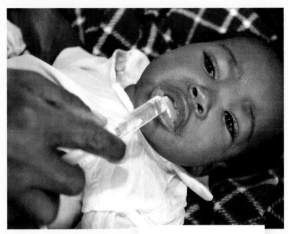

La solution sucrée est un mélange d'eau et de saccharose ou de glucose. Les solutions sucrées à 30 % produisent l'effet antidouleur optimal chez les nourrissons.

ACTIVITÉ 3 Deux médecins, deux solutions sucrées

Au cours d'une épidémie de choléra au Zimbabwe, deux médecins volontaires soignent des enfants malades. Afin de soulager la douleur sans médicament chez les bébés âgés de moins de 3 mois, ils utilisent des solutions sucrées.

Un des médecins désire produire une solution sucrée à 30 %. Comme il ne trouve pas ce type de solution sur le marché, il conçoit la sienne à l'aide d'une solution sucrée à 20 % mélangée à une solution sucrée à 60 %. Pour y arriver, il utilise 3 fois plus de solution sucrée à 20 % que de solution sucrée à 60 %.

Pour déterminer les quantités à mélanger, il pose le système d'équations suivant :

$$0{,}20x + 0{,}60y = 0{,}30(x + y)$$
$$x = 3y$$

où x : la quantité (en L) de solution sucrée à 20 % utilisée

et y : la quantité (en L) de solution sucrée à 60 % utilisée.

a. Expliquez pourquoi ces équations traduisent bien la situation.

Pour résoudre ce système d'équations, ce médecin remplace x par $3y$ dans la première équation. Il obtient $0{,}20(3y) + 0{,}60y = 0{,}30(3y + y)$, équation qu'il cherche ensuite à résoudre. Il trouve $0y = 0$.

b. Ce médecin a-t-il fait une erreur dans la résolution du système d'équations ?

c. Interprétez ce résultat en appuyant votre point de vue d'une représentation graphique.

d. Quelle quantité de solution sucrée de chaque type ce médecin doit-il utiliser pour obtenir une solution sucrée à 30 % ?

L'autre médecin désire aussi produire une solution qui contient 30 % de sucre. Il dispose de 2 L de solution sucrée à 20 % et de 1 L de solution sucrée à 60 %. Après avoir effectué un mélange, il constate qu'il lui reste 3 fois plus de solution sucrée à 20 % que de solution sucrée à 60 %.

e. Traduisez cette nouvelle situation par un système d'équations.

f. Résolvez algébriquement ce système d'équations.

g. Interprétez ce résultat en appuyant votre point de vue d'une représentation graphique.

SYSTÈMES D'ÉQUATIONS DU 1er DEGRÉ À DEUX VARIABLES

Certaines situations peuvent se traduire à l'aide de deux équations à deux variables, où les équations doivent être vérifiées simultanément. Dans un pareil cas, on est en présence d'un **système d'équations.**

Ex.: Cette semaine, Gabrielle et Maurice ont travaillé ensemble un total de 42 h pour une somme globale de 576 $. Gabrielle travaille à un taux horaire de 12 $, et Maurice, à un taux horaire de 15 $. En posant x, le nombre d'heures travaillées par Gabrielle et y, le nombre d'heures travaillées par Maurice, on peut traduire cette situation par le système d'équations suivant:

$$x + y = 42$$
$$12x + 15y = 576$$

Deux systèmes d'équations sont équivalents s'ils ont le même ensemble-solution.

Ex.: Les trois systèmes d'équations suivants sont équivalents, car ils ont tous pour solution le couple (6, 4).

$$x + y = 10 \qquad\qquad 2x + 2y = 20 \qquad\qquad 2x + 2y = 20$$
$$2x + 3y = 24 \qquad\qquad 2x + 3y = 24 \qquad\qquad y = 4$$

RÉSOLUTION D'UN SYSTÈME D'ÉQUATIONS

Pour résoudre un système d'équations, on peut utiliser l'une ou l'autre des méthodes suivantes.

Méthode de substitution

On utilise cette méthode lorsque le système d'équations est de la forme $\begin{cases} a_1 x + b_1 y = c_1 \\ y = a_2 x + b_2 \end{cases}$, c'est-à-dire un système d'équations où l'une des variables est isolée. Pour résoudre ce type de système, on peut:

	Ex.: $\begin{cases} 4x + 2y = 75 \\ y = 3x - 10 \end{cases}$
1. Remplacer la variable isolée dans l'autre équation par l'expression qui lui est égale pour former une équation à une seule variable.	$4x + 2(3x - 10) = 75$
2. Résoudre l'équation obtenue.	$4x + 6x - 20 = 75$ $10x = 95$ $x = 9,5$
3. Remplacer la valeur obtenue dans une des équations de départ afin de déterminer la valeur de l'autre variable.	$y = 3x - 10$ $y = 3(9,5) - 10$ $y = 18,5$ La solution est donc (9,5, 18,5).

Méthode de réduction

On utilise cette méthode lorsque le système d'équations est de la forme $\begin{cases} a_1x + b_1y = c_1 \\ a_2x + b_2y = c_2 \end{cases}$.

Pour résoudre ce type de système, on peut :

Ex. : $\begin{cases} 6x + 5y = 12 \\ 2x + 4y = 11 \end{cases}$

1. Former, si nécessaire, un système d'équations équivalent dans lequel les coefficients d'une variable sont égaux ou opposés.	$\begin{cases} 6x + 5y = 12 \\ 2x + 4y = 11 \end{cases} \Leftrightarrow \begin{cases} 6x + 5y = 12 \\ -6x - 12y = -33 \end{cases}$ $\times\,-3$
2. Former une équation à une seule variable par l'addition ou la soustraction des membres correspondants des équations du système. Puis résoudre cette équation.	$\begin{array}{r} 6x + 5y = 12 \\ + \ -6x - 12y = -33 \\ \hline -7y = -21 \\ y = 3 \end{array}$
3. Remplacer la valeur obtenue dans une des équations de départ afin de déterminer la valeur de l'autre variable.	$6x + 5y = 12$ $6x + 5(3) = 12$ $x = -\dfrac{1}{2}$. La solution est $\left(-\dfrac{1}{2},\ 3\right)$.

SYSTÈMES D'ÉQUATIONS PARTICULIERS

Droites parallèles non confondues

Deux droites sont parallèles non confondues lorsque les équations associées à ces droites ont la même pente, mais des ordonnées à l'origine différentes. La résolution algébrique d'un tel système d'équations conduit à une impossibilité et n'admet aucune solution.

Ex. : La résolution du système $\begin{cases} 21x - 3y = -3 \\ y = 7x + 5 \end{cases}$ conduit au système

équivalent $\begin{cases} 0x = 12 \\ y = 7x + 5 \end{cases}$

Aucune valeur de x ne permet de vérifier la première équation.

Ce système n'admet aucune solution.

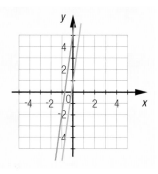

Droites parallèles confondues

Deux droites sont parallèles confondues lorsque les équations associées à ces droites ont la même pente et la même ordonnée à l'origine. La résolution algébrique d'un tel système d'équations conduit à une infinité de solutions.

Ex. : La résolution du système $\begin{cases} -3x - 3y = 12 \\ y = -x - 4 \end{cases}$ conduit au système

équivalent $\begin{cases} 0x = 0 \\ y = -x - 4 \end{cases}$

Dans la première équation, x peut prendre n'importe quelle valeur.

Ce système admet une infinité de solutions, à savoir les coordonnées des points de la droite d'équation $y = -x - 4$.

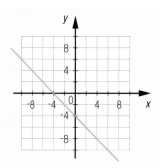

1 Résolvez les systèmes d'équations suivants par la méthode de substitution.

a) $y = 2x - 4$
$3x - y = 5$

b) $x = 3y$
$y - x = 10$

c) $4x - 3y + 10 = 0$
$y = 8x + 4$

d) $y = 5 - 3x$
$3x + 2y = 1$

e) $x + 2y = 8$
$4 - 2y = -x$

f) $2x + 5y = 30$
$2y = 1 - 3x$

2 L'aire du trapèze ci-contre est de 30 unités carrées. La grande base du trapèze mesure 3 unités de moins que le double de la petite base.

a) Représentez cette situation par un système d'équations.

b) Déterminez la mesure des bases de ce trapèze.

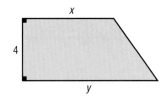

3 Résolvez les systèmes d'équations suivants par la méthode de réduction.

a) $x + 2y = 5$
$x - 2y = 11$

b) $x - 2y = -8$
$x + 3y = 2$

c) $3x + 2y = 7$
$2x + 4y = 6$

d) $4x + 2y = 0$
$6x + 5y = -6$

e) $6x - 4y = 5$
$15x - 6y = 9$

f) $0,2x + 0,4y = 4,1$
$3x - 1,4y = 2,3$

g) $10x + 5y = 12$
$50x + 30y = 63,5$

h) $\frac{3}{4}x + 2y = 11$

$x + \frac{3}{2}y = 3$

i) $\frac{x}{2} + \frac{y}{3} = 1$

$\frac{x}{4} + \frac{y}{5} = 1$

4 Un élève a résolu un système d'équations en procédant de la façon suivante.

$$15x + 10y = 35 \Rightarrow 19x = 37 \Leftrightarrow x = \frac{37}{19}$$
$$\Leftrightarrow 4x - 10y = 2$$

$$3x + 2y = 7$$
$$2x - 5y = 1$$

$$\Leftrightarrow 6x + 4y = 14 \Rightarrow 19y = 11 \Leftrightarrow y = \frac{11}{19}$$
$$-6x + 15y = -3$$

a) Sa solution est-elle correcte? Justifiez votre réponse.

b) Expliquez chacune des étapes de sa démarche.

5 On veut construire un rectangle qui respecte les contraintes suivantes.

- Le périmètre est de 20 cm.

- La différence entre la longueur et la largeur est égale à 15 cm moins le double de la largeur.

a) Traduisez cette situation à l'aide d'un système d'équations.

b) Représentez graphiquement ce système d'équations.

c) Quelles doivent être les dimensions du rectangle pour respecter ces contraintes ?

d) En quoi vos réponses en b) et en c) seraient-elles modifiées si le périmètre du rectangle à construire était plutôt de 30 cm ?

6 Résolvez les systèmes d'équations suivants par la méthode qui semble la plus appropriée.

a) $x + 2 = 0{,}1y + 1$
   $x + y = 3$

b) $3x - 4 = 2y$
   $0{,}5y - 6 = {}^-x$

c) $3x + 2y = 2x - y + 1$
   $x + 3y - 3 = 0$

d) $x - 3y + 3 = 2(x - 3)$
   $x - y = 10x - 3$

e) $2x + 5y - 10 = 0$
   $0{,}2x + 0{,}5y = 1$

f) $2y = 1 - (x + 1{,}3)$
   $1 - 2y = 4x + 7$

7 Soit le graphique et la table de valeurs ci-dessous.

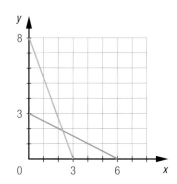

x	y_1	y_2
2,1	2,4	1,95
2,2	2,133	1,9
2,3	1,867	1,85
2,4	1,6	1,8

a) Que pouvez-vous dire des coordonnées du point d'intersection ?

b) Quel système d'équations a-t-on cherché à résoudre ?

c) Quelle est la solution de ce système d'équations ?

8 On fait deux observations sur un certain nombre de pièces de monnaie posées sur un comptoir. En voici la traduction mathématique :

$$0{,}25x + 0{,}1y + 2 = 3{,}5$$
$$x + y + 1 = 10$$

a) Décrivez en mots ce qu'on observe.

b) Combien de pièces de chaque valeur y a-t-il sur ce comptoir ?

9 Dans chaque cas,

1) traduisez la situation par un système d'équations à l'aide des variables données;
2) répondez à la question posée.

	Situation	Variables
a)	Deux commerces peuvent imprimer et relier un certain document pour le même prix. Le premier offre l'impression au prix de 0,06 $/feuille et demande 12 $ pour la reliure. Le second offre l'impression à 0,08 $/feuille, reliure comprise. Combien devra-t-on payer pour l'impression et la reliure de ce document?	x: nombre de feuilles du document y: prix (en $) de l'impression et de la reliure du document
b)	Marianne a 9 ans de plus que son frère François. Dans 2 ans, elle aura le double de l'âge de celui-ci. Quel âge ont-ils?	x: âge de Marianne y: âge de François
c)	Jim a 3 fois plus d'argent que Bertrand. S'il lui donne 5 $, il n'en aura plus que le double. Combien d'argent ont-ils ensemble?	x: somme (en $) que possède Jim y: somme (en $) que possède Bertrand
d)	Une balance affiche 1565 g si l'on y dépose 3 fromages et 4 saucissons identiques. Elle affiche 1655 g si on ajoute un saucisson, mais qu'on enlève un fromage. Quelle est la masse d'un saucisson?	x: masse (en g) d'un fromage y: masse (en g) d'un saucisson

10 Déterminez pour quelles valeurs de k les systèmes d'équations suivants n'ont pas de solution.

a) $y = kx + 2$
   $y = 3x + k$

b) $kx + 2y - 8 = 0$
   $8x + ky - 2 = 0$

c) $y = 1,5x + k$
   $6x - 4y + 12 = 0$

11 La relation entre les mesures de la température en degrés Celsius C et celle en degrés Fahrenheit F est donnée par l'équation $C = \frac{5}{9}(F - 32)$. Généralement, lorsqu'on exprime la température extérieure en degrés Fahrenheit, on obtient un nombre plus grand que si on l'exprimait en degrés Celsius.

a) Quelle température est exprimée par le même nombre dans les deux échelles de mesure?

b) La mesure d'une température en degrés Fahrenheit est 10 de moins que sa mesure en degrés Celsius. Quelle est cette température en degrés Celsius et en degrés Fahrenheit?

12 Un triangle isocèle est tel qu'en triplant la mesure de sa base et en ajoutant 12 cm à chacun de ses côtés isométriques, on obtient un triangle équilatéral dont le périmètre est le double du périmètre initial.

a) Expliquez pourquoi le système d'équations suivant peut représenter cette situation.

$$3x = y + 12$$
$$3x + 2(y + 12) = 2(x + 2y)$$

b) Déterminez les dimensions de ce triangle isocèle.

13 Une machine à café est programmée pour que le mélange de café noir et de lait chaud soit dans un rapport de $2:5$. Quelle quantité de café noir et de lait chaud la machine utilise-t-elle pour produire un café au lait de 400 mL?

14 En consultant des statistiques sur les gaz à effet de serre, un couple a appris que leur voiture émettait environ 200 g de CO_2 par kilomètre. Ils évaluent à 400 km la distance totale qu'ils doivent parcourir chaque semaine.

Ils viennent d'acheter une deuxième voiture dont le taux d'émission de CO_2 est de 110 g/km. Ils pensent ainsi réduire de 25 % leur émission de CO_2 en utilisant judicieusement l'une ou l'autre des deux voitures pour se déplacer. Quelle devrait être la distance parcourue par chaque voiture pour atteindre cet objectif?

15 Pour expliquer le principe de fonctionnement d'une écluse, on analyse une situation où l'eau d'un bassin se déverse dans un autre. Dans l'illustration ci-dessous, le premier bassin contient 21 L d'eau et le second, 6 L. Le débit de l'eau est de 0,45 L/min. Après combien de temps, le premier bassin contiendra-t-il deux fois plus d'eau que le second?

Une écluse est un ouvrage à sas qui permet aux bateaux de franchir une dénivellation. On dit que l'écluse transforme en un escalier hydraulique la pente continue des cours d'eau.

16 Dans chaque cas,

1) traduisez la situation par un système d'équations en identifiant les variables utilisées;
2) répondez à la question posée.

a) La longueur d'une fenêtre rectangulaire est de 0,2 m de plus que le double de sa largeur. Son périmètre est de 10 m. Quelles sont les dimensions de cette fenêtre?

b) Une cliente se présente dans une croissanterie et achète 6 croissants et 3 cafés pour la somme de 12,90 $. Le client suivant achète 4 croissants et 5 cafés pour la somme de 14 $. Un troisième client achète 2 croissants et 1 café. Combien paiera-t-il?

c) Les employés d'un casse-croûte se partagent les pourboires qu'ils ont reçus. Il manque 2,25 $ pour que chacun reçoive 10 $. Par contre, si chacun des employés reçoit 8,25 $, il restera exactement 3 $ à partager. Quelle est la somme des pourboires qu'ils ont reçus?

d) La plupart des billets d'un spectacle ont été vendus au prix courant de 25 $ chacun, les autres billets ont été vendus à 15 $ chacun. La recette de la billetterie a été de 4965 $. Combien de spectateurs ont assisté au spectacle s'il s'est vendu 125 billets de plus au prix courant qu'au prix réduit?

17 La moyenne de deux nombres positifs est égale à leur différence. Le triple de cette différence est égal au double du plus grand des deux nombres. Que pouvez-vous dire de ces deux nombres?

18 Marie et Philippe ont mangé ensemble au restaurant. Marie a laissé un pourboire qui correspond à 18 % du coût de son repas, alors que le pourboire de Philippe correspond à 15 % de celui du sien. Cependant, en argent, le pourboire qu'ils ont laissé est le même. Combien coûtait chaque repas, s'ils ont payé ensemble une somme totale de 95 $, y compris les pourboires?

19 Voici un problème tiré du manuel *Arithmétique: cours complémentaire,* édité en 1926 par les Frères des écoles chrétiennes, qui était utilisé au Québec pour enseigner la mathématique. Résolvez-le.

« Si Alexandre le Grand eût vécu 9 ans de moins, il aurait régné $\frac{1}{8}$ de sa vie; mais s'il eût vécu 9 ans de plus, il aurait régné la moitié de sa vie. À quel âge est-il mort et quelle a été la durée de son règne? »

Alexandre le Grand avait pour ambition de conquérir le monde. Il y était presque parvenu lorsqu'il est mort en 323 av. J.-C.

20 On a représenté un triangle scalène ABC dans un plan cartésien, puis on a tracé ses trois médianes AD, BE et CF.

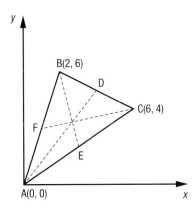

a) Déterminez les équations des droites qui supportent ces médianes.

b) Trouvez les coordonnées du point de rencontre des médianes AD et BE.

c) Démontrez que ce point de rencontre appartient aussi à la médiane CF.

21 Une voiture consomme 6,8 L/100 km d'essence sur route et 12 L/100 km, en ville. Laquelle des deux situations suivantes est impossible? Justifiez votre réponse.

A On parcourt 2500 km avec 200 L d'essence.

B On parcourt 1500 km avec 100 L d'essence.

22 Les balances **1** et **2** ci-dessous sont en équilibre. Combien de bols doit-il y avoir sur le plateau de droite de chacune des balances **3** et **4** pour qu'elles soient en équilibre?

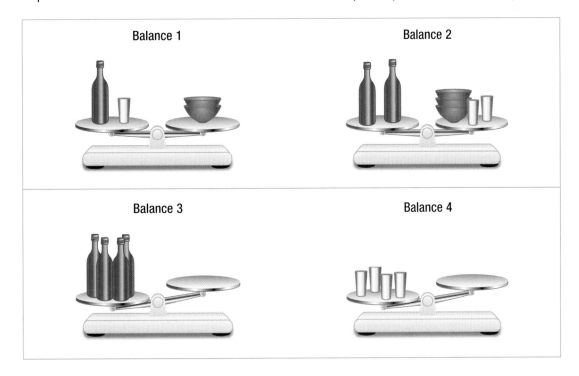

Cette section est en lien avec la SAÉ 18.

PROBLÈME Pont en réparation

Dans les jardins japonais, les ponts font partie intégrante de l'aménagement. Il arrive parfois que ceux-ci aient la forme d'une parabole. C'est le cas du pont illustré ci-dessous.

La partie gauche de ce pont est en réparation et les responsables du jardin ont appuyé une planche sur le pont de façon que la pente de celle-ci soit de $\frac{1}{2}$. Dans la représentation ci-dessous, le plancher du pont est modélisé par une parabole dont l'équation est $y = -\frac{5}{32}x^2 + \frac{5}{4}x$, où x varie de 0 m à 8 m. Le segment qui représente la planche touche la parabole en un seul endroit, soit au point A.

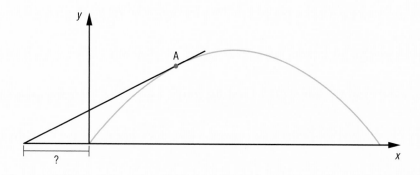

 Est-il possible que la planche touche le sol à une distance de 1,6 m du pont ?

On verse de l'eau dans deux verres. Le premier verre a une base carrée de 6 cm de côté et des faces latérales rectangulaires d'une hauteur de 15 cm. Le deuxième verre a la forme d'un prisme droit dont les bases, situées à l'avant-plan et à l'arrière-plan dans l'illustration ci-dessous, sont des trapèzes. La hauteur de ces trapèzes est également de 15 cm.

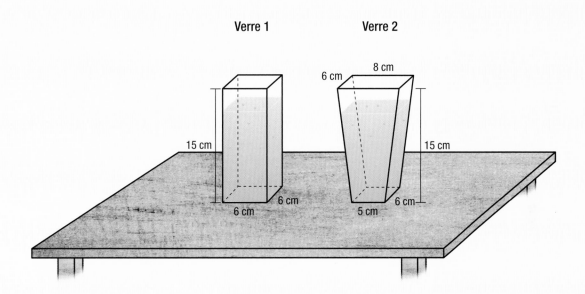

On a versé le même niveau d'eau dans les deux verres. Si *h* représente ce niveau (en cm), alors la quantité d'eau (en mL) dans chaque verre peut se traduire par les fonctions suivantes.

$$Q_1(h) = 36h$$
$$Q_2(h) = 6h(0,1h + 5)$$

a. Dans le même plan cartésien, tracez le graphique de chacune de ces fonctions.

b. Quel verre contient la plus grande quantité d'eau si le niveau de l'eau est de :
   1) 9 cm?   2) 12 cm?   3) 15 cm?

c. Existe-t-il une hauteur *h* pour laquelle les deux verres contiennent la même quantité d'eau? Si oui, quelle est cette hauteur et quelle est cette quantité?

d. Si le niveau d'eau dans le premier verre était de $\frac{1}{2}$ cm inférieur à celui du deuxième, serait-il possible qu'il y ait la même quantité d'eau dans les deux verres? Justifiez votre réponse.

Un cultivateur possède deux champs rectangulaires situés dans une zone agricole qui ont le même périmètre. Le premier est deux fois plus long que large et l'une des dimensions du second est de 10 hm. Pour bâtir une maison, le cultivateur a fait dézoner une partie du second champ de telle sorte que la partie restante a la même superficie que celle du premier. Le schéma ci-dessous, où les mesures sont données en hectomètres représente cette situation.

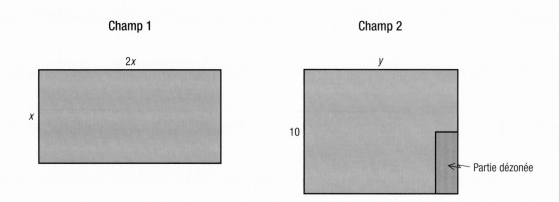

On se demande ce que peut être la superficie de la partie dézonée.

a. Cette superficie peut-elle être de 8 hm^2 ? Pour répondre à cette question, suivez les étapes suivantes.

1) En supposant que la superficie de la partie dézonée est de 8 hm^2, traduisez cette situation par un système d'équations.

2) Vérifiez si ce système possède au moins une solution.

3) Indiquez, s'il y a lieu, les dimensions possibles de chacun de ces champs.

b. Est-il possible que la partie dézonée ait une superficie de 12,5 hm^2 ? Pour répondre à cette question, suivez les mêmes étapes qu'en **a.**

c. Est-il possible que la partie dézonée ait une superficie supérieure à 12,5 hm^2 ? Justifiez votre réponse.

> Afin de protéger le patrimoine agricole du Québec de l'urbanisation croissante, l'État est intervenu, à la fin des années 1970, en réglementant les conditions d'utilisation du sol et en réservant certaines zones du territoire à l'agriculture.

Techno math

Une calculatrice graphique permet de trouver la solution d'un système d'équations à l'aide d'un graphique ou d'une table de valeurs.

Écran 1

Cet écran permet d'éditer les équations du système d'équations à représenter.

```
Graph1 Graph2 Graph3
\Y1◼1.4X-0.8
\Y2◼2X²-5X+4
\Y3=
\Y4=
\Y5=
\Y6=
\Y7=
```

Cet écran permet de définir l'affichage de l'écran graphique en délimitant la portion du plan cartésien désirée.

Écran 2

```
FENETRE
 Xmin=-1
 Xmax=4
 Xgrad=1
 Ymin=-1
 Ymax=4
 Ygrad=1
 Xres=1
```

Cet écran permet d'afficher la représentation graphique du système d'équations.

Écran 3

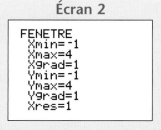

Cet écran permet d'utiliser la fonction `intersect`, pour déterminer les coordonnées des points d'intersection entre deux courbes.

Écran 4

```
CALCULS
1:valeur
2:zéro
3:minimum
4:maximum
5◼intersect
6:dy/dx
7:∫f(x)dx
```

Cet écran permet de déterminer les coordonnées d'un point d'intersection entre deux courbes.

Écran 5

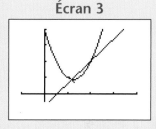

Cet écran permet de définir l'affichage de la table de valeurs en choisissant la valeur de départ et le pas de variation de la variable x.

Écran 6

```
DEFINIR TABLE
 DébTbl=1
 Pas=.2
 Valeurs:Auto Dem
 Calculs:Auto Dem
```

Cet écran permet d'afficher la table de valeurs et de déterminer les coordonnées des points d'intersection.

Écran 7

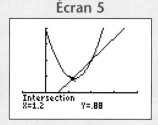

X	Y1	Y2
1	.6	1
1.2	.88	.88
1.4	1.16	.92
1.6	1.44	1.12
1.8	1.72	1.48
2	2	2
2.2	2.28	2.68

X=1.2

a. Quelle est la solution du système d'équations édité à l'écran 1?

b. Trouvez la solution du système d'équations ci-dessous.

```
Graph1 Graph2 Graph3
\Y1◼(2/3)X+1
\Y2◼-X²+4X
\Y3=
\Y4=
\Y5=
\Y6=
\Y7=
```

SYSTÈME D'ÉQUATIONS À DEUX VARIABLES, L'UNE DU 1er DEGRÉ ET L'AUTRE DU 2e DEGRÉ

On peut résoudre ce type de systèmes d'équations par la méthode de comparaison, de substitution ou de réduction selon la forme des équations en présence.

Ex.: À l'aide d'une corde de 45 cm de longueur, on a construit un rectangle et un carré équivalents. On veut déterminer leurs dimensions.	
Cette situation se traduit par le système d'équations ci-contre.	$x^2 = 10y$ $4x + 2y + 20 = 45$
On choisit d'utiliser la méthode de substitution pour résoudre le système d'équations. On isole y dans la première équation.	$y = \frac{x^2}{10}$
On résout l'équation du second degré ainsi obtenue.	$4x + 2\left(\frac{x^2}{10}\right) + 20 = 45$ $0{,}2x^2 + 4x - 25 = 0$ $x = -25$ ou $x = 5$
On détermine y à partir des valeurs possibles de x. Dans le cas présent, on doit rejeter la valeur négative de x.	Donc, $x = 5$ et $y = \frac{5^2}{10} = 2{,}5$.

Nombre de solutions

La résolution d'un tel système d'équations mène généralement à résoudre une équation du second degré de la forme $ax^2 + bx + c = 0$. On peut alors déterminer le nombre de solutions du système d'équations à l'aide du signe du discriminant Δ associé à cette équation.

Ex.:

Système d'équations	1) $y = x^2 - 6x + 11$ $y = 2x - 4$	2) $y = x^2 - 6x + 11$ $y = 2x - 5$	3) $y = x^2 - 6x + 11$ $y = 2x - 8$
Représentation graphique			
Équation obtenue et discriminant	$x^2 - 8x + 15 = 0$ $\Delta = (-8)^2 - 4(1)(15)$ $\Delta = 4 > 0$	$x^2 - 8x + 16 = 0$ $\Delta = (-8)^2 - 4(1)(16)$ $\Delta = 0$	$x^2 - 8x + 19 = 0$ $\Delta = (-8)^2 - 4(1)(19)$ $\Delta = -12 < 0$
Solution	Il y a deux solutions, (3, 2) et (5, 6).	Il y a une solution, (4, 3).	Il n'y a aucune solution.

1 Déterminez le nombre de solutions (0, 1 ou 2) de chacun des systèmes d'équations suivants. Justifiez votre réponse algébriquement ou graphiquement.

a) $y = x^2$
$y = x - 1$

b) $y = 2x + 9$
$y = -x^2 + 8x$

c) $y = x^2 + x$
$x + 2y + 1 = 0$

d) $2x - y = 5$
$y = x^2 - 8$

e) $x + y = 6$
$xy = 9$

f) $xy = 12$
$y = 6 - 2x$

2 L'équation de la parabole représentée ci-contre est $y = -(x + 1)(x - 3)$. Parmi les droites définies ci-dessous, laquelle touche cette parabole en un seul point?

$$d_1 : 2x + y - 6 = 0$$
$$d_2 : 2x + y - 7 = 0$$
$$d_3 : 2x + y - 8 = 0$$

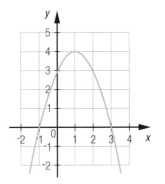

3 Résolvez les systèmes d'équations suivants par la méthode de comparaison.

a) $y = x^2 + 2x - 15$
$y = 2x + 10$

b) $y = x^2 - 10x + 10$
$y = x - 18$

c) $y = x - 8$
$y = x^2 - 3x - 4$

d) $y = -2x^2 + 5x + 5$
$y = -2x + 12$

e) $y = -\frac{1}{3}x + \frac{2}{9}$
$y = x^2 - 3x + 2$

f) $y = -3x^2 + 4x + 5$
$y = 3x + 4$

4 Dans chacun des parcs Maisonneuve et Champlain, il y a un enclos rectangulaire où les chiens peuvent circuler en toute liberté. L'enclos du parc Champlain a une largeur de 12 m et celui du parc Maisonneuve est délimité par une clôture de 120 m. Les deux enclos ont la même longueur.

a) À l'aide d'un système d'équations, exprimez l'aire de chacun des enclos en fonction de leur longueur.

b) Représentez la situation à l'aide d'une table de valeurs et d'un graphique.

c) Sachant que l'enclos du parc Champlain est plus grand que celui du parc Maisonneuve, déterminez quelle peut être la longueur des deux enclos.

Les règlements municipaux obligent les propriétaires de chiens à les tenir en laisse en tout temps dans les rues et dans les espaces publics. Afin de permettre aux chiens de courir librement, les autorités municipales et des groupes de citoyens ont implanté des aires d'exercice canin dans les parcs des villes.

5 La trajectoire parabolique d'un mobile se situe dans le même plan que celle d'un rayon laser. On peut les représenter dans un plan cartésien dont l'origine correspond au point de départ du mobile et où l'unité de mesure utilisée est le mètre. Les équations associées à ces deux trajectoires sont :

$$y = {-}0{,}2x^2 + 2x$$
$$y = 0{,}5x + 0{,}7$$

a) Représentez graphiquement cette situation.

b) Déterminez la hauteur du mobile chaque fois qu'il croise le rayon laser.

6 Résolvez les systèmes d'équations ci-dessous.

a) $3x - y = 2$
$y = {-}x^2 - x + 12$

b) $x = y + 2$
$y = x^2 + 4$

c) $y = 2(x - 1)^2 - 5$
$x + y - 2 = 0$

d) $y = 2(x - 2)(x - 4)$
$x = 3y + 4$

e) $3x + y + 11 = 0$
$x^2 - 10x - y - 5 = 0$

f) $2x + 2y = 13$
$(x + 1)(y + 1) = 13$

g) $y - 5 = {-}x(x - 3)$
$\frac{3}{5}x = \frac{y}{4} - 1$

h) $30x - 9y + 22 = 0$
$y = {-}2x^2 - \frac{2}{3}x + \frac{4}{9}$

i) $\dfrac{y - 1}{x - 1} = 3$
$3xy = 1 + 2y$

7 Le périmètre du rectangle ci-contre est de 12,4 unités et sa diagonale mesure 5 unités.

a) Traduisez cette situation par un système d'équations.

b) Quelles sont les dimensions de ce rectangle ?

c) Est-il possible de construire un rectangle qui a le même périmètre et dont la diagonale mesure :

1) 6 unités ?   2) 7 unités ?

8 Résolvez mentalement les systèmes d'équations suivants en utilisant des stratégies appropriées.

a) $y = x + 1$
$y = x^2 + 2x + 1$

b) $y = x - 1$
$y = (x - 1)(x + 1)$

c) $x - y = 1$
$x^2 - y^2 = 5$

9 Une parabole ayant son sommet au point S(5, 2) croise une droite au point P(3, 0). Sachant que la pente de la droite est ‑2, déterminez les coordonnées du deuxième point d'intersection entre cette parabole et cette droite.

10 Sur une piste cyclable, un cycliste part vers la droite au moment même où un second cycliste, qui se déplace en sens contraire, se trouve à 50 m de lui.

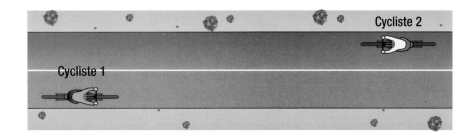

La distance parcourue (en m) par chacun d'eux est fonction du temps écoulé (en s).

$$\text{Cycliste } \mathbf{1}: d_1(t) = 1{,}5t^2$$
$$\text{Cycliste } \mathbf{2}: d_2(t) = 10t$$

Combien de mètres le premier cycliste aura-t-il parcourus lorsqu'il croisera le second?

11 Le radar routier d'un policier arrêté au bord de la route mesure la vitesse d'une voiture qui roule à 126 km/h. Le policier décide alors de la prendre en chasse pour l'intercepter. Au moment où la voiture de police démarre, celle qu'il poursuit a 100 m d'avance. La distance parcourue d (en m) par la voiture de police peut se traduire par l'équation $d = 2t^2$, où t représente le temps écoulé en secondes.

Le radar routier est un appareil qui utilise l'effet Doppler pour calculer avec précision la vitesse d'un véhicule. Cet appareil mesure le changement dans la fréquence de l'onde émise par le radar et celle retournée par le véhicule en mouvement.

a) Combien faudra-t-il de temps au policier pour intercepter la voiture si celle-ci roule toujours à la même vitesse?

b) À quelle distance de son point de départ le policier fera-t-il cette interception?

12 Soit un triangle équilatéral dont les côtés mesurent 10 cm. On veut construire un rectangle qui aurait la même aire et le même périmètre que celui-ci.

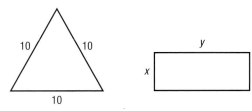

a) Traduisez cette situation par un système d'équations.

b) Résolvez le système d'équations pour démontrer qu'un tel rectangle existe, puis déterminez ses dimensions.

13 Dans un circuit électrique, la résistance équivalente $R_{éq}$ à deux résistances R_1 et R_2 n'est pas la même selon que ces résistances sont placées en série ou en parallèle.

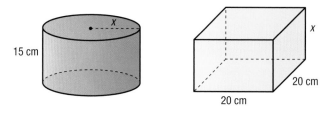

Circuit en série $\qquad R_{éq} = R_1 + R_2$

Circuit en parallèle $\qquad \dfrac{1}{R_{éq}} = \dfrac{1}{R_1} + \dfrac{1}{R_2}$

Deux résistances sont telles que leur résistance équivalente est de 5 ohms, si elles sont placées en série, et de 1,2 ohm, si elles sont placées en parallèle. Quelles sont ces deux résistances?

14 Une entreprise fabrique des contenants en plastique qui ont la forme de cylindre droit et de prisme droit à base carrée. Les dimensions (en cm) de ces contenants sont indiquées dans la figure ci-dessous. Le rayon du cylindre est égal à la hauteur du prisme.

15 cm

x 20 cm   20 cm

a) Exprimez l'aire totale de chaque contenant en fonction de la variable x.

b) Pour quelle valeur de x ces deux contenants ont-ils la même aire totale? Arrondissez au dixième près.

15 On a créé le drapeau ci-dessous en s'inspirant du drapeau du Québec et de celui de la France. L'aire totale des deux carrés bleus qui se trouvent dans les coins supérieur gauche et inférieur droit du drapeau est de 4000 cm². Déterminez les dimensions de ce drapeau, sachant que le rapport de sa longueur à sa largeur est de 5 : 3.

70 cm

10 cm

16 La différence entre deux nombres est égale à 3. La différence entre leurs carrés est égale à 6. Quelle est la différence entre leurs cubes?

17 Pour chacun des systèmes d'équations suivants, calculez les valeurs de k pour lesquelles le système:

1) admet deux solutions;   2) admet une solution;   3) n'admet aucune solution.

a) $y = -x^2 + 4x - 5$
   $y = x + k$

b) $y = -x^2 + 4x - 5$
   $y = kx + 4$

c) $y = kx^2 + 4x - 5$
   $y = x + 4$

d) $y = -x^2 + kx - 5$
   $y = x + 4$

e) $y = -x^2 + 4x + k$
   $y = x + 4$

f) $y = -x^2 + kx - 5$
   $y = kx + 4$

18 Les roues des locomotives à vapeur sont activées par un système de bielles. En plaçant le centre de la roue centrale à l'origine d'un plan cartésien, on peut modéliser la position des bielles au moment où l'angle formé entre celles-ci est le plus grand, comme le montre le schéma ci-dessous où les données sont indiquées en mètres.

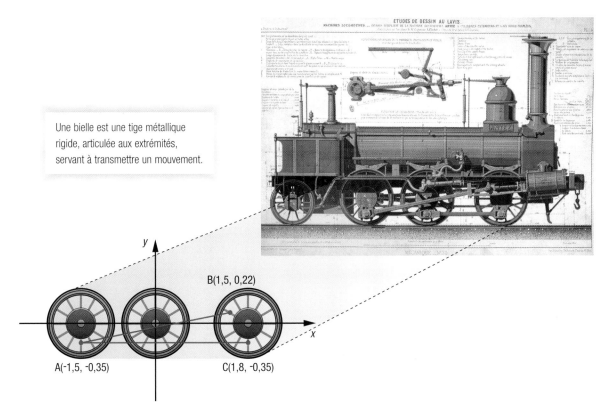

Une bielle est une tige métallique rigide, articulée aux extrémités, servant à transmettre un mouvement.

B(1,5, 0,22)

A(-1,5, -0,35)

C(1,8, -0,35)

a) Déterminez les équations associées aux deux segments de droite AB et AC.

b) Sachant que l'équation du cercle qui représente la roue centrale est $x^2 + y^2 = 0,4225$, déterminez les coordonnées des quatre points d'intersection de ce cercle et des deux segments AB et AC.

19 Soit deux nombres différents. Si on soustrait le second nombre du triple du premier, on obtient le même résultat que si on soustrait du carré du premier nombre le double du second, soit 8 dans les deux cas. Quels sont ces nombres?

20 On peut calculer plusieurs types de moyennes à partir de deux nombres positifs *a* et *b*. Parmi celles-ci, on trouve :

- La moyenne arithmétique : $m_a = \dfrac{a + b}{2}$

- La moyenne proportionnelle : $m_p = \sqrt{ab}$

- La moyenne harmonique : $m_h = \dfrac{2ab}{a + b}$

> La moyenne harmonique est l'inverse de la moyenne arithmétique des inverses de deux nombres. Par exemple, 4 est la moyenne harmonique de 3 et 6, car $\frac{1}{4}$ est la moyenne arithmétique de $\frac{1}{3}$ et $\frac{1}{6}$.
>
> La légende raconte que Pythagore, passant près d'une forge, aurait été séduit par l'harmonie des sons produits par les coups de marteau sur l'enclume. Constatant que la masse des marteaux était de 3, de 4 et de 6 unités, il aurait appelé moyenne harmonique la relation unissant ces nombres.

Soit deux nombres positifs dont la moyenne arithmétique est de 4. Déterminez la valeur de ces nombres :

a) si leur moyenne proportionnelle est de 3 ;   b) si leur moyenne harmonique est de 3.

21 Lorsqu'une droite touche une courbe en un point sans la traverser, on dit qu'elle est tangente à cette courbe. Dans l'illustration ci-contre, la droite est tangente à la parabole au point A(1, 1).

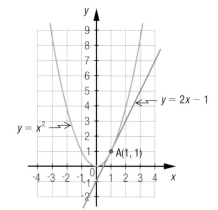

a) Démontrez que la droite et la parabole se rencontrent au point A(1, 1) et uniquement en ce point.

b) Cette parabole passe aussi par le point B(2, 4). Pour déterminer l'équation de la tangente à cette parabole passant par le point B, suivez les étapes de la démarche ci-dessous.

   1) Soit m la pente de cette tangente. Démontrez que l'ordonnée à l'origine de la tangente est égale à $4 - 2m$.

   2) Déterminez la valeur de m pour laquelle le système d'équations suivant n'admet qu'une seule solution.

$$y = mx + (4 - 2m)$$
$$y = x^2$$

   3) Déterminez l'équation de la tangente.

22 Une bille descend sur un plan incliné avec une vitesse initiale de 2 m/s. La distance (en m) qu'elle parcourt sur ce plan est représentée par $d(t) = 3t^2 + 2t$, où *t* est le temps écoulé depuis son départ. Une seconde après son départ, la bille aura donc parcouru 5 m. Calculez la vitesse de la bille au temps $t = 1$ sachant qu'elle est égale au taux de variation de la tangente à la courbe de la fonction *d* au point (1, 5). Pour ce faire, inspirez-vous de la démarche suggérée au numéro précédent.

SECTION 6.4 Les inéquations à deux variables

Cette section est en lien avec la SAÉ 18.

PROBLÈME · Une idée lumineuse

Les ampoules fluocompactes permettent d'économiser d'importantes quantités d'énergie ou d'obtenir une plus grande luminosité pour la même quantité d'énergie consommée. En moyenne, une ampoule fluocompacte d'une puissance de 20 W émet autant de lumière qu'une ampoule à incandescence de 100 W.

L'utilisation d'ampoules de faible puissance a un effet sur l'intensité du courant qui circule dans les circuits électriques d'une maison. Le graphique ci-dessous montre la relation qui existe entre la puissance et l'intensité dans un circuit électronique domestique.

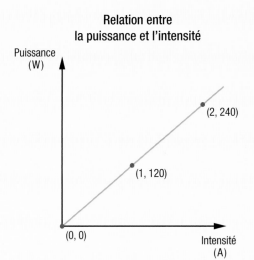

Relation entre la puissance et l'intensité

La puissance est l'énergie fournie par unité de temps. Un watt (W) correspond à une énergie de 1 joule (J) pendant 1 seconde. L'ampère (A) est l'unité de mesure d'intensité d'un courant électrique.

Pour éclairer une partie d'une propriété, on a besoin d'au moins 15 ampoules, des ampoules à incandescence de 100 W ou des ampoules fluocompactes de 20 W. Ces ampoules sont branchées sur un même circuit électrique dans lequel l'intensité du courant est limitée à moins de 5 A.

Au minimum, combien d'ampoules fluocompactes devront être utilisées pour éclairer cette partie de la propriété ?

On soumet des échantillons d'eau potable à plusieurs tests afin de s'assurer de sa bonne qualité. Par exemple, on teste sa turbidité, sa dureté, son alcalinité, sa conductibilité et la teneur en certaines substances nutritives qu'elle contient.

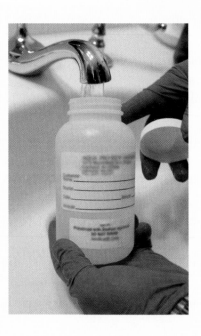

Pour que la qualité d'une eau soit jugée bonne, il faut notamment que les teneurs en ions sodium et en ions chlorure réunies soient inférieures à 60 mg/L.

a. Traduisez cette situation par une inéquation à deux variables en définissant chacune des variables.

b. Dans un plan cartésien, placez une dizaine de points bleus dont les coordonnées respectent l'inéquation posée en **a.**

c. Dans le même plan, placez une dizaine de points rouges dont les coordonnées ne respectent pas cette inéquation.

d. Qu'est-ce qui distingue l'ensemble des points bleus de l'ensemble des points rouges ?

e. Proposez une façon de représenter graphiquement l'ensemble-solution de cette inéquation.

Pour assurer la qualité de l'eau, on peut faire appel à différents procédés de filtration. Une entreprise propose un appareil de filtration par osmose inverse qui diminue de 20 fois la teneur en ions sodium et de 70 fois la teneur en ions chlorure, laissant dans l'eau au plus 2 mg/L de ces ions.

f. Décrivez par une inéquation la quantité d'ions sodium et d'ions chlorure que peut contenir l'eau avant le traitement afin, qu'à la sortie de l'appareil, elle soit conforme aux affirmations de l'entreprise.

g. Représentez graphiquement l'ensemble-solution de cette inéquation.

Les appareils domestiques de filtration de l'eau sont conçus pour en éliminer les impuretés et rendre sa consommation plus sûre. Le procédé de filtration par osmose inverse, quoiqu'efficace, consomme une grande quantité d'eau. En effet, ce procédé ne rend qu'environ 20 % de l'eau qui l'alimente, le reste étant rejeté dans les égouts.

ACTIVITÉ 2 La sécurité avant tout

Amélie aime bien amener son fils Vincent jouer au parc. Toutes les fois, elle lui répète la même consigne de sécurité : « N'oublie pas, je veux que tu sois en tout temps plus près de moi que de la route. »

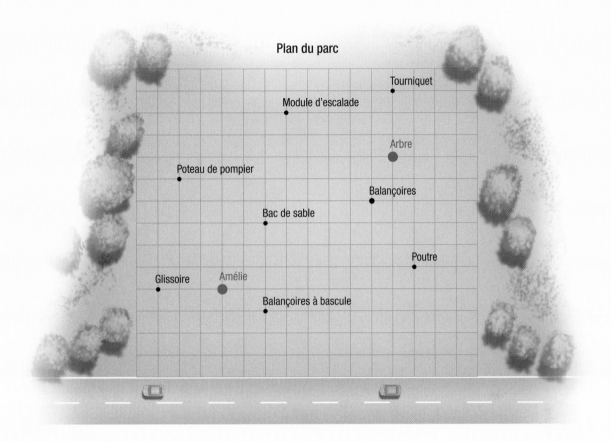

Plan du parc

a. Vincent voudrait jouer dans l'arbre. Respecterait-il alors la consigne ? Justifiez votre réponse.

b. Déterminez les appareils de jeu où Vincent peut aller jouer.

On peut représenter cette situation dans un plan cartésien en situant l'origine du plan à l'endroit où se trouve Amélie. Vincent se trouve alors à un point quelconque de coordonnées (x, y).

c. Quelle expression algébrique représente la distance :
   1) entre Vincent et Amélie ?   2) entre Vincent et la route ?

d. Si Vincent se trouvait à égale distance de la route et d'Amélie, quelle équation du second degré à deux variables pourrait décrire cette situation ?

e. Sachant que Vincent doit être plus près d'Amélie que de la route, traduisez cette situation par une inéquation du second degré à deux variables.

f. Proposez une façon de représenter graphiquement l'ensemble-solution de cette inéquation.

g. Que représente cet ensemble-solution dans le présent contexte ?

Techno math

Une calculatrice graphique permet de représenter dans un plan cartésien la région associée à l'ensemble-solution d'une inéquation.

Cet écran permet d'éditer les équations d'une ou de plusieurs courbes. Le type de trait utilisé pour tracer une courbe est modifiable.

Écran 1

Écran 2

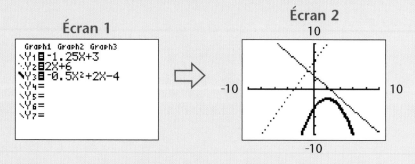

■ : trait normal

⋮ : trait en pointillé

◥ : trait gras

Il est possible de représenter graphiquement l'ensemble-solution d'une inéquation en hachurant la région située d'un côté ou de l'autre d'une courbe.

Écran 3

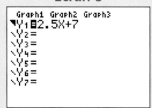

Écran 5

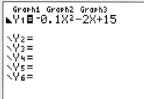

Écran 4

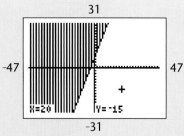

Écran 6

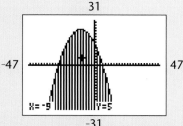

En déplaçant le curseur à l'écran graphique, il est possible d'afficher les coordonnées d'un couple de valeurs faisant partie ou non de l'ensemble-solution.

a. Quelle est l'inéquation associée:

1) aux écrans **3** et **4**?

2) aux écrans **5** et **6**?

b. Montrez algébriquement que le couple de valeurs affichées:

1) à l'écran **4** n'appartient pas à l'ensemble-solution de l'inéquation;

2) à l'écran **6** appartient à l'ensemble-solution de l'inéquation.

c. Déterminez les coordonnées d'un point situé:

1) dans le 3e quadrant de l'écran **4** et qui appartient à la région hachurée;

2) dans le 2e quadrant de l'écran **6** et qui n'appartient pas à la région hachurée.

d. À l'aide d'une calculatrice graphique, affichez l'ensemble-solution de chacune de ces inéquations.

1) $y \le 0,5x - 10$

2) $y \ge -0,05x^2 - 2,3x - 2,25$

3) $y \ge x^2 - 8x - 15$

savoirs 6.4

INÉQUATIONS À DEUX VARIABLES

Certains énoncés peuvent se traduire par des inéquations à deux variables. Il importe donc de bien identifier ces deux variables et d'établir la relation entre elles en choisissant le symbole d'inégalité approprié ($<$, $>$, $\le$ ou $\ge$).

Une solution d'une inéquation à deux variables correspond à un couple de valeurs qui vérifient cette inéquation. L'ensemble des couples qui vérifient une inéquation à deux variables est appelé **ensemble-solution**.

Ex.: Jean a pris moins de la moitié du temps que Guy a pris pour compléter un sudoku. Soit x le temps (en min) pris par Jean pour compléter le sudoku et y, celui pris par Guy.

- L'énoncé peut se traduire par l'inéquation suivante: $x < \frac{1}{2}y$.

- Le couple (10, 30) fait partie de l'ensemble-solution, car $10 < \frac{1}{2} \times 30$.

- L'ensemble-solution contient une infinité de couples.

- Tous les points de la région colorée dans la représentation graphique ci-contre vérifient l'inéquation.

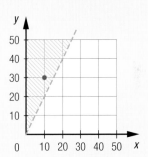

DEMI-PLAN ET AUTRES RÉGIONS DU PLAN

Il est possible de représenter graphiquement l'ensemble-solution d'une inéquation à deux variables.

- Dans le plan cartésien, la région du plan qui représente l'ensemble-solution d'une inéquation a une forme caractéristique qui dépend du degré de l'inéquation.

- Cette région du plan est limitée par une **droite** ou une **courbe frontière** qui correspond à un trait plein lorsque le signe d'inégalité est $\le$ ou $\ge$ et à un trait en pointillé lorsque ce signe est $<$ ou $>$.

Ex.: Dans la situation décrite à l'exemple précédent, puisque l'inégalité est stricte ($<$), la droite frontière est tracée en pointillé. Cela signifie que les points situés sur cette droite ne font pas partie de l'ensemble-solution.

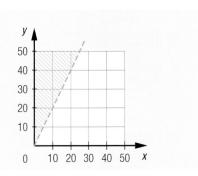

Inéquation du premier degré à deux variables

Dans le cas d'une inéquation du premier degré, tous les points dont les coordonnées vérifient l'inéquation sont situés du même côté d'une droite frontière. L'ensemble de ces points forme un **demi-plan**.

Ex.: 1) Représentation de l'ensemble-solution de l'inéquation $y \geq 2x + 1$.

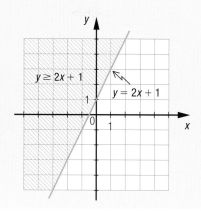

2) Représentation de l'ensemble-solution de $y < 2x + 1$.

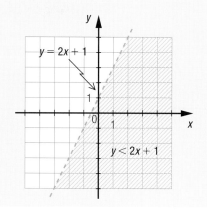

Inéquation du second degré à deux variables

Dans le cas d'une inéquation du second degré dont la courbe frontière est une parabole, tous les points dont les coordonnées vérifient l'inéquation sont situés dans l'une des deux régions délimitées par cette courbe.

Ex.: 1) Représentation de l'ensemble-solution de l'inéquation $y \leq 0,5(x - 3)^2 - 4$.

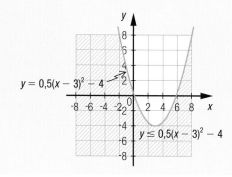

2) Représentation de l'ensemble-solution de $y > 0,5(x - 3)^2 - 4$.

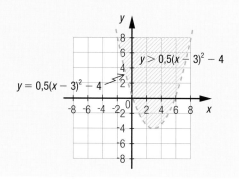

VARIABLES DISCRÈTES

Dans le cas où les variables sont discrètes, par exemple, si elles prennent seulement des valeurs entières, l'ensemble-solution peut être représenté par des points dans une région du plan.

Ex.: Représentation de l'ensemble-solution de $m + n < 4$, où m et $n \in \mathbb{N}$

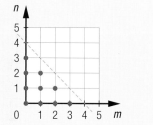

1 Dans chacun des cas, traduisez la situation par une inéquation à deux variables en identifiant ces deux variables.

a) Dans un match de basketball, Enrico a marqué au moins 10 points de plus que Jacques.

b) La moyenne des distances parcourues par Ginette et par Mathieu est inférieure à 60 km.

c) Le secret d'un bon gâteau au chocolat consiste à ne jamais mettre plus de trois parties de farine pour deux parties de cacao.

d) Si Juliette réussit à gagner 100 $ de plus que le double de son avoir actuel, elle aura alors autant d'argent, sinon plus que Simon.

e) Le rayon et l'apothème d'un cône sont tels que son aire est moins de 100 cm².

2 Représentez graphiquement l'ensemble-solution des inéquations suivantes.

a) $y > 3x - 4$

b) $y < -x^2 - 4$

c) $\dfrac{x}{4} + \dfrac{y}{8} \geq 1$

d) $3x + 2y + 6 < 0$

e) $y \geq 2(x - 4)^2 + 1$

f) $y < 3x(x - 3)$

g) $2x - 5y > 10$

h) $\dfrac{1 - x}{2} \geq \dfrac{2 - y}{3}$

i) $y \leq 2x^2 - 3x - 2$

3 Dans chaque cas, traduisez la situation par une inéquation.

a)
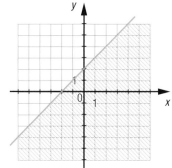

b)
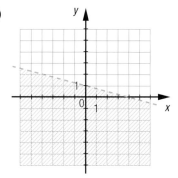

c)
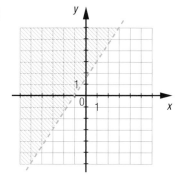

d)
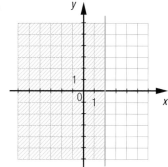

4 Associez chacune des inéquations ci-dessous à l'une des représentations graphiques suivantes.

A $y \geq 2x^2 - 2x - 4$

B $y \leq -2\left(x - \frac{1}{2}\right)^2 + \frac{9}{2}$

C $y < 2(x + 1)(2 - x)$

D $-\frac{y}{2} \geq (-x - 1)(x - 2)$

E $y \geq -2x^2 + 2x + 4$

F $2x^2 - y > 4 + 2x$

1

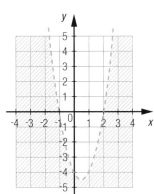

2

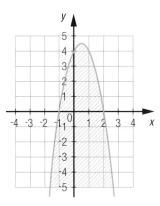

3

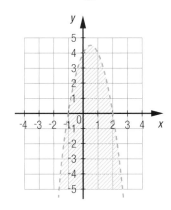

4

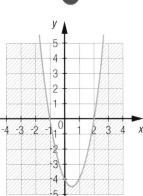

5

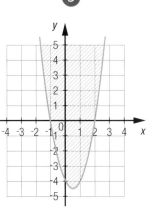

6

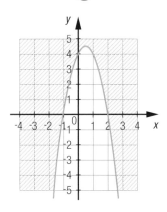

5 Considérez les solutions de l'inéquation $3x + 5y - 45 \leq 0$ dont les coordonnées sont des nombres naturels non nuls. Parmi celles-ci, combien y en a-t-il pour lesquelles la première coordonnée est supérieure à la seconde?

6 Parmi les inéquations suivantes, déterminez celle dont la représentation graphique englobe le plus de points parmi ceux illustrés ci-contre.

A $y \geq 1$

B $x + y - 1 < 0$

C $\frac{x}{2} + \frac{y}{-3} < 1$

D $x^2 - 2y - 8 \leq 0$

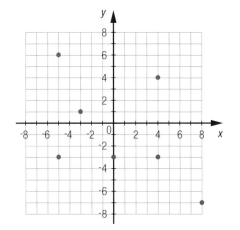

7 Dans chaque cas,

1) traduisez la situation par une inéquation à deux variables;
2) représentez graphiquement l'ensemble-solution.

a) On dit d'une solution aqueuse qu'elle est acide si elle contient davantage d'ions hydrogène, H^+, que d'ions hydroxyde, OH^-.

b) Les moteurs électriques offrent un meilleur rendement que les moteurs à essence. La différence de rendement entre ces deux types de moteurs est au moins de 45 %.

c) Des milliards de bactéries vivent à la surface du cuir chevelu. On a observé au cours de tests que le nombre de bactéries de souche A élevé au carré est toujours supérieur au nombre de bactéries de souche B.

Des bactéries E. coli à la racine d'un cheveu humain

d) Une personne, qui possède deux cartes de crédit dont les taux d'intérêt annuel s'élèvent respectivement à 15 % et à 20 %, est incapable de régler le solde des relevés de compte et doit verser des intérêts de plus de 200 $ par mois.

e) Un ballon de soccer frappé par un joueur est passé au-dessus d'un oiseau. On veut décrire la position de l'oiseau sachant que la trajectoire parabolique du ballon a atteint une hauteur maximale de 4 m avant de retomber sur le sol à 8 m de son point de départ.

8 L'aire totale du cylindre ① ci-contre est inférieure à celle du cylindre ②.

a) Traduisez cette situation par une inéquation.

b) Déterminez trois couples de valeurs possibles pour x et y.

c) Représentez graphiquement l'ensemble-solution de cette inéquation.

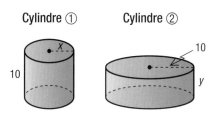

Cylindre ①   Cylindre ②

9 Un cheval a quotidiennement besoin d'avoir accès à un minimum de 1 kg de fourrage pour chaque 100 kg de sa masse. On donne à un cheval un fourrage composé de foin et de paille.

a) Quelle quantité de foin et de paille doit recevoir quotidiennement ce cheval s'il pèse 800 kg ?

L'année dernière, le prix du foin était environ de 0,10 $/kg et celui de la paille, de 0,05 $/kg.

b) Traduisez cette situation par une inéquation sachant que, cette année-là, on a dépensé en moyenne moins de 0,60 $ par jour en fourrage pour nourrir ce cheval.

c) Représentez graphiquement l'ensemble-solution de cette inéquation.

d) Étant donné le peu d'argent dépensé en fourrage, est-il quand même possible que l'on ait suffisamment nourri ce cheval ? Justifiez votre réponse.

10 En faisant le ménage, Huguette a trouvé moins de 1 $ en pièces de 10 ¢ et de 25 ¢.

   a) Traduisez cette situation par une inéquation.

   b) Représentez graphiquement la droite frontière ainsi que tous les couples-solutions de l'inéquation.

   c) Si Huguette a trouvé le plus d'argent possible tout en ayant moins de 1 $, combien a-t-elle de pièces de 10 ¢ et de 25 ¢?

   d) Dans le graphique tracé en b), identifiez les points correspondant à votre réponse à la question c).

   e) Quelle est la relation entre ces points et la droite frontière?

11 On a construit un carré et un rectangle ayant la propriété suivante : le rapport entre les aires de ces deux figures est inférieur à 1,5, quel que soit le sens dans lequel ce rapport est fait. La mesure de l'un des côtés du rectangle est de 2 cm. Soit x la mesure (en cm) du côté du carré et y, celle de l'autre côté du rectangle.

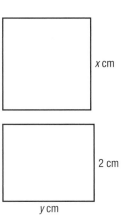

   a) Traduisez cette situation par deux inéquations et représentez leur ensemble-solution dans un même plan cartésien.

   b) Que représente la section du plan où les deux ensembles-solutions se superposent?

   c) Construisez le plus petit carré et le plus petit rectangle non carré qui ont la même propriété que celle énoncée ci-dessus et dont la mesure de chacun des côtés est un nombre entier de centimètres.

12 On désire clôturer, de la route à la rivière, les côtés extérieurs de deux champs juxtaposés. On sait que la différence de superficie entre ces deux champs n'excède pas 30 000 m².

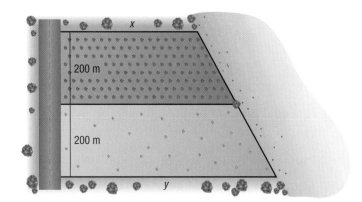

Quelles pourraient être les longueurs des deux clôtures à installer sachant que ces champs ont la forme de trapèzes rectangles? Répondez à la question à l'aide d'une représentation graphique et d'un exemple.

13 Les inéquations ci-dessous délimitent des régions du plan. Dans chaque cas :

> **1)** décrivez en mots la région ;
> **2)** déterminez les coordonnées de trois points qui appartiennent à cette région.

a) $x + y < 10$
   $x > 1$
   $y > x$

b) $4 \leq x \leq 7$
   $1 \leq y \leq 8$

c) $3x - y - 6 < 0$
   $y > 3x - 12$
   $3 < y < 7$

d) $x \geq 0$
   $2x - y - 4 \geq 0$
   $\dfrac{x}{6} + \dfrac{y}{12} \leq 1$

e) $x - 2y + 6 > 0$
   $x < 8$
   $y > 4$

f) $x - y < 0$
   $y < x + 4$
   $x > 2$
   $y < 8$

14 **JEU DE BALLE MAYA** Autrefois, les Mayas pratiquaient un sport qui présente une certaine analogie avec le basketball d'aujourd'hui. En effet, il s'agissait de faire passer une balle à travers un anneau, situé en haut d'un plan incliné. Cependant, les joueurs ne pouvaient toucher la balle qu'avec les hanches, les coudes ou les genoux. Ils devaient la frapper le plus haut possible sur le plan incliné, où le chef de l'équipe se postait pour la rediriger dans l'anneau.

Voici une représentation de trajectoires possibles que peut suivre la balle si elle est frappée selon un certain angle par un joueur qui se trouve en bas du plan incliné. Les coordonnées du sommet de la plus haute trajectoire possible, qui englobe toutes les autres, sont données dans cette représentation. La pente du plan incliné est de 0,6.

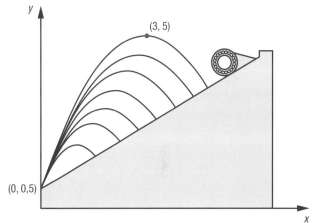

À l'aide de deux inéquations, décrivez la région du plan qui contient toutes les trajectoires possibles de la balle après qu'elle a été frappée par ce joueur.

Aire de jeu de balle des ruines mayas de Cobá, dans la péninsule du Yucatan, au Mexique

Chronique du passé
René Descartes

Je pense donc je suis.

Sa vie

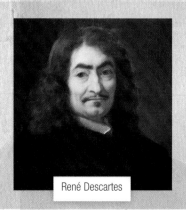

René Descartes

Mathématicien, physicien et philosophe français, René Descartes a laissé un héritage important dans chacune de ces disciplines. En mathématique, il est l'auteur de plusieurs découvertes associées à la géométrie et à l'algèbre. Une importante loi de la physique optique porte son nom. Il est également l'auteur du *Discours de la méthode*, son principal ouvrage philosophique, dans lequel il énonce une phrase célèbre.

Né le 31 mars 1596 à Descartes (France) et décédé à l'âge de 53 ans, le 11 février 1650, à Stockholm (Suède)

La géométrie au service de l'algèbre

Avant Descartes, les mathématiciens, en particulier les mathématiciens arabes, avaient déjà établi des liens entre l'algèbre et la géométrie. Par exemple, si l'on représentait une variable par une longueur, alors le carré de cette variable pouvait être associé à une aire et le cube, à un volume. Le génie de Descartes a été d'avoir remarqué que l'on peut associer une longueur (et non pas une aire ou un volume) au résultat de toute opération de base.

En effet, à partir d'une longueur x, on peut construire une longueur équivalente à x^2 de la façon suivante. On trace le segment AB dont la longueur correspond à l'unité et les deux segments BC et AD de longueur x. En construisant une droite CE parallèle à $\overline{BD}$, on détermine le segment DE dont la mesure est de x^2.

La résolution des équations

Cette idée conduit Descartes à découvrir que l'on peut résoudre une équation du second degré à l'aide d'une construction géométrique.

Dans cet extrait de *La géométrie*, Descartes montre la façon de résoudre l'équation $z^2 = az + b^2$ à l'aide d'une construction géométrique. Le segment OM correspond à la solution positive de cette équation.

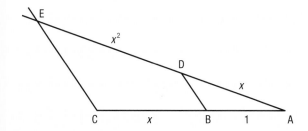

$z \infty a z + b b$

ie fais le triangle rectangle N L M, dont le costé L M est esgal à *b* racine quarrée de la quantité connue *b b*, & l'autre L N est ⅟₂ *a*, la moitié de l'autre quantité connue, qui estoit multipliée par *z* que ie suppose estre la ligne inconnue. puis prolongeant M N la baze de ce triangle,

La notation algébrique

Descartes est le premier à utiliser une notation dans laquelle les quantités inconnues sont exprimées à l'aide des dernières lettres de l'alphabet (x, y, z) et les quantités connues, à l'aide des premières lettres (a, b, c).

Comme on peut le voir dans l'extrait ci-contre, Descartes utilise également l'exposant pour simplifier l'écriture de certaines expressions.

$$z^3 \infty + az^2 + bbz - c^3.$$

L'algèbre au service de la géométrie

L'utilisation de la géométrie pour résoudre des problèmes d'algèbre a conduit Descartes à penser qu'il serait possible de faire l'inverse, soit d'utiliser l'algèbre pour résoudre des problèmes de géométrie. Il a alors l'idée géniale de déterminer l'équation associée à certaines courbes à partir d'un repère cartésien. Ses recherches lui ont permis de découvrir, entre autres, que le cercle peut se décrire à l'aide d'une équation du second degré.

La légende veut que l'idée du plan cartésien lui soit venue en observant une mouche qui se déplaçait sur les carreaux d'une fenêtre. Se rendant compte qu'il pouvait définir sa position à l'aide des carreaux, il venait de donner naissance aux coordonnées.

1. Observez la construction à la page précédente qui permet de déterminer la longueur x^2.

a) Reproduisez cette construction en traçant un segment AB de 1 cm de longueur et en posant $x = 1,5$.

b) Démontrez que la mesure de $\overline{DE}$ est bien égale à x^2.

c) À partir de cette construction, tracez un segment qui correspond au polynôme $2x^2 + 3x - 1$.

2. Pour résoudre l'équation $z^2 = az + b^2$, où a et b sont des nombres positifs, Descartes trace le segment LM de longueur b et le segment perpendiculaire LN de longueur $\frac{a}{2}$. Il trace ensuite le cercle de centre N et de rayon NL. Enfin, il trace le segment OM qui passe par le centre N.

a) Démontrez que m $\overline{OM}$ est l'unique solution positive de cette équation.

b) À l'aide d'une construction, déterminez la solution positive de l'équation $x^2 = 6x + 16$.

3. En utilisant le concept de distance, déterminez l'équation d'un cercle centré à l'origine dont le rayon est de 5 unités.

La science économique cherche à expliquer les processus de production, d'échange et de consommation des biens, et d'accumulation de la richesse. Elle établit des liens entre des variables économiques comme les prix, les salaires, le taux d'intérêt, le taux de chômage, etc.

Histoire

Adam Smith
(1723-1790)

L'Anglais Adam Smith est considéré comme le fondateur de la science économique. Dans son ouvrage *Recherches sur la nature et les causes de la richesse des nations*, il explique que la richesse est principalement créée par le travail. En travaillant, chaque personne agit dans son propre intérêt pour tenter de maximiser son profit ou son salaire. Ce faisant, elle participe au bien-être de tous. Selon Smith, par le jeu de la libre concurrence, tous les comportements égoïstes des individus pour satisfaire leurs besoins conduisent la société dans son ensemble à un équilibre qui est favorable à tous, comme si « une main invisible » régissait le tout.

Un exemple : la loi de l'offre et de la demande

Dans un marché concurrentiel, le prix d'un bien est déterminé par l'offre des producteurs et la demande des consommateurs.

La courbe qui représente l'offre est associée à une fonction croissante, car plus le prix d'un bien est élevé, plus les producteurs auront avantage à en produire. La demande, au contraire, est associée à une fonction décroissante. Plus le prix d'un bien est élevé, moins les consommateurs sont incités à l'acheter. Les courbes de l'offre et de la demande se croisent en un point qui définit la quantité et le prix d'équilibre (q^*, p^*). C'est seulement pour cette quantité et à ce prix qu'il n'y aura ni surplus ni pénurie de ce bien.

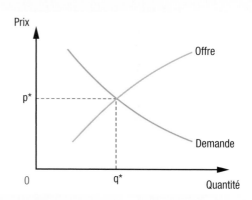

Tout n'est pas si simple

Cependant, l'existence de crises économiques contredit celle de la main invisible d'Adam Smith. Cette vision idyllique du système économique atteignant de lui-même un équilibre optimal a été remise en question par plusieurs autres économistes.

Durant la grande crise de 1929, qui a duré 10 ans, des millions de chômeurs partout dans le monde ont dû avoir recours aux soupes populaires pour se nourrir. Au Canada, le taux de chômage a alors atteint 27 %.

Parmi ces économistes, l'un des plus réputés est John Maynard Keynes.

Dans son célèbre ouvrage *Théorie générale de l'emploi, de l'intérêt et de la monnaie*, il établit des relations entre le revenu total R de tous les individus d'une société, leur consommation C et leur investissement I.

Le modèle le plus simple peut se décrire à l'aide du système d'équations $\begin{cases} C = aR + b \\ R = C + I \end{cases}$, où les paramètres a et b sont des constantes. À l'aide de ce modèle, Keynes explique les crises économiques en montrant que des comportements rationnels peuvent mener à des déséquilibres.

John Keynes (1883-1946) est considéré comme le fondateur de la macroéconomie, à savoir une analyse de l'économie qui ne part pas des choix individuels des personnes, mais plutôt du résultat agrégé de ces choix.

Le travail des économistes

De nos jours, les économistes observent le fonctionnement des marchés et analysent de nombreuses variables macroéconomiques à l'aide des statistiques nationales. Ils construisent des modèles mathématiques d'une grande complexité comprenant plusieurs équations afin d'expliquer et de prévoir divers phénomènes économiques.

1. La demande pour un bien est décrite par l'équation $pq = 360$, où p est le prix (en \$) et q, la quantité demandée. L'offre pour ce même bien correspond à l'équation $p = 0{,}5q + 8$, où q représente ici la quantité offerte.

a) Représentez graphiquement ce modèle.

b) À un prix de 30 \$, quelle serait :

  1) la quantité demandée ?

  2) la quantité offerte ?

c) D'après les réponses données en b) :

  1) y a-t-il une pénurie ou un surplus sur le marché ?

  2) selon vous, quel est l'effet de cette situation sur le prix du bien ?

d) En supposant que le prix du bien tend à s'ajuster pour éviter tout surplus ou toute pénurie, déterminez :

  1) le prix d'équilibre ;

  2) la quantité qui sera vendue et celle qui sera achetée à ce prix.

2. Considérez le modèle keynésien suivant : $\begin{cases} C = 0{,}8R + 10 \\ R = C + 100 \end{cases}$.

Dans la première équation, le coefficient 0,8 est la propension à consommer. Ce coefficient indique que 80 % de toute augmentation du revenu est affectée à la consommation. Le terme constant indique que les ménages dépensent 10 unités monétaires pour leurs besoins essentiels. Dans la seconde équation, l'investissement est fixé à 100 unités monétaires.

a) Représentez graphiquement ce modèle, puis déterminez le revenu total et la consommation.

b) Supposez que les ménages souhaitent épargner davantage et diminuent à 75 % leur propension à consommer. Quel sera l'effet sur le revenu total ?

c) Dans le modèle initial, qu'arrive-t-il au revenu total si l'investissement augmente de 20 ?

1 Dans un plan cartésien, des droites ont permis de délimiter une région par un quadrilatère.

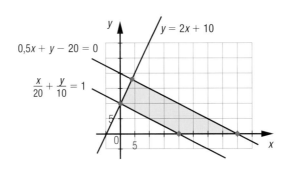

a) La région formée est-elle délimitée par un trapèze rectangle? Justifiez votre réponse.

b) Calculez l'aire de cette région.

2 Résolvez les systèmes d'équations suivants à l'aide de la méthode de votre choix.

a) $y = 3x + 22$
$x = 4y$

b) $5x + 2y + 8 = 0$
$2x + 5y + 8 = 0$

c) $3x + 4y = 200$
$x^2 + 2y = 50$

d) $\dfrac{x}{5} + \dfrac{y}{10} = 1$
$\dfrac{x}{10} + \dfrac{y}{20} = 1$

e) $x^2 + y^2 = 8$
$x = \dfrac{y}{2} + 3$

f) $y = (x - 5)^2 + 4$
$2x = 13 - y$

3 Une droite qui passe par les points de coordonnées (0, ‑5) et (10, 15) coupe-t-elle la parabole qui a pour sommet le point de coordonnées (4, 3) et qui passe par le point de coordonnées (6, 11)? Si oui, déterminez les coordonnées des points d'intersection.

4 a) Parmi les couples de coordonnées ci-contre, déterminez ceux qui font partie de l'ensemble-solution de l'inéquation :

1) $3x - y - 5 \geq 0$

2) $x \leq 2y$

3) $y > 2x + 10$

4) $y > {}^-3(x - 5)^2 + 4$

5) $y \geq x^2 - x - 6$

6) $y < {}^-4x^2 + 5$

A (0, 0)

B (0, 5)

C (3, 0)

D (4, 4)

E (‑2, ‑1)

b) Représentez graphiquement l'ensemble-solution de chacune des inéquations ci-dessus.

5 Les quatre droites illustrées ci-contre se coupent deux à deux dans un plan cartésien.

a) Démontrez que le quadrilatère ainsi formé est un rectangle.

b) Le quadrilatère formé est-il un carré ? Justifiez votre réponse.

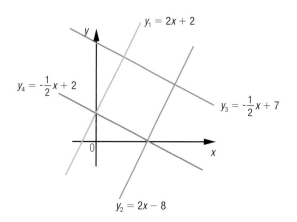

$y_1 = 2x + 2$

$y_4 = -\dfrac{1}{2}x + 2$

$y_3 = -\dfrac{1}{2}x + 7$

$y_2 = 2x - 8$

6 Deux moteurs ayant la même puissance maximale ne développeront pas nécessairement la même puissance à tous les régimes. Considérez, par exemple, deux moteurs de 80 kW, dont l'un est de faible cylindrée et l'autre, de forte cylindrée.

- La puissance P du moteur de faible cylindrée (en kW) peut être modélisée, jusqu'à 5000 tours/min, par la fonction $P(r) = 16r$, où r est le régime du moteur en milliers de tours par minute.

- La puissance du moteur de forte cylindrée peut être modélisée par une fonction polynomiale de degré 2 qui passe par l'origine et dont la puissance maximale est atteinte à un régime de 4000 tours/min.

a) Dans un même plan cartésien, représentez la puissance des deux moteurs en fonction de leur régime.

b) À quel régime les deux moteurs développent-ils la même puissance ?

c) À quels régimes la puissance du moteur de forte cylindrée excède-t-elle d'au moins 10 kW celle du moteur de faible cylindrée ?

> La cylindrée d'un piston est le volume engendré par le déplacement du piston dans le cylindre d'un moteur. La cylindrée d'un moteur est la somme des cylindrées de tous les pistons du moteur.

7 Trouvez la solution de chacun des systèmes d'équations associés aux tables de valeurs suivantes.

a)

x	1	2	3	4	5
y_1	1	3	5	7	9
y_2	10	12	14	16	18

b)

x	-4	-2	0	2	4
y_1	6	5	4	3	2
y_2	-13	-7	-1	5	11

c)

x	0	0,5	1	1,5	2	2,5	3
y_1	-1	0	1	2	3	4	5
y_2	-4,5	0	3,5	6	7,5	8	7,5

8 Juliette et sa sœur Marie-Lou organisent une fête où elles invitent tous leurs amis. Pour cette occasion, Juliette a acheté 8 sacs de maïs soufflé et 2 contenants de 2 L de jus de fruits pour une somme de 11,06 $. Quant à elle, Marie-Lou a acheté, au même endroit, 5 sacs de maïs soufflé et 3 contenants de 2 L de jus de fruits. Étrange coïncidence, elle a déboursé exactement la même somme que sa sœur pour cet achat. Un contenant de 2 L de jus de fruits coûte combien de fois plus qu'un sac de maïs soufflé ?

9 On a tracé les trois hauteurs du triangle ABC ci-contre.

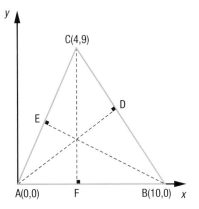

a) Déterminez l'équation des droites associées aux trois côtés du triangle.

b) Déterminez l'équation des droites associées aux trois hauteurs du triangle.

c) Démontrez que les hauteurs de ce triangle se rencontrent en un même point.

10 Une caméra de surveillance installée sur la corniche d'un immeuble, à 10 m du sol, a détecté un objet lancé par une fenêtre située, sous la caméra, à 4 m du sol. Dans l'illustration ci-dessous, on peut voir le champ de vision de la caméra ainsi que la trajectoire de l'objet lancé qui se traduit par l'équation :

$$y = -\frac{1}{16}(x - 8)^2 + 8$$

Dans cette situation, il est également possible d'exprimer la hauteur (en m) de l'objet en fonction du temps écoulé (en s) à l'aide de la règle suivante :

$$h(t) = -5t^2 + 9t + 4$$

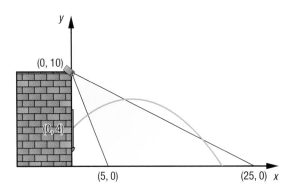

a) Déterminez l'équation des deux droites délimitant le champ de vision de la caméra :

1) sous la forme symétrique ;   2) sous la forme générale.

b) Quelles inéquations permettent de définir la région associée au champ de vision de la caméra ?

c) Quelles sont les coordonnées des trois points où l'objet lancé entre dans le champ de vision de la caméra ou en sort ?

d) Pendant combien de temps cet objet se trouve-t-il à l'extérieur du champ de vision de la caméra après y être entré une première fois ?

11 On a représenté trois droites concourantes dans un plan cartésien. La pente de chacune d'elles est un nombre entier.

$$y_1 = x + 6 \qquad y_2 = 2x + 4 \qquad y_3 = 3x + 2$$

a) Déterminez les coordonnées du point d'intersection de ces droites.

b) Écrivez l'équation de deux autres droites qui passent par ce point et dont les pentes sont des nombres entiers.

c) La conjecture suivante est-elle vraie ? Justifiez votre réponse.

> Si une droite dont la pente est un nombre entier passe par un point de coordonnées entières, alors la droite coupera l'axe des ordonnées à un nombre entier.

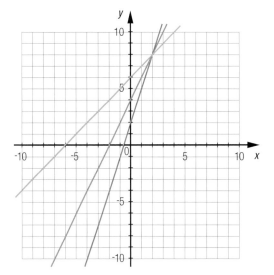

12 Il est souvent possible d'utiliser plusieurs approches pour résoudre un problème. On présente ci-dessous la première étape de trois méthodes différentes pour déterminer l'aire d'un triangle situé dans un plan cartésien.

Méthode ①   Méthode ②   Méthode ③

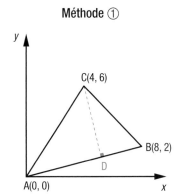 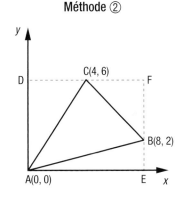 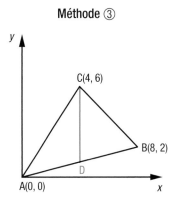

a) La méthode ① consiste à calculer la hauteur relative à la base AB. Pour ce faire, on établit l'équation de la droite qui supporte la hauteur, puis on détermine les coordonnées du point d'intersection D. Calculez l'aire du triangle ABC à l'aide de cette méthode.

b) La méthode ② consiste à inscrire le triangle dans un rectangle et à procéder par soustraction. Calculez l'aire du triangle ABC à l'aide de cette méthode.

c) La méthode ③ consiste à séparer le triangle en deux triangles à l'aide d'une droite verticale CD, puis à calculer l'aire de chacun de ces deux triangles en utilisant le segment CD comme base. Calculez l'aire du triangle ABC à l'aide de cette méthode.

d) Avez-vous une autre méthode à proposer ?

13 Un secteur parabolique est une région du plan délimitée par une parabole et une droite.

Par exemple, la région colorée ci-contre est un secteur parabolique défini par les deux inéquations suivantes :

$$y \geq \frac{1}{4}x^2 \text{ et } y \leq \frac{1}{2}x + 2$$

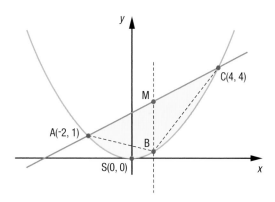

Le mathématicien grec Archimède a découvert comment calculer l'aire d'un secteur parabolique. On trouve le point milieu M du segment AC, puis on détermine les coordonnées du point B, situé sur la parabole, qui a la même abscisse que le point M. On peut alors calculer l'aire du triangle ABC.

Selon la démonstration d'Archimède, l'aire du secteur parabolique est alors donnée par la formule :

$$A_{\text{secteur}} = \frac{4}{3}A_{\text{triangle}}$$

a) Déterminez les coordonnées des points M et B, puis calculez l'aire du triangle ABC.

b) Quelle est l'aire du secteur parabolique ?

14 Dans chaque cas :

1) coloriez la région du plan dont les points ont des coordonnées qui vérifient les inéquations données ;

2) déterminez l'aire de cette région en utilisant la méthode d'Archimède décrite au numéro précédent.

a) $y \geq x^2$ et $y \leq x$ b) $0 \leq y \leq -2x^2 + 4x$ c) $0 \leq y \leq x^2$ et $-1 \leq x \leq 1$

15 Soit le quadrilatère ABCD ci-contre.

a) À l'aide des coordonnées des sommets, démontrez :

1) qu'il s'agit d'un losange ;

2) que les côtés opposés sont parallèles ;

3) que les diagonales sont perpendiculaires.

b) Quelles inéquations permettent de définir l'intérieur de ce losange ?

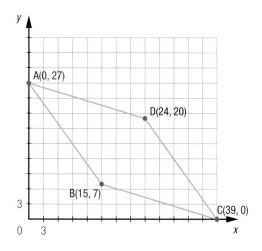

16 **GARABIT** Une informaticienne tente de créer un programme pour représenter les principaux éléments du viaduc de Garabit à l'aide d'équations. Elle a déjà déterminé les équations associées à 5 des 7 courbes et segments de droite qui se trouvent dans le 1er quadrant de la représentation ci-dessous.

$y_1 = -0{,}0085x^2 + 58$ $y_2 = -0{,}01x^2 + 68$
$y_3 = 20x - 1650$ $y_4 = -20x + 1800$
$y_5 = 68$

Le viaduc de Garabit qui enjambe la Truyère, dans le sud de la France, est l'un des nombreux ouvrages réalisés par la société de Gustave Eiffel. Il a été achevé en 1884.

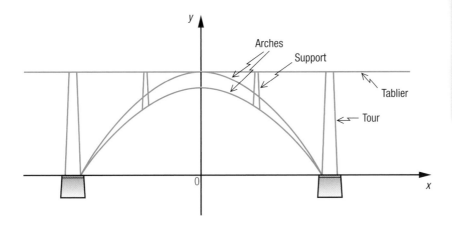

a) Associez chacune des équations ci-dessus à une des lignes rouges situées dans le 1er quadrant.

b) Déterminez les deux équations manquantes à l'aide des renseignements suivants :

- les côtés correspondants du support et de la tour sont parallèles ;

- les côtés du support touchent le tablier aux points d'abscisses 37,5 et 40.

c) Sachant que l'axe des ordonnées est un axe de symétrie du viaduc, déterminez les équations associées aux 4 segments représentant le support et la tour dans le 2e quadrant.

d) Chaque support touche les deux arches en 4 points. Calculez la distance entre les 2 points les plus éloignés de ces 8 points.

17 Soit deux droites de pente m_1 et m_2 se croisant à l'origine.

a) Quelles expressions représentent les coordonnées des points d'intersection entre ces deux droites et la droite d'équation $x = 1$?

b) À l'aide du théorème de Pythagore, démontrez que les deux droites sont perpendiculaires si et seulement si $m_1m_2 = -1$.

c) Expliquez pourquoi cette démonstration est également valable pour des droites qui ne se couperaient pas à l'origine.

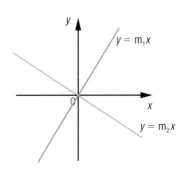

18 On a installé un jet d'eau au-dessous du câble d'une tyrolienne de façon que l'eau le touche en deux points. Dans la modélisation ci-dessous, le segment AB représente le câble de la tyrolienne sur toute sa longueur. La variable *y* représente la hauteur du câble par rapport au sol, que l'on suppose plat et qui correspond à l'axe des *x*. Le jet d'eau (en bleu) monte jusqu'à une hauteur de 7 m.

Une tyrolienne permet de franchir un espace vide entre deux points en glissant le long d'un câble tendu. De nombreux sites récréatifs proposent des parcours qui permettent aux gens de se déplacer d'un arbre à l'autre en tyrolienne.

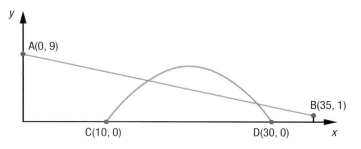

a) Déterminez l'équation générale de la droite passant par le câble de la tyrolienne.

b) Lorsqu'une personne descend en tyrolienne, elle décrit une trajectoire parallèle au segment AB et située à 0,5 m au-dessous de celui-ci. Quelle est l'équation générale de cette trajectoire ?

c) Sur quel pourcentage de cette trajectoire cette personne se trouve-t-elle sous le jet d'eau ?

19 La situation illustrée ci-dessous peut être représentée à l'aide d'un système d'équations à trois variables, où chaque variable représente la masse d'une personne.

  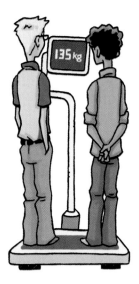

a) Écrivez les trois équations de ce système.

b) Déterminez la masse de chacune de ces personnes.

Un pèse-personne mesure en réalité la force d'attraction (en newtons) qui s'exerce sur une personne, c'est-à-dire son poids, et non sa masse (en kg). Cependant, pour des raisons pratiques, il affiche généralement une valeur en kilogrammes, déterminée à partir de cette force.

banque de problèmes

20 **TREMBLEMENT DE TERRE DE KÕBE** En janvier 1995, un tremblement de terre d'une rare violence a frappé la ville de Kõbe au Japon. Les sismologues ont remarqué lors de l'analyse des données que les amplitudes enregistrées par les sismographes dans les villes d'Osaka, de Kasai et de Minamiawaji étaient à peu près les mêmes.

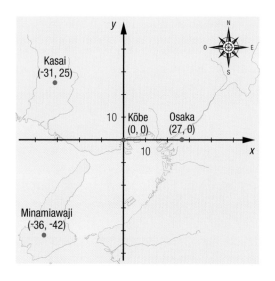

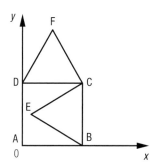

Le tremblement de terre de Kõbe de 1995 a atteint une magnitude de 7,2 sur l'échelle de Richter. Il a fait plus de 6400 morts et 40 000 blessés, et a causé des dégâts matériels de 100 milliards de dollars.

Dans la représentation ci-dessus, les coordonnées des trois villes indiquent leur position par rapport à Kõbe. L'unité de mesure utilisée est le kilomètre. Situez, à 100 m près, l'épicentre de ce tremblement de terre.

21 La figure ci-contre est formée d'un carré et de deux triangles équilatéraux dont les côtés mesurent 2 unités. En utilisant leurs coordonnées, démontrez que les points A, E et F sont alignés.

22 Dans le but de programmer une calculatrice, une élève cherche des formules qui donneraient la solution d'un système d'équations écrit sous la forme :

$$\begin{cases} ax + by = s \\ cx + dy = t \end{cases}$$, où a, b, c, d, s et t sont des nombres réels.

Après quelques essais, elle obtient ceci : $x = \dfrac{sd - bt}{ad - bc}$ et $y = \dfrac{at - sc}{ad - bc}$.

Montrez que ces deux formules sont correctes en expliquant clairement votre démarche.

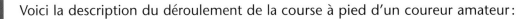

23 Voici la description du déroulement de la course à pied d'un coureur amateur :

Au départ, il a accéléré le plus longtemps possible, puis après avoir pris une bonne avance sur ses concurrents, il a couru le reste de la course à une vitesse constante.

Plus précisément, il a accéléré uniformément de 1 m/s^2 pendant 6 à 7 secondes et il a ensuite ralenti sa course à une vitesse de 5 m/s.

Au total, il a couru au moins 50 m, mais pas plus de 100 m.

Soit t_1 : la durée (en s) de l'accélération du coureur et t_2 : la durée (en s) de sa course à vitesse constante. Les distances parcourues durant chacune de ces phases de la course peuvent s'exprimer en fonction du temps par les équations suivantes :

- Phase d'accélération : $d_1 = 0{,}5t_1^2$
- Phase de vitesse constante : $d_2 = 5t_2$

Dans un plan cartésien, où les axes représentent la durée (en s) de chaque phase de la course, représentez les valeurs possibles de t_1 et de t_2. Expliquez votre démarche.

24 On représente généralement une réaction chimique sous la forme d'une équation. Dans ce type d'équation, les réactifs sont placés à gauche et les produits, à droite. Une flèche indique le sens de la réaction. Par exemple, l'équation chimique de la combustion du méthane est :

$$CH_4 + 2O_2 \rightarrow CO_2 + 2H_2O$$

Pour tenir compte de la conservation de la matière, le nombre d'atomes apparaissant de chaque côté de la flèche doit être le même pour chacun des éléments. C'est le cas dans l'équation ci-dessus : il y a quatre atomes d'hydrogène à gauche et à droite de la flèche, ainsi que quatre atomes d'oxygène et un atome de carbone.

Chimiste industriel qui contrôle une réaction chimique en usine.

Voici maintenant l'équation d'une réaction chimique qui permet la formation de chlorate de sodium ($NaClO_3$) :

$$aCl_2 + bNaOH \rightarrow cNaCl + dNaClO_3 + eH_2O$$

Déterminez les plus petites valeurs entières des coefficients a, b, c, d et e qui permettent d'équilibrer cette équation.

25 Au cours d'une expérience, on mesure la vitesse d'une bille qui roule sur un plan incliné. La vitesse est mesurée à l'aide d'un radar précis à 0,5 m/s et le temps, à l'aide d'un chronomètre précis à 0,1 s. On suppose que la vitesse de la bille est une fonction affine du temps écoulé. Dans quel intervalle se situe la vitesse initiale de la bille?

Vitesse d'une bille sur un plan incliné

Temps (s)	Vitesse (m/s)
1,0 ± 0,1	4,5 ± 0,5
2,0 ± 0,1	6,0 ± 0,5

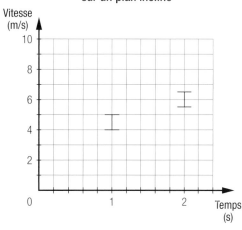

26 On a représenté ci-dessous trois points de la trajectoire parabolique d'une boule de pétanque tirée au cours d'une partie. L'origine du plan cartésien est située à la ligne de départ du lancer. L'unité de mesure utilisée est le mètre.

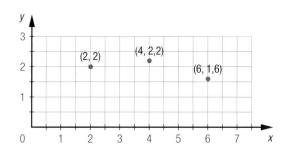

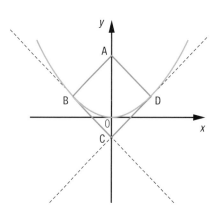

À la pétanque, le tir est un coup qui consiste à lancer la boule directement sur une boule adverse afin de la chasser loin du cochonnet.

Établissez la règle qui traduit la trajectoire de la boule et décrivez les caractéristiques de ce tir.

27 Dans le plan cartésien ci-contre, le quadrilatère ABCD est un carré dont les sommets A et C sont situés sur l'axe des ordonnées. L'équation de la parabole tracée en orange est $y = x^2$. Les droites qui supportent les côtés BC et DC sont tangentes à la parabole aux points B et D respectivement.

Démontrez que l'aire du carré est de $\frac{1}{2}$ unité carrée.

Une droite est *tangente* à une parabole si elle touche celle-ci en un seul point sans la traverser.

VISION 7

La trigonométrie

Comment mesure-t-on la distance à laquelle se trouve un objet inaccessible ? Comment a-t-on fait pour calculer la distance entre la Terre et la Lune bien avant de s'y rendre, ou la hauteur de l'Everest avant même d'atteindre le sommet ? De quelle manière a-t-on déterminé le mètre, cette unité de longueur du système international ? La trigonométrie est la branche des mathématiques qui étudie les relations existant entre les mesures des angles et celles des côtés d'un triangle et qui est utilisée pour déterminer indirectement certaines mesures. Dans *Vision 7*, vous aborderez la trigonométrie à partir de vos connaissances sur les triangles semblables, les rapports et les proportions. Vous aurez à trouver des mesures manquantes d'angles ou de côtés, d'abord dans des triangles rectangles, ensuite dans des triangles quelconques.

Arithmétique et algèbre

Géométrie

- Rapports trigonométriques : sinus, cosinus, tangente
- Relations trigonométriques dans le triangle : loi des sinus et loi des cosinus
- Recherche de mesures manquantes

Statistique

RÉACTIVATION 1 Un calcul à 10 ¢

Depuis toujours, on s'intéresse à la Lune, à ses dimensions, à sa position, à la distance qui la sépare de la Terre. Mais, comment peut-on effectuer de telles mesures?

Le schéma ci-dessous représente une façon de mesurer la distance entre la Terre et la Lune à l'aide d'une pièce de 10 ¢. Le point A représente l'œil d'une personne qui observe la Lune de la Terre. Le segment BC représente le diamètre de la pièce de 10 ¢ située de manière à cacher entièrement la Lune à la personne qui la regarde. Le cercle de centre G représente la Lune.

Le diamètre équatorial de la Terre est environ de 12 756 km comparativement à 3475 km pour la Lune.

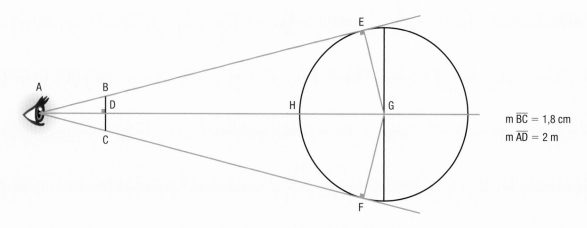

m $\overline{BC}$ = 1,8 cm
m $\overline{AD}$ = 2 m

a. Démontrez que les triangles AEG et AFG sont isométriques.

b. Peut-on affirmer que la demi-droite AG est la bissectrice de l'angle A? Justifiez votre réponse.

c. Peut-on affirmer que m $\overline{BD} = \frac{1}{2}$ m $\overline{BC}$? Justifiez votre réponse.

d. Démontrez que les triangles ADB et AEG sont semblables.

e. À quel rapport de mesures de côtés du triangle AEG le rapport $\dfrac{m\ \overline{AD}}{m\ \overline{DB}}$ est-il équivalent?

f. Déterminez la mesure du segment AG.

g. Quelle est la distance entre l'observateur et la surface de la Lune?

RECHERCHE DE MESURES MANQUANTES

La relation de Pythagore et les propriétés des triangles isométriques et des triangles semblables permettent de trouver des mesures manquantes dans des figures.

> Ex.: Sachant que les deux triangles AED et BEC sont semblables, il est possible de déterminer la mesure du segment CB.
>
> Les côtés homologues des triangles étant de longueurs proportionnelles, on a $\frac{6}{7,5} = \frac{m\,\overline{BE}}{10}$, d'où $m\,\overline{BE} = 8$.
>
> Par la relation de Pythagore: $m\,\overline{CB} = \sqrt{8^2 + 6^2} = 10$

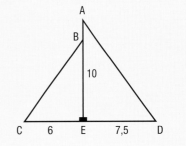

ANGLES

Dans un triangle, le plus grand angle est opposé au plus grand côté et le plus petit angle est opposé au plus petit côté.

Ex.:

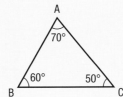

$m\,\overline{BC} > m\,\overline{AC} > m\,\overline{AB}$

Deux angles sont dits **complémentaires** si la somme de leurs mesures est 90°.

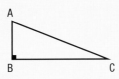

Les angles aigus d'un triangle rectangle sont complémentaires, car $m\angle A + m\angle C = 180° - 90°$
$= 90°$.

Deux angles sont dits **supplémentaires** si la somme de leurs mesures est 180°.

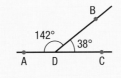

Les angles ADB et BDC sont supplémentaires, car
$m\angle ADB + m\angle BDC$
$= \quad 142° \quad + \quad 38°$
$= \quad 180°.$

RAPPORTS ET PROPORTIONS

Quatre nombres a, b, c et d forment une proportion si le rapport de a à b est égal à celui de c à d. On écrit cette proportion $\frac{a}{b} = \frac{c}{d}$, où $b \neq 0$ et $d \neq 0$. Les termes a et d sont appelés les **extrêmes,** et les termes b et c, les **moyens.**

On peut observer que:

- Si $\frac{a}{b} = \frac{c}{d}$, alors $ad = bc$. (Le produit des extrêmes est égal au produit des moyens.)

- Si $\frac{a}{b} = \frac{c}{d}$, alors $\frac{d}{b} = \frac{c}{a}$, $\frac{a}{c} = \frac{b}{d}$ et $\frac{d}{c} = \frac{b}{a}$ (permutation des moyens ou des extrêmes).

- Si $\frac{a}{b} = \frac{c}{d}$, alors $\frac{a}{b} = \frac{a+c}{b+d}$ et $\frac{a}{b} = \frac{a-c}{b-d}$ (propriété additive ou soustractive).

mise à jour

1 On a tracé les trois hauteurs d'un triangle équilatéral.

a) Quelle condition minimale d'isométrie des triangles permet d'affirmer que ces trois hauteurs sont isométriques?

b) Déterminez la mesure de chacune de ces hauteurs, si chaque côté du triangle mesure:

1) 10 cm   2) 5 cm   3) 1 cm   4) c cm

c) Déterminez les mesures des côtés du triangle, si les hauteurs mesurent:

1) 10 cm   2) 5 cm   3) 1 cm   4) h cm

2 Calculez le périmètre de chacun des triangles rectangles isocèles suivants.

a)

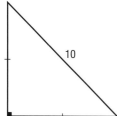

10

b)

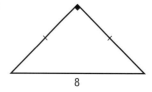

8

c)

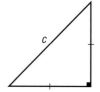

c

3 Deux cordes, longues de 8 m chacune, relient le sommet d'un poteau à des points d'ancrage situés au sol. L'une de ces cordes est fixée en direction ouest et l'autre, en direction est. Les cordes forment un angle de 30° avec le sol.

a) À quelle hauteur du sol le sommet du poteau se trouve-t-il?

b) Quelle distance sépare les deux points d'ancrage des cordes?

4 À un moment précis d'une journée ensoleillée, les extrémités de l'ombre de deux poteaux, perpendiculaires au sol, coïncident. On peut alors calculer la distance qui sépare les sommets de ces poteaux.

a) Quelle condition minimale de similitude des triangles permet d'affirmer que les triangles ABD et ACE sont semblables?

b) Quelle est la mesure du segment DE?

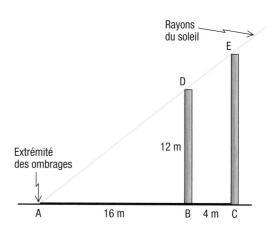

L'hexagone ABCDEF ci-contre
a été construit en juxtaposant
quatre triangles rectangles semblables.

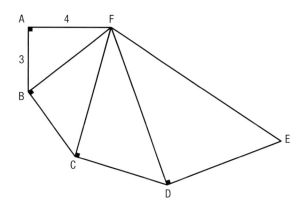

a) Calculez:

1) le périmètre de cet hexagone;

2) l'aire de cet hexagone.

b) Quelle est la somme des mesures
des angles intérieurs de cet hexagone?
Justifiez votre réponse.

6 Pour séparer la partie profonde des deux
parties peu profondes d'une piscine ayant
la forme d'un trapèze, on installe deux câbles
de flotteurs. Ceux-ci sont représentés ci-contre
par les segments perpendiculaires EF et EC.
Le câble représenté par le segment EC
partage l'angle C en deux angles
isométriques. De plus, le triangle EDC
est isocèle. Déterminez la mesure des six
angles formés par les côtés de la piscine
et les câbles de flotteurs.

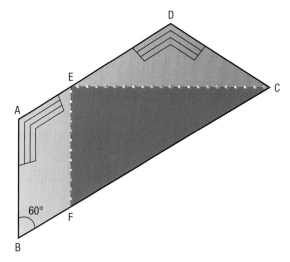

7 Dans le triangle ABC, $m\angle A = 40°$, $m\ \overline{AB} = 6$ cm et $m\ \overline{BC} = 4$ cm.

a) Construisez deux triangles non isométriques qui possèdent ces caractéristiques.

b) Pourquoi la condition minimale d'isométrie CAC ne s'applique-t-elle pas dans
cette situation?

c) Dans les deux triangles que vous avez construits, déterminez:

1) le plus petit côté;   2) le plus petit angle.

8 Les deux triangles rectangles ci-contre sont semblables.

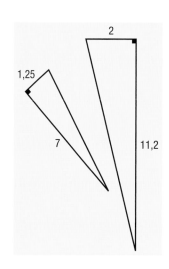

a) Peut-on établir les proportions suivantes?
Justifiez votre réponse.

1) $\dfrac{2}{7} = \dfrac{1,25}{11,2}$ 2) $\dfrac{2}{1,25} = \dfrac{11,2}{7}$ 3) $\dfrac{2}{11,2} = \dfrac{1,25}{7}$

b) Peut-on faire les déductions suivantes?
Expliquez votre réponse.

1) Si $\dfrac{2}{11,2} = \dfrac{1,25}{7}$, alors $\dfrac{2}{11,2} = \dfrac{2+1,25}{11,2+7}$.

2) Si $\dfrac{2}{11,2} = \dfrac{1,25}{7}$, alors $\dfrac{2+1}{11,2+1} = \dfrac{1,25+1}{7+1}$.

Cette section est en lien avec la SAÉ 19.

PROBLÈME Louvoiement

Un voilier louvoie de la bouée A à la bouée B selon un angle de 45° par rapport au vent. Le vent souffle dans la même direction que la droite AB, comme le montre la représentation ci-dessous. La vitesse du voilier est de 20 nœuds, 1 nœud équivalant à 1,85 km/h environ.

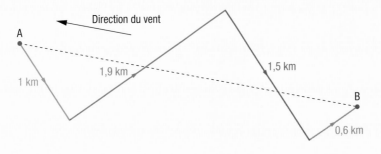

Direction du vent

A

1,9 km

1 km

1,5 km

B

0,6 km

Pour naviguer contre le vent, un voilier doit louvoyer, c'est-à-dire se diriger alternativement vers la droite et vers la gauche pour former un certain angle par rapport au vent.

Si le voilier louvoie selon un angle plus petit que 45°, il parcourra une plus courte distance pour se rendre à la bouée B, mais cela réduira sa vitesse car, il lui faudra affronter le vent. Si le voilier louvoie selon un angle plus grand que 45°, ce sera l'inverse qui se produira, comme le montre le tableau ci-dessous.

Variation de la vitesse du voilier selon l'angle utilisé

Angle par rapport au vent (°)	Vitesse du voilier (nœuds)
30	14
45	20
60	25

 Selon quel angle du tableau ci-dessus, le voilier devrait-il louvoyer afin de se rendre le plus rapidement possible de la bouée A à la bouée B ?

ACTIVITÉ 1 — Le funiculaire

Le funiculaire du Vieux-Québec permet de relier la Haute-Ville à la Basse-Ville. La rampe de ce funiculaire a une longueur totale de 85,5 m et gravit une hauteur de 59,4 m. Son angle d'inclinaison est de 44°. Dans les figures ci-dessous, le point B représente la position d'une cabine à différents moments au cours de sa descente le long de la rampe du funiculaire.

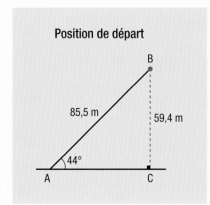

Position de départ

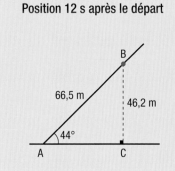

Position 12 s après le départ

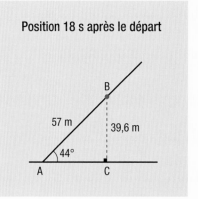

Position 18 s après le départ

a. Dans chaque cas, déterminez le rapport réduit de la hauteur de la cabine, m $\overline{BC}$, à la distance qu'elle doit encore franchir, m $\overline{AB}$. Qu'observez-vous ?

b. En utilisant les propriétés des triangles semblables, démontrez que le rapport $\dfrac{m\,\overline{BC}}{m\,\overline{AB}}$ ne dépend pas de la position du point B.

c. Calculez la hauteur de la cabine lorsque la distance qui lui reste à franchir est de :

1) 38 m   2) 28,5 m   3) 9,5 m   4) 1 m

d. Déterminez, au dixième de mètre près, la mesure du segment AC lorsque la cabine est à sa position de départ.

e. Démontrez que le rapport $\dfrac{m\,\overline{AC}}{m\,\overline{AB}}$ est constant tout le long de la descente de la cabine.

f. Déterminez la position du point C lorsque la cabine n'a plus que 1 m à franchir.

Depuis son inauguration en 1879, le funiculaire du Vieux-Québec a été plusieurs fois rénové, puis complètement reconstruit en 1998. À l'origine, il fonctionnait à l'aide d'un système à vapeur et à contrepoids d'eau.

L'astronome et mathématicien indien Âryabhata a établi, au VIᵉ siècle, une relation entre la mesure de certains angles au centre d'un cercle et celle des demi-cordes interceptées. La figure ci-dessous permet de décrire cette relation. Avec la table de valeurs établie par Âryabhata, il devenait possible, dans n'importe quel cercle et pour différentes mesures de l'angle A, de déterminer le rapport de la longueur de la demi-corde BC à celle du rayon AB. Ce rapport, qui correspond à la mesure de la demi-corde BC si le rayon du cercle vaut 1, porte aujourd'hui le nom de *sinus de l'angle A* et est noté sin A.

Âryabhata (476-550)

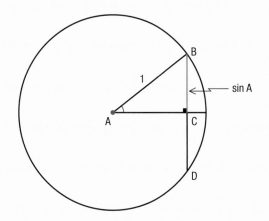

Le mot *sinus* tire son origine d'une erreur de traduction. Les travaux d'Âryabhata ont été reportés dans des textes arabes, lesquels ont ensuite été traduits en latin, au XIIᵉ siècle. Le mot arabe *jîba*, qui signifie «corde», aurait été confondu par le traducteur avec le mot *jaîb* qui signifie «pli d'un vêtement» et qui se traduit en latin par *sinus*.

a. À l'aide d'un raisonnement géométrique, déterminez la valeur exacte de sin 30°, soit la mesure du segment BC si l'angle A mesure 30°.

b. Déterminez la valeur exacte de:

    1) sin 45°   2) sin 60°   3) sin 90°

Âryabhata a établi la valeur du sinus de divers angles aigus. Pour réaliser ces calculs, il avait aussi besoin d'obtenir, pour différents angles A, le rapport de la longueur du segment AC à celle du rayon AB. Ce rapport, qui correspond à la mesure du segment AC si le rayon du cercle vaut 1, porte aujourd'hui le nom de *cosinus de l'angle A* et est noté cos A.

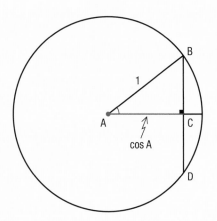

c. Déterminez la valeur exacte de:

    1) cos 30°   2) cos 45°   3) cos 60°   4) cos 90°

d. Que pouvez-vous dire de la valeur de:

    1) sin 44°?   2) cos 44°?

Sur du papier millimétré, on a tracé un quart de cercle de 1 dm de rayon, puis des angles variant de 0° à 90°, par bonds de 10°. Tous ces angles ont le même sommet et un côté commun, soit le côté horizontal.

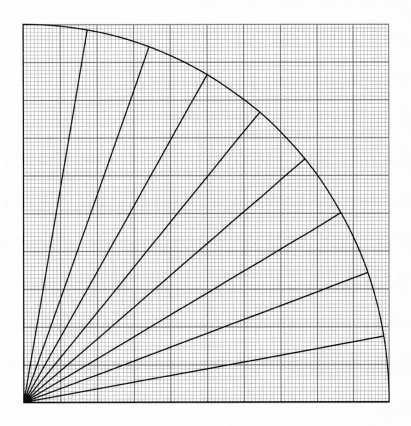

a. Complétez la table de valeurs ci-contre en estimant, au centième près, la valeur du sinus et celle du cosinus des angles dans la représentation ci-dessus.

b. Pour les angles de 30° et de 60°, validez vos estimations en les comparant avec les valeurs exactes des sinus et des cosinus calculées à l'activité **2**.

Mesure de l'angle (°)	Sinus	Cosinus
0	0	1
10		
20		
30		

c. À l'aide de la représentation ci-dessus, estimez la mesure d'un angle pour lequel :

1) le sinus est 0,6 ;   2) le cosinus est 0,6 ;

3) le sinus est 0,4 ;   4) le cosinus est 0,4.

d. Si sin A = cos B, que pouvez-vous dire des angles A et B ?

Sur une calculatrice, les touches **SIN** et **COS** permettent d'obtenir le sinus ou le cosinus d'un angle, alors que les touches **SIN⁻¹** (ou **ARCSIN**) et **COS⁻¹** (ou **ARCCOS**) permettent, à l'inverse, d'obtenir la mesure d'un angle dont le sinus ou le cosinus est donné.

e. À l'aide d'une calculatrice, vérifiez les estimations que vous avez faites en **a** et en **c**.

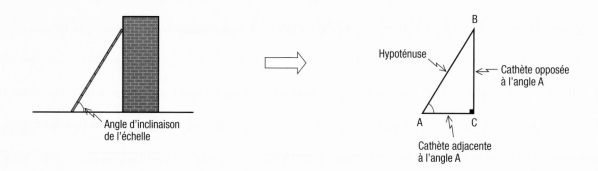

ACTIVITÉ 4 Une échelle contre un mur

Vue de côté, une échelle appuyée contre le mur d'une maison forme un triangle rectangle. L'angle d'inclinaison de l'échelle est l'un des angles aigus de ce triangle.

a. Dans la figure ci-dessus, à quel rapport trigonométrique correspond chacun des rapports suivants ?

1) $\dfrac{\text{mesure de la cathète opposée à l'angle A}}{\text{mesure de l'hypoténuse}}$

2) $\dfrac{\text{mesure de la cathète adjacente à l'angle A}}{\text{mesure de l'hypoténuse}}$

b. Sachant que l'échelle mesure 10 m de longueur et que son angle d'inclinaison est de 58°, déterminez, au centimètre près, les mesures suivantes.

1) La hauteur du point d'appui de l'échelle contre le mur.

2) La distance entre le mur et le pied de l'échelle.

Voici trois situations où la longueur de l'échelle et son angle d'inclinaison ont été modifiés :

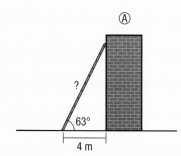
Ⓐ

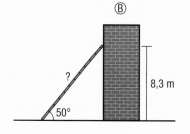
Ⓑ

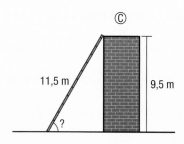
Ⓒ

c. Calculez, au centimètre près, la longueur de l'échelle dans les situations Ⓐ et Ⓑ.

d. Dans la situation Ⓒ, déterminez l'angle d'inclinaison de l'échelle au degré près.

e. Le pied d'une échelle de 10,8 m de longueur se trouve à 6 m du mur. Déterminez :

1) l'angle d'inclinaison de l'échelle ;

2) la mesure de l'angle formé par l'échelle et le mur ;

3) la hauteur du point d'appui de l'échelle contre le mur.

Techno math

Un logiciel de géométrie dynamique permet de déterminer la valeur du sinus et celle du cosinus d'un angle à l'aide d'une construction géométrique. En utilisant principalement les outils DEMI-DROITE, DROITE PERPENDICULAIRE, MESURE D'ANGLE, DISTANCE OU LONGUEUR et CALCULATRICE, on peut tracer un angle et, à partir d'un point sur un côté de l'angle, abaisser une perpendiculaire à l'autre côté. On peut ensuite déterminer la mesure de l'angle et le rapport entre les mesures des segments ainsi formés.

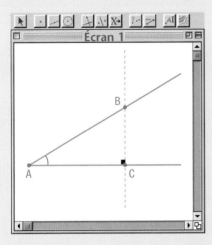

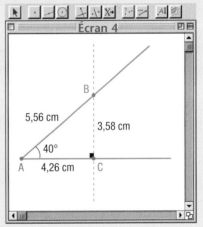

On peut modifier la position du point B.

On peut modifier la mesure de l'angle A.

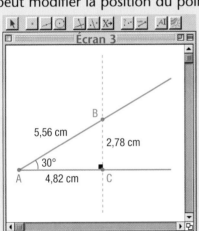

a. Que peut-on affirmer quant à la valeur des rapports $\frac{m\,\overline{BC}}{m\,\overline{AB}}$ et $\frac{m\,\overline{AC}}{m\,\overline{AB}}$:

1) lorsqu'on déplace le point B sur le côté de l'angle A?

2) lorsqu'on augmente la mesure de l'angle A?

b. D'après les écrans **3** et **4**, déterminez la valeur de :

1) $\sin 30°$ 2) $\sin 40°$ 3) $\cos 30°$ 4) $\cos 40°$

c. 1) D'après ces constructions, quelles sont les valeurs minimales et maximales des rapports $\frac{m\,\overline{BC}}{m\,\overline{AB}}$ et $\frac{m\,\overline{AC}}{m\,\overline{AB}}$?

2) Pour quelles mesures de l'angle A obtient-on ces valeurs?

d. À l'aide d'un logiciel de géométrie dynamique, construisez une table de valeurs qui indique le sinus et le cosinus de tous les angles aigus dont les mesures sont des multiples de 10°.

RAPPORTS TRIGONOMÉTRIQUES

La **trigonométrie** est la branche des mathématiques qui étudie les relations entre les mesures des angles et celles des côtés d'un triangle. À tout angle, on associe des **rapports trigonométriques** tels le sinus et le cosinus.

Sinus et cosinus d'un angle aigu ou droit

À partir d'un point B situé sur un côté d'un angle A, on abaisse une perpendiculaire qui coupe l'autre côté de l'angle au point C.

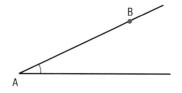

On peut alors définir le sinus et le cosinus de l'angle A :

$$\sin A = \frac{m\,\overline{BC}}{m\,\overline{AB}} \text{ et } \cos A = \frac{m\,\overline{AC}}{m\,\overline{AB}}$$

La valeur de ces rapports ne dépend pas de la position du point B sur le côté de l'angle A. En particulier si le point B est situé à une distance de 1 unité du point A, alors :

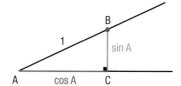

$$\sin A = \frac{m\,\overline{BC}}{1} = m\,\overline{BC}$$

$$\cos A = \frac{m\,\overline{AC}}{1} = m\,\overline{AC}$$

Ex. : Valeurs du sinus et du cosinus de quelques angles.

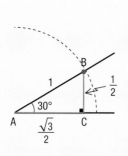

$$\sin 30° = \frac{1}{2}$$

$$\cos 30° = \frac{\sqrt{3}}{2}$$

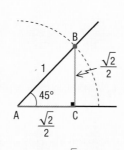

$$\sin 45° = \frac{\sqrt{2}}{2}$$

$$\cos 45° = \frac{\sqrt{2}}{2}$$

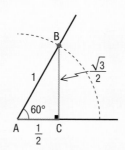

$$\sin 60° = \frac{\sqrt{3}}{2}$$

$$\cos 60° = \frac{1}{2}$$

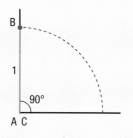

$$\sin 90° = 1$$

$$\cos 90° = 0$$

RAPPORTS TRIGONOMÉTRIQUES DANS UN TRIANGLE RECTANGLE

Dans un triangle rectangle, on peut définir le sinus et le cosinus d'un angle aigu par les rapports suivants.

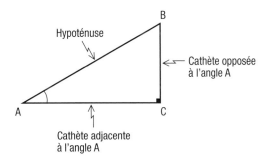

$$\sin A = \frac{\text{mesure de la cathète opposée à l'angle A}}{\text{mesure de l'hypoténuse}}$$

$$\cos A = \frac{\text{mesure de la cathète adjacente à l'angle A}}{\text{mesure de l'hypoténuse}}$$

Ex.: Dans le triangle rectangle DEF ci-contre:

- $\sin D = \frac{6}{10} = 0{,}6$
- $\sin E = \frac{8}{10} = 0{,}8$
- $\cos D = \frac{8}{10} = 0{,}8$
- $\cos E = \frac{6}{10} = 0{,}6$

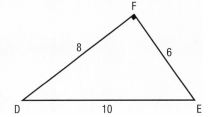

Résoudre un triangle, c'est déterminer les mesures de ses côtés et de ses angles à l'aide de quelques données connues. Alors que le sinus et le cosinus permettent de calculer la valeur des rapports trigonométriques associés à des mesures d'angles données, l'arc sinus et l'arc cosinus permettent de faire le travail inverse, soit de calculer les mesures d'angles à partir des rapports correspondants.

Ex.: 1) Dans le triangle GHI ci-contre:

- $m\angle H = 90° - 35° = 55°$;

- puisque $\sin 35° = \frac{m\,\overline{HI}}{3}$, on a $m\,\overline{HI} = 3 \times \sin 35° \approx 1{,}7$;

- puisque $\cos 35° = \frac{m\,\overline{GI}}{3}$, on a $m\,\overline{GI} = 3 \times \cos 35° \approx 2{,}5$.

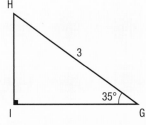

2) Dans le triangle JKL ci-contre:

- par la relation de Pythagore, $m\,\overline{JK} = \sqrt{3^2 + 2^2} = \sqrt{13} \approx 3{,}6$;

- puisque $\sin J = \frac{2}{\sqrt{13}}$, $m\angle J \approx 33{,}7°$;

- $m\angle K \approx 90° - 33{,}7° = 55{,}3°$.

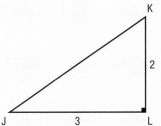
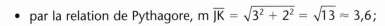

1 À l'aide des mesures données dans la figure ci-contre, déterminez les mesures suivantes.

a) m $\overline{BE}$ b) m $\overline{CF}$ c) m $\overline{DG}$

d) m $\overline{AE}$ e) m $\overline{AF}$ f) m $\overline{FG}$

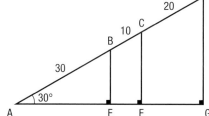

2 Dans le 1er quadrant d'un plan cartésien, reproduisez le quart de cercle ci-dessous dont le rayon est de 1 unité. Tracez ensuite les segments OP_1, OP_2 et OP_3 qui forment respectivement des angles de 30°, 45° et 60° avec le segment horizontal OP_0.

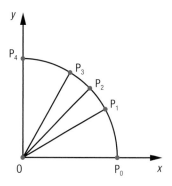

a) Déterminez les coordonnées exactes des points :

1) P_0 2) P_1 3) P_2 4) P_3 5) P_4

b) Les coordonnées du point P_2 sont-elles égales aux moyennes des coordonnées correspondantes des points P_1 et P_3 ? Justifiez votre réponse.

c) Déterminez, au centième près, les coordonnées d'un point P situé sur ce quart de cercle si l'angle P_0OP mesure :

1) 15°   2) 25°   3) 35°   4) 55°

3 Soit la table de valeurs suivante.

m∠A	28°	34°	56°	62°				
sin A					0,28	0,60		
cos A							0,28	0,60

a) Complétez cette table de valeurs.

b) Il est possible de remplir certaines cases de cette table sans utiliser la calculatrice. Dans ces cas, quelles propriétés des rapports sinus et cosinus utilise-t-on ?

4 Pour chacun des triangles ci-dessous :

> 1) calculez la valeur du sinus et du cosinus de l'angle B ;
>
> 2) déterminez, au dixième de degré près, les mesures des angles A et B.

a)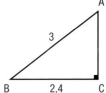

b)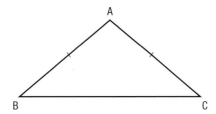

c)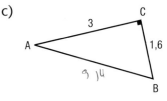

5 Le triangle ABC ci-dessous est isocèle.

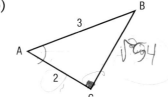

Sachant que l'angle A mesure 100° et le côté AB mesure 4,8 cm, déterminez :

a) le périmètre de ce triangle ;   b) l'aire de ce triangle.

6 Lorsqu'on s'entraîne sur un tapis roulant, il est possible de régler l'angle d'inclinaison du tapis afin de simuler la marche ou la course sur un terrain en pente. Quel déplacement vertical (en m) chacun de ces entraînements simule-t-il ?

Entraînement A	Entraînement B	Entraînement C
15 min à 9 km/h avec un angle d'inclinaison de 2°	20 min à 8 km/h avec un angle d'inclinaison de 3°	25 min à 6 km/h avec un angle d'inclinaison de 4°

7 Les affirmations suivantes sont-elles vraies ou fausses ? Justifiez vos réponses.

a) Il existe un angle aigu A pour lequel $\sin A > 1$.

b) Si l'on double la mesure d'un angle, la valeur de son sinus est doublée.

c) Pour tout angle aigu A, $\sin A + \cos A > 1$.

d) Le cosinus d'un angle est égal au sinus du complément de cet angle.

e) Plus un angle est petit, plus son sinus est grand.

f) La somme des carrés de $\sin A$ et de $\cos A$ est toujours égale à 1.

8 Sur un terrain, on trouve un amas de sable conique, dont l'apothème mesure 2 m et forme un angle de 35° avec l'horizontale. Déterminez le volume de cet amas de sable.

9 Un arbre est cassé en deux à 2,8 m du sol. La partie supérieure est tombée de manière que les deux parties du tronc forment entre elles un angle de 70°. Quelle était la hauteur de l'arbre?

10 Résolvez les triangles suivants.

a)

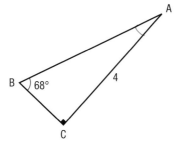

b)

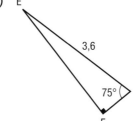

c)

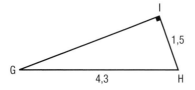

d)

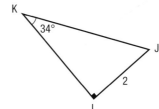

e)

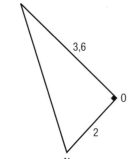

f)

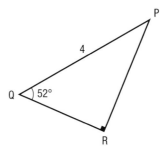

11 Dans un rectangle, une diagonale mesure 2 cm de plus qu'un côté et forme avec celui-ci un angle de 40°. Déterminez les dimensions de ce rectangle au millimètre près.

12 Au cours d'une partie de tennis en double, une joueuse frappe la balle à partir du point A, comme il est indiqué dans l'illustration ci-dessous. Vue du dessus, la trajectoire de la balle forme un certain angle *x* avec le filet.

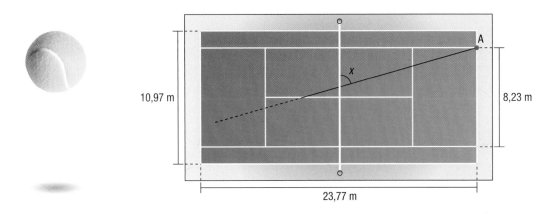

10,97 m

8,23 m

23,77 m

a) Pour chacune des valeurs de *x* ci-dessous, indiquez si la balle est tombée à l'intérieur du terrain, sachant qu'elle a parcouru 24,6 m avant de toucher le sol.

1) $x = 80°$ 　　　　2) $x = 70°$ 　　　　3) $x = 60°$

b) Dans quel intervalle doit se situer la valeur de *x* pour que la balle tombe à l'intérieur du terrain?

13 On a inscrit un pentagone régulier dans un cercle de 10 cm de rayon.

a) Déterminez:

1) le périmètre du pentagone;

2) le pourcentage de la circonférence du cercle qui correspond au périmètre du pentagone.

b) Déterminez:

1) l'aire du pentagone;

2) le pourcentage de l'aire du disque qui correspond à celle du pentagone.

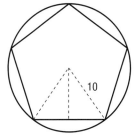

10

c) Complétez le tableau ci-dessous sachant que les polygones décrits sont inscrits dans le même cercle. Exprimez les rapports en pourcentages.

Figure	Décagone régulier	Polygone régulier à 20 côtés	Polygone régulier à 100 côtés
Mesure de l'apothème (cm)			
Mesure des côtés (cm)			
Rapport du périmètre de la figure à la circonférence du cercle			
Rapport de l'aire de la figure à l'aire du disque			

14 LATITUDES La circonférence de la Terre à l'équateur est de 40 075 km. Puisque la Terre fait une rotation complète en 24 h, une personne se trouvant sur la ligne de l'équateur est entraînée par cette rotation à une vitesse d'environ 1670 km/h. Estimez la vitesse à laquelle une personne est entraînée par la rotation de la Terre lorsqu'elle se trouve dans les villes suivantes.

a) Montréal, située à 45°30′ de latitude Nord.

b) Québec, située à 46°49′ de latitude Nord.

c) Sept-Îles, située à 50°13′ de latitude Nord.

d) Kuujjuaq, située à 58°10′ de latitude Nord.

La latitude associée à un point sur le globe terrestre correspond à la mesure de l'angle au centre qui intercepte l'arc d'un méridien entre ce point et l'équateur.

15 On lâche une bille du haut d'un plan incliné. Si l'on néglige le frottement, la vitesse finale v (en m/s) de la bille à son arrivée au bas du plan incliné dépend uniquement de la hauteur de son point de départ. Elle peut être décrite par la relation $v = \sqrt{2gh}$, où h représente la hauteur (en m) de la bille et g, l'accélération (en m/s²) due à la force de gravité.

Soit le plan incliné ci-dessous de 2 m de longueur dont l'angle d'inclinaison est de 20°.

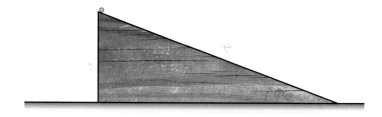

a) On réalise cette expérience sur la Terre, où g ≈ 9,8 m/s². Déterminez la vitesse finale de la bille.

b) Si l'on réalisait une expérience semblable sur Mars, où g ≈ 3,7 m/s² :

1) quelle devrait être la longueur du plan incliné pour que la bille atteigne la même vitesse finale qu'en a) si l'angle d'inclinaison reste de 20° ?

2) quel devrait être l'angle d'inclinaison du plan incliné pour que la bille atteigne la même vitesse finale qu'en a) si la longueur du plan incliné reste de 2 m ?

16 **PENDULE DE FOUCAULT** En 1851, le physicien français Jean Bernard Léon Foucault a eu l'idée de réaliser publiquement une expérience afin de démontrer la rotation de la Terre. En laissant osciller un pendule accroché à la voûte du Panthéon à Paris, il a pu constater que le plan d'oscillation du pendule tournait lentement effectuant une rotation complète en un peu plus de 31 h 45 min. Il faut comprendre que le pendule oscille toujours dans la même direction et que c'est en réalité la Terre qui tourne.

Par exemple, si le pendule était installé au pôle Nord, son plan d'oscillation semblerait faire une rotation complète en 24 h environ. On peut démontrer qu'à

une latitude de x degrés, le pendule prend $\dfrac{23,9}{\sin x}$ heures pour effectuer une rotation complète.

a) À partir de ces données, estimez la latitude de Paris.

b) Combien de temps devrait durer une rotation complète d'un pendule de Foucault installé à Montréal, située à 45°30′ de latitude Nord ?

c) Que pouvez-vous dire de la rotation d'un pendule de Foucault installé à l'équateur ?

Voici une représentation schématique du pendule de Foucault qui se trouve à l'École de technologie supérieure, à Montréal.

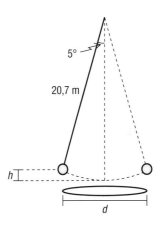

d) Sachant que le pendule mesure 20,7 m, déterminez la distance d entre les deux extrémités d'une oscillation.

e) De quelle hauteur h le pendule s'élève-t-il lorsqu'il se trouve à une extrémité de son oscillation ?

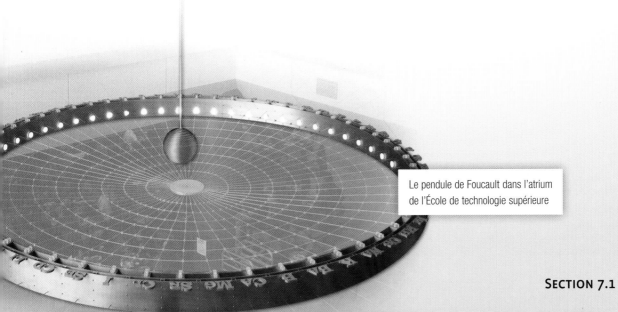

Le pendule de Foucault dans l'atrium de l'École de technologie supérieure

Cette section est en lien avec la SAÉ 20.

PROBLÈME Le sommet du Sagarmatha

En 1852, Radhanath Sikdar, mathématicien et topographe indien du Bengale, aurait été le premier à identifier le Sagarmatha, aujourd'hui appelé l'Everest, comme la plus haute montagne du monde. Il a déterminé sa hauteur à l'aide de calculs trigonométriques.

De façon semblable, on tente de déterminer la hauteur du mont Jacques-Cartier, en Gaspésie. Voici les données qu'on a pu recueillir sur le terrain.

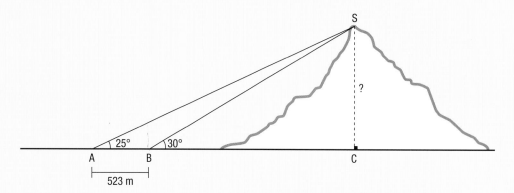

Les données recueillies sont-elles suffisantes pour déterminer la hauteur du mont Jacques-Cartier ? Si oui, calculez sa hauteur en justifiant votre démarche. Sinon, expliquez pourquoi ces données sont insuffisantes.

En 1953, le Néo-Zélandais Edmund Hillary et le Népalais Tensing Norgay sont devenus les premiers hommes à atteindre le sommet de l'Everest.

Observez la figure ci-dessous. À partir du point B situé sur un des côtés de l'angle A, on a tracé une perpendiculaire BC à l'autre côté.

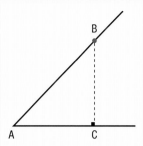

a. Démontrez que le rapport $\dfrac{m\,\overline{BC}}{m\,\overline{AC}}$ ne varie pas quelle que soit la position du point B sur le côté de l'angle A.

Cet autre rapport trigonométrique est appelé *tangente de l'angle A,* et est noté tan A. La figure ci-contre permet d'expliquer l'origine de ce terme.

Dans cette figure, le point A est situé au centre d'un cercle de 1 unité de rayon et le point B est situé sur le cercle. On a tracé une droite tangente au cercle qui passe par le point E.

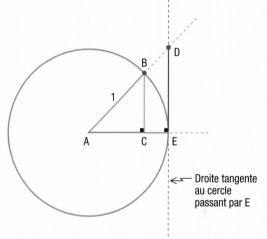

Droite tangente au cercle passant par E

b. Démontrez que tan A, soit le rapport $\dfrac{m\,\overline{BC}}{m\,\overline{AC}}$,

est égale à la mesure du segment DE.

c. Établissez une relation entre tan A et les rapports sin A et cos A. Justifiez votre réponse.

Si on déplace le point B sur le cercle, on fait varier la mesure de l'angle A et, par conséquent, la position du point D.

d. Déterminez la valeur exacte de tan A sachant que l'angle A mesure :
   1) 0°   2) 30°   3) 45°   4) 60°

e. À l'aide d'une calculatrice, on peut estimer la tangente de tout angle aigu.
   Déterminez au centième près :
   1) tan 10°   2) tan 35°   3) tan 55°   4) tan 80°   5) tan 89°

f. Que pouvez-vous dire de la mesure de tan A lorsque l'angle A se rapproche de 90° ?

g. Quelle est la valeur de tan 90° ? Expliquez votre réponse.

ACTIVITÉ 2 De débutant à expert

Un centre d'hébertisme offre à sa clientèle de parcourir de longues distances en tyrolienne d'une plate-forme à une autre. Voici une représentation de l'une de ces tyroliennes, vue de côté. Cette tyrolienne, représentée par le segment HB, permet de passer d'une plate-forme haute, installée dans un arbre, à une plate-forme basse, installée dans un autre arbre. Considérez le triangle HPB formé par les lignes verticales et horizontales partant respectivement des points H et B.

L'hébertisme est une méthode d'éducation physique qui consiste en exercices naturels et utilitaires exécutés en plein air. Cette méthode a été développée dans les années 1910 par Georges Hébert, un officier de la marine française.

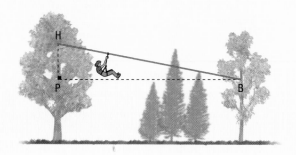

a. À l'aide des côtés de ce triangle, exprimez les rapports suivants:

1) tan B   2) tan H

b. Énoncez une propriété concernant la tangente de deux angles complémentaires.

Le centre d'hébertisme offre trois types de descentes en tyrolienne:

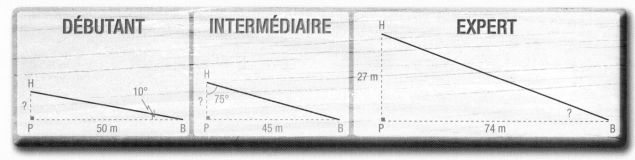

c. Calculez, au centimètre près, la différence des hauteurs des deux plates-formes de la tyrolienne du niveau:

1) débutant;   2) intermédiaire.

d. Déterminez, au degré près, l'angle formé par le câble de la tyrolienne du niveau expert avec l'horizontale.

e. Le câble d'une tyrolienne forme un angle de 25° avec l'horizontale. Ce câble relie deux plates-formes dont l'une est de 15 m plus haute que l'autre. Déterminez:

1) l'angle formé par le câble avec la verticale;

2) la distance horizontale séparant l'emplacement des deux plates-formes;

3) la longueur du câble de la tyrolienne.

Sur une calculatrice, la touche **TAN** permet d'obtenir la tangente d'un angle, alors que la touche **TAN⁻¹** (ou **ARC TAN**) permet d'obtenir la mesure d'un angle dont la tangente est donnée.

Le pilote d'un avion en détresse doit poser son appareil sur un lac. À ce moment précis, un randonneur observe l'avion. L'illustration ci-dessous représente cette situation.

a. Avec quel angle d'élévation le randonneur peut-il voir l'avion ? Justifiez votre réponse.

b. Quelle devrait être la mesure de l'angle de dépression associée à la ligne de descente de l'avion pour que l'appareil puisse commencer à toucher l'eau à l'extrémité du lac la plus proche de l'avion ? Laissez les traces de vos calculs.

Un angle de dépression et un angle d'élévation se déterminent à partir d'une ligne horizontale et d'une ligne de visée.

Ex. :

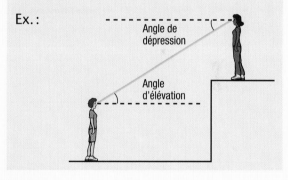

Le 15 janvier 2009, le pilote Chesley Sullenburger a réussi à amerrir son appareil sur la rivière Hudson, dans l'État de New-York, sauvant ainsi la vie à 155 personnes.

Techno math

Un logiciel de géométrie dynamique permet de représenter les rapports trigonométriques sinus, cosinus et tangente à l'aide d'un cercle de 1 unité de rayon centré à l'origine d'un plan cartésien.

En utilisant les outils MONTRER LES AXES, DEMI-DROITE, CERCLE, DROITE PERPENDICULAIRE, SEGMENT, MARQUER UN ANGLE, MESURE D'ANGLE et COORDONNÉES, on peut représenter les segments associés à ces rapports trigonométriques et déterminer les coordonnées de certains points.

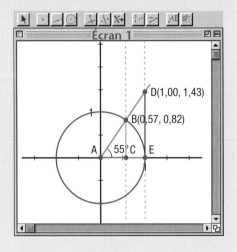

Si on modifie la mesure de l'angle A, on peut observer les changements de coordonnées des points B et D.

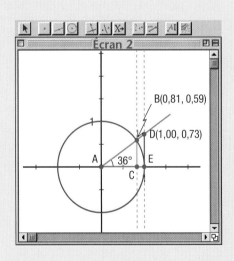

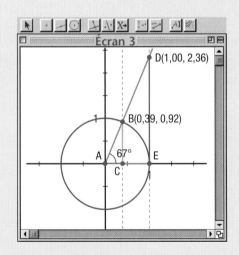

a. Sachant que le rayon du cercle est de 1 unité, à la mesure de quel segment peut-on associer:

1) sin A?   2) cos A?   3) tan A?

b. D'après l'écran **1**, quelle est la valeur de:

1) sin 55°?   2) cos 55°?   3) tan 55°?

c. D'après l'écran **2**, quelle est la valeur de:

1) sin 36°?   2) cos 36°?   3) tan 36°?

d. D'après l'écran **3**, quelle est la valeur de:

1) sin 67°?   2) cos 67°?   3) tan 67°?

e. À l'aide des coordonnées fournies dans les trois écrans, vérifiez que $\tan A = \dfrac{\sin A}{\cos A}$.

f. Qu'arrive-t-il à tan A lorsque la mesure de l'angle A se rapproche de 90°?

RAPPORTS TRIGONOMÉTRIQUES

Pour étudier les relations entre les mesures des angles et les mesures des côtés d'un triangle, on peut recourir à un autre rapport trigonométrique que le sinus ou le cosinus d'un angle, soit la tangente de l'angle.

Tangente d'un angle

À partir d'un point B situé sur un côté d'un angle A, on abaisse une perpendiculaire qui coupe l'autre côté de l'angle au point C.

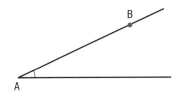
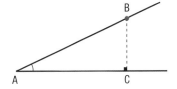

On peut alors définir la tangente de l'angle A :

$$\tan A = \frac{m\,\overline{BC}}{m\,\overline{AC}}$$

La valeur de ce rapport ne dépend pas de la position du point B sur le côté de l'angle A.

Ex. : Dans la figure ci-contre, les mesures des segments sont arrondies au dixième près. On obtient :

$$\tan 22° \approx \frac{1,9}{4,7} \approx 0,404$$

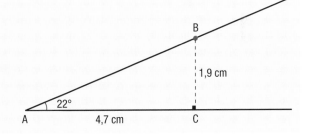

Rapports trigonométriques dans le cercle-unité

Comme le montre la figure ci-contre, le sinus, le cosinus et la tangente d'un angle correspondent respectivement à la longueur de différents segments dans un cercle de 1 unité de rayon, centré au sommet de l'angle. Le segment associé à tan A est une partie de la droite tangente au cercle passant par le point E. À partir de cette figure, on peut établir la relation $\tan A = \frac{\sin A}{\cos A}$.

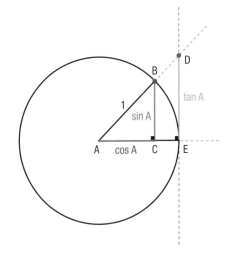

TANGENTE D'UN ANGLE DANS UN TRIANGLE RECTANGLE

Dans un triangle rectangle, on peut définir la tangente d'un angle aigu par le rapport suivant:

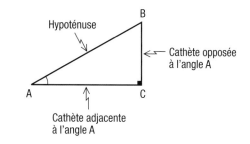

$$\tan A = \frac{\text{mesure de la cathète opposée à l'angle A}}{\text{mesure de la cathète adjacente à l'angle A}}$$

Ex.: Dans le triangle ci-contre:

- $\tan D = \frac{3}{4} = 0{,}75$
- $\tan E = \frac{4}{3} \approx 1{,}33$

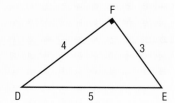

RECHERCHE DE MESURES MANQUANTES

Le rapport trigonométrique tangente, comme les rapports sinus et cosinus, permet de déterminer les mesures des côtés et des angles d'un triangle à l'aide de quelques données connues. Alors que la tangente permet de déterminer la valeur de ce rapport trigonométrique associé à des mesures d'angles données, l'arc tangente permet de faire le travail inverse, soit de déterminer une mesure d'angle à partir d'un rapport correspondant.

Ex.:

1) Au sommet d'une falaise de 25 m, une personne observe un bateau avec un angle de dépression de 19°. Sachant que les yeux de cette personne se trouvent à 1,5 m du sol, on peut déterminer la distance qui sépare le bateau de la falaise.

   Dans la représentation ci-contre, la mesure de l'angle B est égale à celle de l'angle de dépression de 19°. On a donc:

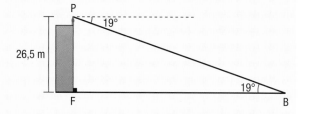

   $$\tan 19° = \frac{26{,}5}{\text{m } \overline{BF}}, \text{ d'où m } \overline{BF} = \frac{26{,}5}{\tan 19°} \approx 77.$$

   Le bateau se trouve à 77 m environ de la falaise.

2) Dans le contexte de l'exemple précédent, on peut déterminer la mesure de l'angle de dépression selon lequel la personne verra le bateau lorsqu'il se trouvera à 50 m de la falaise.

   Dans ce cas, on aura:

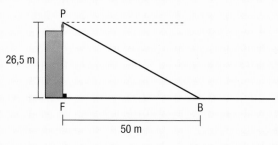

   $$\tan B = \frac{26{,}5}{50} = 0{,}53, \text{ d'où m} \angle B \approx 28°.$$

   L'angle de dépression est isométrique à l'angle B.

   La personne verra le bateau selon un angle de dépression de 28° environ.

1 a) Complétez la table de valeurs suivante.

Mesure de l'angle (°)	19,6			46,8		70,4
Tangente		0,4	0,939		2,5	

b) À l'aide des données de cette table de valeurs, vérifiez la proposition suivante.

‖ ∠A et ∠B sont complémentaires si et seulement si tan A × tan B = 1.

2 Pour chacun des triangles ci-dessous, déterminez :

1) la tangente de l'angle A ; 2) la mesure de l'angle A.

a)

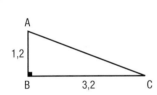

b)

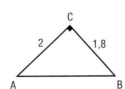

c)

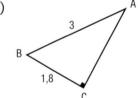

3 Déterminez la mesure du côté AB dans chacun des triangles suivants.

a)

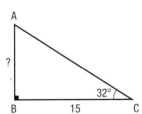

b)

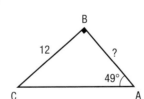

c)

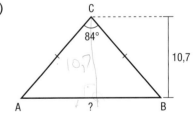

4 Dans un triangle DEF, rectangle en E, l'angle D est tel que sin D = 0,28 et cos D = 0,96. Calculez les valeurs suivantes.

a) tan D b) tan F

5 Une poutre soutient un mur vertical de 12 m de hauteur. La poutre est fixée à 3 m du haut du mur et s'appuie sur le sol à 6 m de celui-ci. Quelle est la mesure de l'angle formé par la poutre et le sol ?

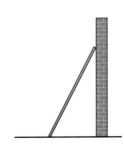

6 Une personne, qui se trouve à une distance de 10 m d'un immeuble, voit le toit de celui-ci avec un angle d'élévation de 60°. Si ses yeux se trouvent à 1,68 m du sol, déterminez :

a) la hauteur de l'immeuble ;

b) la distance à laquelle cette personne devrait se placer d'un immeuble deux fois plus haut pour voir le toit avec le même angle d'élévation.

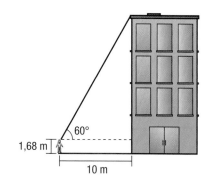

7 Un arbre projette une ombre de 35 m lorsque le soleil est situé à 22° au-dessus de la ligne d'horizon.

a) Quelle est la hauteur de cet arbre ?

b) Quelle doit être la mesure de l'angle d'élévation du soleil pour que l'ombre de cet arbre soit de 10 m ?

8 Le panneau de signalisation ci-contre annonce une pente abrupte de 12 %.

a) Quelle est la mesure de l'angle formé par cette route et l'horizontale ?

b) Quel pourcentage inscrirait-on sur un panneau de signalisation pour indiquer une route ayant une inclinaison de 8° ?

C'est en 1923 qu'on a instauré, au Québec, la représentation symbolique (pictogramme ou image) sur les panneaux de signalisation au lieu d'un texte.

9 De la fenêtre d'un appartement, situé à 9,85 m du sol, on peut voir le toit du plus haut édifice de la ville avec un angle d'élévation de 60°. On peut également voir sa base avec un angle de dépression de 5°. Quelle est la hauteur de cet édifice ?

10 Quelle est la mesure de l'angle aigu formé par les deux diagonales d'un rectangle de 15 cm sur 10 cm ?

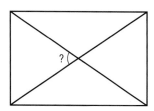

11 À 40 m d'une voie ferrée, Anick observe un train passer. À l'aide des renseignements donnés dans l'illustration ci-dessous, déterminez la vitesse du train (en km/h) sachant qu'il a pris 8 s pour aller du point A au point B.

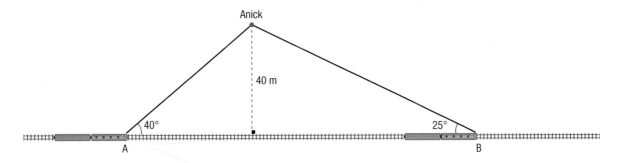

12 Dans le triangle rectangle ABC ci-contre, la bissectrice issue du sommet B coupe le côté AC au point D. La médiane issue du sommet B coupe ce même côté au point E. Quelle distance, au centième près, sépare les points D et E ?

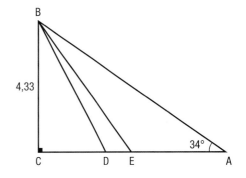

13 D'un hélicoptère volant à une altitude de 200 m au-dessus d'une portion rectiligne d'un circuit automobile, un caméraman filme une course. Devant lui, il voit la voiture de tête selon un angle de dépression de 35° et la voiture qui la suit, selon un angle de dépression de 42°.

a) Quelle distance sépare alors les deux voitures ?

Quelques minutes plus tard, alors que l'hélicoptère vole à une altitude de 250 m, le caméraman voit, devant lui, la voiture de tête selon un angle de dépression de 32° et la voiture qui la suit selon un angle de dépression de 37°.

b) Peut-on dire que la deuxième voiture est en voie de rattraper la voiture de tête ? Justifiez votre réponse.

14 Laquelle des deux figures ci-dessous a :

a) la plus petite aire ?

b) le plus petit périmètre ?

Triangle isocèle

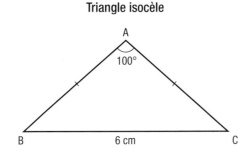

Octogone régulier

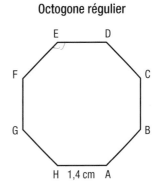

15 PENTAGONE La longueur de chaque mur externe de ce polygone régulier, considéré comme le plus vaste immeuble de bureaux du monde, est de 280 m. Les murs de sa cour intérieure, qui forme également un polygone régulier, mesurent 108 m. Quelle est l'aire de la surface au sol occupée par cet immeuble ?

Le Pentagone, situé à Arlington, en Virginie, est un immeuble de cinq étages dans lequel travaillent plus de 26 000 employés de l'État, en majorité des militaires.

16 De forts vents du nord risquent de faire tomber une antenne de télécommunication. Pour la solidifier, on installe un câble d'acier qui relie un point d'attache, situé à 6 m du sommet de l'antenne, à un point d'ancrage au sol, situé à 40 m du pied de l'antenne en direction nord. Ce câble forme un angle de 35° avec le sol. Un second câble relie un autre point d'attache, situé 1 m plus haut que le premier, à un second point d'ancrage au sol, également situé en direction nord, mais un peu plus éloigné du pied de l'antenne que le premier. Ce second câble forme un angle de 30° avec le sol. Calculez la distance qui sépare les deux points d'ancrage au sol de ces câbles.

17 Un phare est situé à une distance de 30 m d'une maison large de 10 m. Cette maison est située entre le phare et le bord de la falaise. Du haut de ce phare, à 35 m de hauteur, on peut observer l'extrémité la plus proche de la maison et le bord de la falaise selon des angles de dépression dont la différence est 20°. Quelle distance sépare la maison du bord de la falaise ?

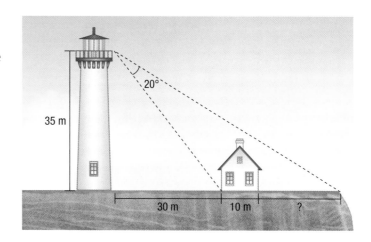

Avec ses 37 m de hauteur, le phare de Cap-des-Rosiers, en Gaspésie, est le plus haut phare du Canada.

18 Annie (A) et Bruno (B) habitent dans le même immeuble. De leur appartement respectif, ils peuvent voir une corneille (C) juchée sur le rebord de l'immeuble d'en face. Annie la voit avec un angle de dépression de 44°. La situation est représentée dans l'illustration ci-contre où quelques mesures sont données.

Déterminez l'angle d'élévation avec lequel Bruno peut voir la corneille de chez lui.

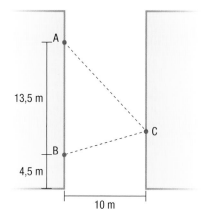

13,5 m

4,5 m

10 m

19 **PYRAMIDE DU LOUVRE** La pyramide du Louvre est une pyramide droite à base carrée. Chacun des côtés de sa base mesure 35,42 m et sa hauteur est de 21,64 m. Les quatre faces latérales sont constituées d'une structure de tiges formant des losanges isométriques dont les diagonales mesurent 3,0 m et 1,9 m.

La pyramide du Louvre, à Paris, est un modèle réduit de la pyramide de Gizeh en Égypte.

a) Déterminez la mesure de chacun des trois angles des triangles formant les faces latérales de cette pyramide.

b) Quel est l'angle d'élévation de l'apex de la pyramide si le point d'observation est situé :

1) à l'un des sommets de la base ?

2) au milieu d'un côté de la base ?

20 Deux grimpeurs escaladent, l'un derrière l'autre, la paroi verticale d'une falaise. À partir d'un point d'observation, situé au sol, à 30 m de cette falaise, l'angle d'élévation du premier grimpeur est le double de celui du second.

a) Peut-on conclure que le premier grimpeur est situé deux fois plus haut que le second ? Justifiez votre réponse.

b) Si l'on approchait le point d'observation de la falaise, le rapport entre les angles d'élévation du premier au second grimpeur serait-il le même, plus grand ou plus petit que dans la situation précédente ?

Cette section est en lien avec la SAÉ 21.

PROBLÈME Une corde dans un cercle

À l'aide d'un logiciel de géométrie dynamique, on a exploré le lien qui existe entre la mesure d'un angle A inscrit dans un cercle et la longueur de la corde BC de l'arc intercepté.

Si l'angle A mesure 90°, la corde BC correspond au diamètre du cercle.

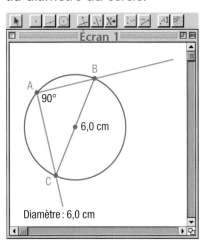

Si l'on diminue la mesure de l'angle A, alors la longueur de la corde BC diminue.

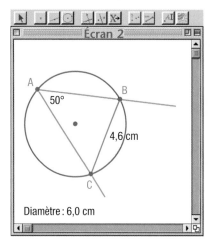

Si l'on augmente le diamètre du cercle, alors la longueur de la corde BC augmente.

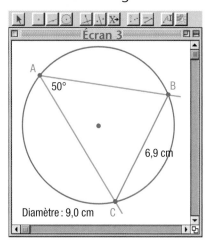

La table de valeurs ci-dessous présente la variation de la longueur de la corde BC selon la mesure de l'angle A et le diamètre du cercle.

Mesure de l'angle A (°)	90	50	50	30	30	60	70	75	150
Diamètre du cercle (cm)	6,0	6,0	9,0	9,0	15,0	15,0	15,0	15,0	30,0
Longueur de la corde BC (cm)	6,0	4,6	6,9	4,5	7,5	13,0	14,1	14,5	15,0

Énoncez une conjecture décrivant la relation qui existe entre la mesure d'un angle A inscrit dans un cercle, le diamètre du cercle et la longueur de la corde BC de l'arc intercepté.

Sur l'écran radar ci-contre, un contrôleur aérien observe deux avions qui se trouvent à égale distance de la tour de contrôle, au centre de l'écran. Les deux avions sont situés sur le grand cercle de cet écran, le vol A122, à 35° au-dessus de l'horizontale et le vol B340, à 25° à gauche de la verticale. Sachant que les deux avions volent à la même altitude, le contrôleur doit déterminer la distance qui les sépare.

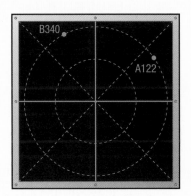

On peut représenter cette situation dans un plan cartésien, où la tour de contrôle T est située à l'origine et où l'unité correspond au rayon du grand cercle de l'écran radar. Les points A et B, qui représentent les deux avions, sont positionnés de manière que les angles STA et STB mesurent respectivement 35° et 115°.

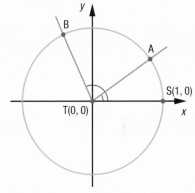

a. Considérez le point A.

   1) Exprimez ses coordonnées à l'aide des rapports sinus et cosinus.

   2) Donnez une approximation de ces coordonnées au centième près.

b. Quelles seraient les coordonnées du point A si l'angle STA mesurait :

   1) 25°?   2) 55°?   3) 65°?   4) 90°?

c. Déterminez, au centième près, les coordonnées du point B. Expliquez votre démarche.

d. Sachant que les deux avions volent à la même altitude, à 10 km de la tour de contrôle, calculez la distance qui les sépare.

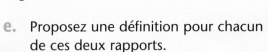

En généralisant le raisonnement utilisé en **c**, on peut définir le sinus et le cosinus de tout angle obtus.

e. Proposez une définition pour chacun de ces deux rapports.

f. À l'aide de ces définitions, déterminez la valeur exacte de :

   1) $\sin 150°$;   2) $\cos 150°$.

Pour concevoir des maisons qui utilisent efficacement l'énergie solaire, les architectes tiennent compte de l'angle d'élévation du soleil à l'endroit où la maison est construite. Le versant sud du toit, qui supporte les panneaux solaires, doit avoir une inclinaison optimale qui dépend de la latitude du lieu. Comme le versant nord n'a pas nécessairement la même inclinaison que le versant sud, la toiture de ce type de maison est souvent asymétrique.

Voici une représentation, vue de côté, d'une telle toiture :

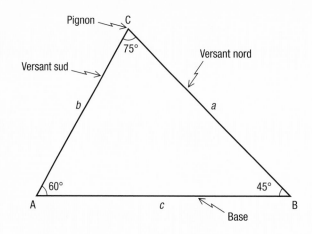

a. Exprimez la hauteur de cette toiture à l'aide de l'angle d'inclinaison :

1) du versant sud ; 2) du versant nord.

b. À partir des expressions obtenues en **a**, établissez une relation entre les mesures des angles A et B et les mesures a et b des côtés opposés à ces angles.

c. On peut penser qu'il est possible de déduire une relation semblable à partir des autres hauteurs du triangle. Pour ce faire :

1) reproduisez le triangle ABC et tracez la hauteur issue du sommet A ;

2) établissez une relation entre les mesures des angles B et C et les mesures b et c des côtés opposés à ces angles.

d. En considérant les réponses précédentes, établissez une relation entre les mesures des trois angles et celles des trois côtés du triangle.

e. Quelle est la longueur de chacun des deux versants de la toiture représentée ci-dessus, si la base de celle-ci mesure 10 m ?

f. Considérez une autre toiture dont la base mesure 10 m, la longueur du versant nord, 8,6 m, et l'angle d'inclinaison du versant sud, 50°. Déterminez la mesure, au degré près, de l'angle situé au pignon sachant que c'est un angle obtus.

Le tachéomètre, utilisé en topographie, permet de mesurer des distances et des angles. Avant l'invention du tachéomètre, la mesure de distances se prenait à l'aide d'un ruban gradué que l'on nommait «chaîne d'arpenteur». Mais comme certains endroits étaient difficilement accessibles, cela compliquait la prise des mesures et la rendait parfois même impossible.

Takheos est un mot grec qui signifie «rapide». Un tachéomètre est un instrument qui permet d'effectuer rapidement des mesures de plans de terrains.

On projette de construire un tunnel qui traversera une colline. Une arpenteuse se trouvant au point C doit déterminer la longueur de ce tunnel, représenté par le segment P_1P_2 dans le plan ci-contre. Elle utilise un tachéomètre pour effectuer les mesures suivantes :

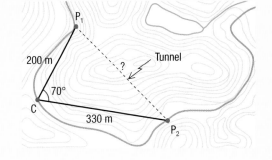

* la distance qui la sépare du début du tunnel ;

* la distance qui la sépare de la fin du tunnel ;

* l'angle P_1CP_2.

a. Avec les données recueillies et pour seul outil la loi des sinus, est-il possible de calculer la longueur du tunnel ? Expliquez votre réponse.

En traçant la hauteur issue du sommet P_1 du triangle, on obtient la figure ci-dessous.

b. Calculez :

1) la mesure représentée par x ;

2) la hauteur h du triangle ;

3) la longueur du tunnel P_1P_2.

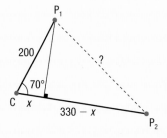

On peut chercher à généraliser une telle situation, où les mesures a et b de deux côtés d'un triangle et la mesure de l'angle compris entre ces côtés sont connues.

c. Établissez une relation entre les mesures a, b et c des trois côtés du triangle et celle de l'angle C.

d. À l'aide de la relation établie en **c**, validez la longueur du tunnel trouvée en **b**.

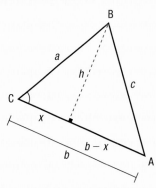

Techno math

Une calculatrice graphique permet de concevoir et d'utiliser des programmes afin d'automatiser certains calculs.

Cet écran permet d'exécuter, de modifier ou de créer un nouveau programme.

Écran 1

```
EXEC EDIT NOUV
1:Nouveau
```

Écran 2

```
PROGRAMME
Nom=COSINUS
```

Cet écran permet de choisir certaines instructions de programmation. Par exemple, l'instruction `Prompt` permet de saisir une valeur et l'instruction `Disp` permet d'afficher des caractères à l'écran.

Écran 3

```
CTL E/S EXEC
1:Input
2:Prompt
3:Disp
4:AffGraph
5:AffTable
6:Output(
7↓codeTouch(
```

Cet écran montre les commandes d'un programme qui permet de calculer la mesure d'un côté d'un triangle à partir des mesures A et B des deux autres côtés et de la mesure C de l'angle compris entre ces côtés.

Écran 4

```
PROGRAM:COSINUS
:EffEcr
:Disp "MESURE DES
  CÔTÉS"
:Prompt A,B
:Disp "MESURE
ANGLE"
:Prompt C
:Disp "MESURE DU
  CÔTE"
:Disp √(A²+B²−2*
A*B*cos(C))
:Stop
```

Écran 5

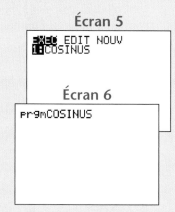

```
EXEC EDIT NOUV
1:COSINUS
```

Écran 6

```
prgmCOSINUS
```

Cet écran montre l'exécution du programme en fonction des mesures qu'on a entrées.

Écran 7

```
MESURE DES COTES
A=?3
B=?6
MESURE ANGLE
C=?50
MESURE DU COTE
        4.675430039
              Fait
```

a. D'après l'écran **7** :

1) à quoi correspondent les valeurs A, B et C ?

2) quelle est la mesure du côté opposé à l'angle C ?

b. À l'aide d'une calculatrice graphique, calculez le périmètre d'un triangle ayant :

1) un angle de 45° compris entre des côtés de 20 cm et de 35 cm ;

2) un angle de 108° compris entre deux côtés de 5 cm.

c. À l'aide du programme de l'écran **4**, créez un programme qui permettra de déterminer la mesure d'un angle d'un triangle à partir des mesures des trois côtés de ce triangle.

d. À l'aide du programme créé en **c**, déterminez les trois angles d'un triangle dont les côtés mesurent 4 cm, 9 cm et 11 cm.

RÉSOLUTION DE TRIANGLES QUELCONQUES

La **loi des sinus** et la **loi des cosinus** permettent de déterminer des mesures manquantes dans des triangles qui ne sont pas rectangles. Afin d'établir ces lois, il est nécessaire de définir les rapports trigonométriques pour des angles obtus.

Sinus et cosinus d'un angle obtus

Il est possible de déterminer le sinus et le cosinus d'un angle A en situant cet angle dans le plan cartésien de la façon suivante. Si l'un des côtés de l'angle coïncide avec la partie positive de l'axe des abscisses, l'autre côté croisera le cercle-unité en un point P.

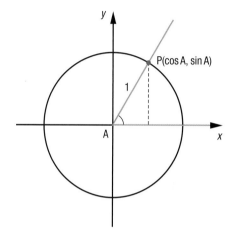

On aura alors :

> Abscisse du point P = cos A
> Ordonnée du point P = sin A

Cette façon de procéder permet entre autres de déterminer le sinus et le cosinus d'un angle obtus.

Ex. : Dans chacun des cas ci-dessous, les coordonnées du point P sont arrondies au centième près.

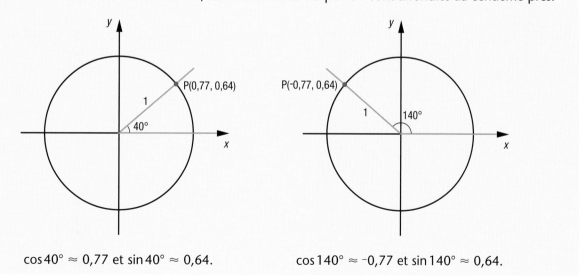

cos 40° ≈ 0,77 et sin 40° ≈ 0,64.

cos 140° ≈ -0,77 et sin 140° ≈ 0,64.

Comme le montre l'exemple ci-dessus, on constate que :

- le cosinus d'un angle obtus est négatif, alors que le sinus d'un angle obtus est positif ;
- si A et B sont deux angles supplémentaires, alors sin A = sin B et cos A = -cos B.

Loi des sinus

Dans tout triangle, les mesures des côtés sont proportionnelles au sinus des angles opposés à ces côtés. Dans le triangle ci-contre, on a:

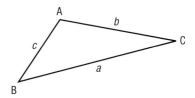

$$\frac{a}{\sin A} = \frac{b}{\sin B} = \frac{c}{\sin C}$$

La loi des sinus permet de résoudre un triangle quelconque, si l'on connaît:

- les mesures de deux angles et d'un côté de ce triangle;

- les mesures de deux côtés du triangle et d'un angle opposé à l'un de ces côtés; dans ce deuxième cas, cependant, il peut y avoir deux solutions différentes.

> Ex.: Un triangle a deux côtés de 10 cm et de 6 cm. L'angle opposé au côté de 6 cm mesure 35°. On cherche la mesure de l'angle opposé au côté de 10 cm.
>
> On peut représenter cette situation de deux façons selon que l'angle recherché est aigu ou obtus.
>
>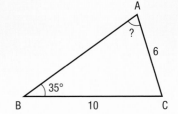
>
> Dans les deux cas, on a: $\dfrac{6}{\sin 35°} = \dfrac{10}{\sin A}$.
>
> D'où $\sin A = \dfrac{10 \sin 35°}{6} \approx 0{,}95596$.
>
> Si l'angle A est aigu, alors $m\angle A \approx 73°$.
>
> Il existe une deuxième solution qui est l'angle obtus supplémentaire: $m\angle A \approx 107°$.
>
>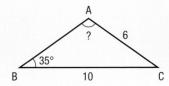

Loi des cosinus

Dans tout triangle, le carré de la longueur d'un côté est égal à la somme des carrés des longueurs des autres côtés moins le double du produit des longueurs des autres côtés par le cosinus de l'angle compris entre ces côtés. Dans le triangle ci-contre, on a:

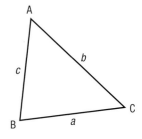

$$a^2 = b^2 + c^2 - 2bc \cos A$$
$$b^2 = a^2 + c^2 - 2ac \cos B$$
$$c^2 = a^2 + b^2 - 2ab \cos C$$

La loi des cosinus permet de résoudre un triangle quelconque, si l'on connaît:

- les mesures de deux côtés et de l'angle compris entre ces côtés;

- les mesures des trois côtés de ce triangle.

> Ex.: Soit le triangle ci-contre.
>
> On a: $x^2 = 6^2 + 12^2 - 2(6)(12) \cos 50° \approx 87{,}44$.
>
> D'où $x \approx \sqrt{87{,}44} \approx 9{,}4$. Le troisième côté mesure environ 9,4 unités.
>
>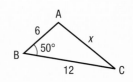

1 Dans le cercle-unité ci-contre, l'abscisse du point P est 0,8.

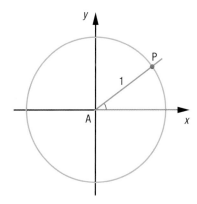

a) À l'aide de la relation de Pythagore, déduisez l'ordonnée de ce point.

b) Quelle est la mesure de l'angle A?

c) À partir des coordonnées du point P, déterminez les valeurs suivantes.

1) $\sin(90° - A)$ 2) $\cos(90° - A)$

3) $\sin(180° - A)$ 4) $\cos(180° - A)$

2 Déterminez, au degré près, la mesure d'un angle A qui est obtus sachant que:

a) $\sin A = 0,2$ b) $\sin A = 0,95$ c) $\sin A = \dfrac{3}{7}$ d) $\cos A = {}^-0,35$

3 La loi des sinus et la loi des cosinus peuvent s'appliquer à tout triangle, y compris les triangles ayant un angle obtus. On peut en faire la démonstration.

a) Reproduisez le triangle ABC ci-contre ayant un angle obtus en C, puis tracez la hauteur BD. Démontrez que $\dfrac{a}{\sin A} = \dfrac{c}{\sin C}$.

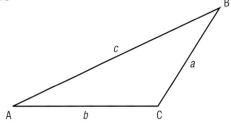

b) En posant $x = \mathrm{m}\ \overline{CD}$ et en appliquant la relation de Pythagore, démontrez que $c^2 = a^2 + b^2 - 2ab\cos C$.

4 À l'aide de la loi des sinus, déterminez la valeur de x en arrondissant au dixième près.

a)   b)   c)

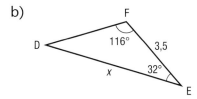

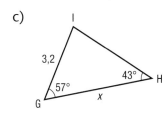

5 Trouvez la mesure manquante de l'angle indiqué dans chacun des triangles suivants.

a)   b)   c)

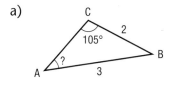

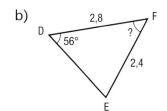

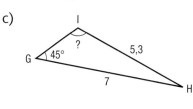

6 Trouvez toutes les mesures manquantes dans les triangles suivants.

a) Un triangle acutangle ABC où :
- m $\overline{AB}$ = 5,2 cm
- m∠B = 78°
- m∠C = 32°

b) Un triangle obtusangle DEF où :
- m $\overline{DE}$ = 4,9 cm
- m $\overline{DF}$ = 6,3 cm
- m∠F = 43°

7 À l'aide de la loi des cosinus, déterminez la valeur de x au dixième près.

a)
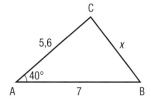

b)
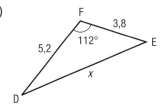

c)
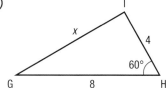

8 La loi des cosinus peut se traduire par la formule $c^2 = a^2 + b^2 - 2ab\cos C$.

a) Dans cette formule, que représentent les variables ci-dessous par rapport à l'angle C ?

1) La variable c.   2) Les variables a et b.

b) À l'aide de cette formule, exprimez cos C en fonction des variables a, b et c.

c) Soit un triangle dont les côtés mesurent 5 cm, 8 cm et 10 cm. Déterminez, au degré près, la mesure de l'angle opposé au côté de :

1) 5 cm   2) 8 cm   3) 10 cm

9 L'ŒIL DE LONDRES La grande roue de 135 m de hauteur qui domine la capitale britannique a des rayons de 61 m. Ainsi, le centre de la grande roue se trouve à 74 m du sol.

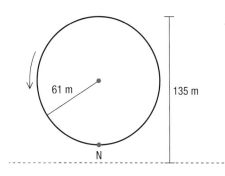

Cette grande roue, L'Œil de Londres, a été inaugurée dans le cadre des festivités du millénaire. Elle a été ouverte au public en mars 2000.

a) Si, au départ, la nacelle se trouve au point le plus bas de la grande roue, à quelle hauteur du sol se trouvera-t-elle après avoir fait :

1) $\frac{1}{3}$ de tour ?   2) $\frac{2}{3}$ de tour ?   3) $\frac{3}{4}$ de tour ?   4) $\frac{7}{9}$ de tour ?

b) Deux nacelles seront-elles situées à plus de 100 m de distance l'une de l'autre si les rayons qui les interceptent forment un angle au centre de 120° ? Justifiez votre réponse.

10 Un bateau se dirige vers la statue de la Liberté. À un certain moment, un touriste se trouvant sur le pont du bateau regarde la tête de la statue avec un angle d'élévation de 15°; 500 m plus loin, l'angle d'élévation est de 30°. À ce moment précis, quelle distance sépare le touriste de la tête de la statue?

> La statue de la Liberté est l'un des symboles des États-Unis. Les touristes peuvent visiter l'intérieur de la statue et accéder à la tête et à la couronne par un escalier en colimaçon de 354 marches.

11 Trouvez toutes les mesures manquantes dans les triangles suivants.

a)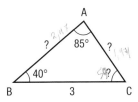

b)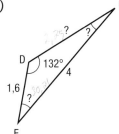

c)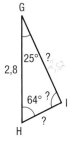

d)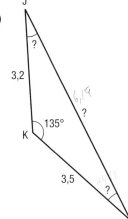

e)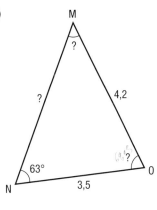

f)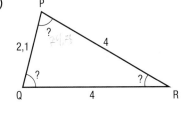

12 Dans le triangle ABC ci-contre, l'angle A mesure 45°.

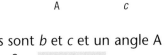

a) En utilisant la hauteur issue du sommet C, déterminez l'aire exacte de ce triangle si:

1) $b = 5$ et $c = 7$;   2) $b = 10$ et $c = 15$.

b) Complétez l'énoncé suivant.

L'aire S d'un triangle qui a deux côtés dont les mesures sont b et c et un angle A compris entre ces deux côtés est donnée par la formule $S = $ _____.

c) Démontrez cet énoncé.

13 En survolant une forêt de l'île de Bornéo, on peut voir une région triangulaire rasée par une coupe à blanc. Une première ligne de coupe longue de 5 km et une deuxième ligne de coupe longue de 8 km forment un angle de 80°.

a) Quelle est la longueur de la troisième ligne de coupe qui délimite la zone déboisée?

b) Quelle est la superficie de cette zone?

Vue aérienne d'une forêt tropicale de Bornéo rasée par une coupe à blanc pour faire place à une plantation de palmiers à huile.

14 Deux côtés adjacents d'un parallélogramme mesurent 2 cm et 5 cm. L'angle formé par ces deux côtés est de 70°.

a) Quelle est l'aire de ce parallélogramme?

b) Quelle est la longueur des deux diagonales de ce parallélogramme?

c) Quelles sont les mesures des angles formés au point d'intersection de ces diagonales?

15 Annie et Cindy marchent ensemble en forêt lorsqu'elles décident de prendre des directions différentes. Annie se dirige vers le nord en marchant à 5 km/h, alors que Cindy se dirige vers le sud-est en marchant à 3 km/h. Deux minutes plus tard, elles s'arrêtent.

a) À quelle distance se trouvent-elles alors l'une de l'autre?

b) Si Annie veut rejoindre Cindy, dans quelle direction devra-t-elle marcher?

16 Quatre rues forment un quadrilatère tel que le montre l'illustration ci-dessous.

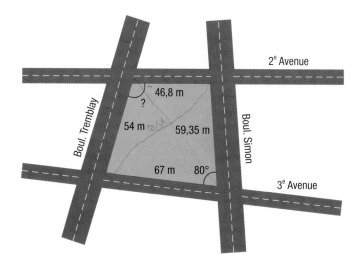

a) Déterminez la mesure de l'angle formé par la 2ᵉ Avenue et le boulevard Tremblay.

b) Déterminez les mesures des deux autres angles de ce quadrilatère.

17 Benoît (B) escalade une paroi rocheuse tandis, qu'Audrey (A) reste au sol pour tenir une corde de sécurité qui passe par un point d'ancrage fixé à la paroi. À un moment donné de l'ascension de Benoît, la situation peut être représentée par la figure suivante. À quelle hauteur Benoît se trouve-t-il alors ?

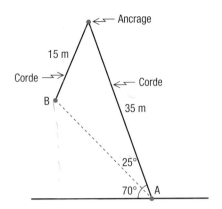

18 L'ÉPERON Pointe-à-Callière est le musée d'archéologie et d'histoire de Montréal. On y accède par un édifice de forme triangulaire, appelé l'Éperon, qui a remporté de nombreux prix d'architecture.

Le terme *éperon* ne désigne pas uniquement la pièce de métal terminée par une roue à pointes fixée au talon des bottes d'un cavalier. Il désigne aussi une sorte de fortification formant un angle saillant.

Voici une représentation de cet édifice vu de dessus.

a) Quelle est la mesure de chacun des angles intérieurs de ce triangle ?

b) Quelle est l'aire de la surface occupée par le musée ?

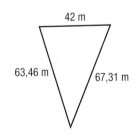

19 Soit le triangle isocèle ci-dessous. Déterminez la valeur du rapport $\frac{b}{a}$:

a) à l'aide d'un rapport trigonométrique dans un triangle rectangle ;

b) à l'aide de la loi des sinus ;

c) à l'aide de la loi des cosinus.

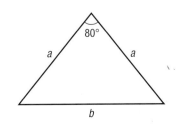

20 Un poids est suspendu à une corde dont les extrémités sont fixées à 40 cm l'une de l'autre, le long d'une ligne horizontale. Les angles formés par le poids et la corde sont de 120° et de 110°. Quelle est la longueur de la corde ?

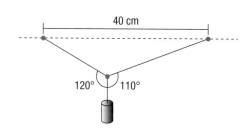

21 En physique, on représente par des flèches les forces qui s'exercent en un point. La longueur de la flèche est proportionnelle à la grandeur de la force.

Voici une représentation des forces exercées au point de fixation du poids de la situation décrite au numéro précédent, où le poids est de 10 newtons (N). Dans cette représentation, les lignes en pointillé et les flèches F_1 et F_2 forment un parallélogramme et une diagonale. Cette diagonale, qui est verticale, a la même longueur que la flèche associée à la force de 10 N. Déterminez la grandeur des forces F_1 et F_2 qui s'exercent de chaque côté de la corde.

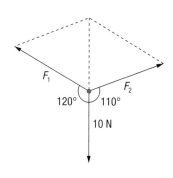

22 **PONT ERASMUS** Le pont Erasmus à Rotterdam, aux Pays-Bas, a une forme des plus originales. À l'une de ses extrémités, on peut observer un quadrilatère concave dont certaines mesures sont présentées dans la figure ci-dessous.

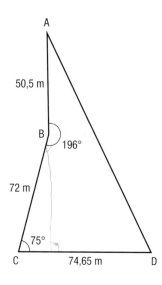

Le pont Erasmus, achevé en 1996, honore la mémoire de Didier Érasme, humaniste hollandais, né à Rotterdam en 1469, auteur de l'*Éloge de la folie*.

a) Quelle est la mesure du segment AD ?

b) Quelle est la mesure de l'angle A ?

23 Reproduisez le triangle ci-contre et tracez la hauteur CD.

a) Déterminez la mesure exacte de $\overline{AC}$.

b) Calculez la mesure exacte de :

1) $\overline{AD}$ 2) $\overline{BD}$ 3) $\overline{AB}$

c) Déterminez la valeur exacte de sin 75°.

d) Vérifiez le résultat obtenu en c) à l'aide d'une calculatrice.

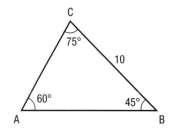

24 Un stagiaire en arpentage doit déterminer l'aire d'une zone protégée aux abords d'un lac. En route pour se rendre sur les lieux afin de prendre certaines mesures d'angles qui lui manquent, il se dit qu'il n'a pas besoin d'y aller, car il dispose de toutes les données nécessaires pour déterminer l'aire de la zone protégée. A-t-il raison de penser ainsi ? Si oui, calculez cette aire. Sinon, expliquez votre réponse.

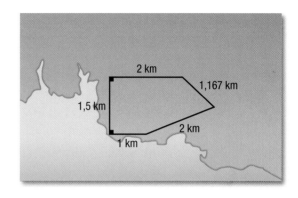

25 Lorsque la lumière traverse la surface de l'eau selon un certain angle, sa direction est déviée. Ce phénomène s'appelle « réfraction ». Dans l'illustration ci-dessous, la ligne brisée ABC représente la trajectoire de la lumière qui va de la tête du poisson aux yeux de la personne qui l'observe. Selon le point de vue de celle-ci, le poisson semble plus gros, plus éloigné du bord de l'eau et moins profond qu'il ne l'est en réalité. Ce que la personne voit, c'est l'image virtuelle du poisson.

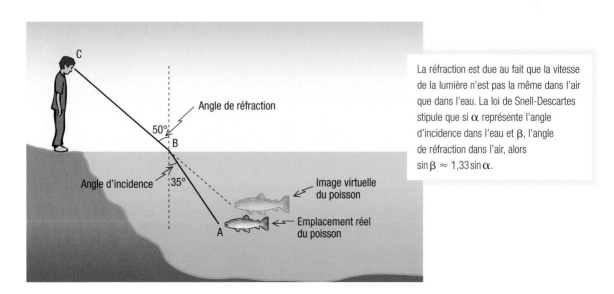

Sachant que le segment AB mesure 1,8 m et le segment BC, 2,7 m, de combien de degrés la personne devrait-elle abaisser son regard pour situer l'emplacement réel du poisson ?

Chronique du passé

Des mathématiciens astronomes

Plusieurs des mathématiciens de l'Antiquité étaient aussi astronomes. L'utilisation ingénieuse des mathématiques leur a permis, entre autres, d'effectuer des mesures de distances astronomiques.

Aristarque de Samos (310 av. J.-C.-230 av. J.-C.)

Aristarque a été le premier astronome à affirmer que c'était le Soleil, et non la Terre, qui était situé au centre de l'univers. Cependant, son hypothèse, considérée comme farfelue, a été rejetée par ses contemporains.

Dans l'élaboration de son modèle, Aristarque a voulu évaluer la distance du Soleil à la Terre. Pour ce faire, il a mesuré l'angle que forment, avec la Terre, le Soleil et la Lune lorsque celle-ci est dans son premier quartier. Il a obtenu une mesure de 87°. Il en a déduit le nombre de fois que la Terre est plus éloignée du Soleil que de la Lune.

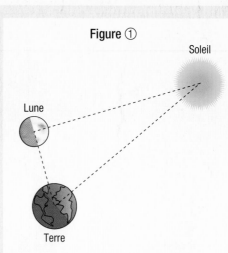

Figure ①

Soleil

Lune

Terre

Eratosthène (284 av. J.-C.-192 av. J.-C.)

Eratosthène a fait plusieurs découvertes mathématiques. Il s'est également intéressé à l'astronomie et il a notamment cherché à déterminer le diamètre de la Lune et celui du Soleil.

Cependant, il est surtout reconnu pour avoir calculé avec précision le diamètre de la Terre. Ayant observé qu'au solstice d'été, dans la ville de Syène, le Soleil se reflétait au fond d'un puits, il a mesuré, au même moment de l'année, l'ombre d'un obélisque dans la ville d'Alexandrie, située à 5000 stades (environ 790 km) plus au nord. En supposant que les rayons du soleil étaient parallèles, il a pu en déduire la circonférence de la Terre.

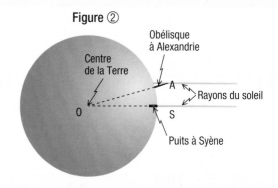

Figure ②

Obélisque à Alexandrie

Centre de la Terre

O

A

S

Rayons du soleil

Puits à Syène

---

1. Considérez l'angle dans la figure ①.

a) Selon l'estimation qu'en a faite Aristarque, combien de fois la Terre est-elle plus éloignée du Soleil que de la Lune ?

b) Sachant que le rapport de la distance Terre-Soleil à la distance Terre-Lune est en réalité d'environ 390 pour 1, déterminez, au dixième de degré près, la mesure réelle de l'angle.

2. En supposant que la longueur de l'ombre de l'obélisque dans la figure ② est 8 fois plus petite que la hauteur de celui-ci, déterminez :

a) la mesure de l'angle AOS ;

b) la circonférence de la Terre, en stades et en kilomètres ;

c) le diamètre de la Terre, en stades et en kilomètres.

Hipparque de Nicée (190 av. J.-C.-120 av. J.-C.)

Hipparque est considéré comme le père de la trigonométrie. En effet, il a été le premier à élaborer une table de valeurs mettant en relation la mesure d'un angle au centre dans un cercle, m ∠ AOB, et la mesure de la corde de l'arc intercepté par cet angle, m $\overline{AB}$. Il a ensuite utilisé cette table pour faire des calculs en astronomie.

Par exemple, Hipparque a estimé la distance de la Terre à la Lune en chronométrant la durée d'une éclipse de Lune. Durant ce type d'éclipse, la Lune est cachée par l'ombre de la Terre. Comme la distance Terre-Soleil est beaucoup plus grande que la distance Terre-Lune, on peut supposer que les rayons du soleil sont parallèles. On peut donc supposer que le cône d'ombre, à travers lequel la Lune passera en se déplaçant du point A au point B, est un cylindre d'un diamètre égal à celui de la Terre.

Ce diamètre étant connu, il est alors possible de calculer la distance Terre-Lune.

Figure ③

Figure ④

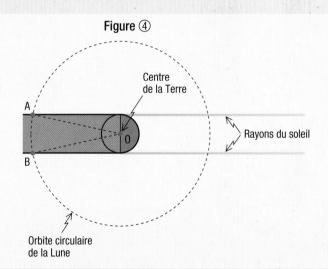

Centre de la Terre

Rayons du soleil

Orbite circulaire de la Lune

Table des droites inscrites dans le cercle

Arcs		Cordes			Trentièmes des différences			
Degrés	Min.	Part. du Diam.	Prim.	Secon.	Part.	Prim.	Secon.	Tierc.
23	0	23	55	27	0	1	1	33
23	30	24	26	13	0	1	1	30
24	0	24	56	58	0	1	1	26
24	30	25	27	41	0	1	1	22
25	0	25	58	22	0	1	1	19
25	30	26	29	1	0	1	1	15
26	0	26	59	38	0	1	1	11
26	30	27	30	14	0	1	1	8
27	0	28	0	48	0	1	1	4
27	30	28	31	20	0	1	1	0
28	0	29	1	50	0	1	0	56
28	30	29	32	18	0	1	0	52
29	0	30	2	44	0	1	0	48
29	30	30	33	8	0	1	0	44
30	0	31	3	30	0	1	0	40
30	30	31	33	50	0	1	0	35
31	0	32	4	7	0	1	0	31
31	30	32	34	22	0	1	0	27

3. La « Table des droites » présentée ci-dessus permet de déterminer la longueur de la corde de l'arc intercepté par divers angles au centre dans un cercle de 60 unités de rayon. Par exemple, d'après cette table, pour un angle de 30°, la corde de l'arc intercepté mesure $\left(31 + \frac{3}{60} + \frac{30}{3600}\right)$ unités.

Montrez qu'à l'aide de cette information, on peut déduire la valeur de sin 15°.

4. Sachant que l'éclipse de Lune observée par Hipparque a duré 196 min 12 s et que la Lune effectue une révolution complète autour de la Terre en 27 jours, 7 h et 43 min, déterminez :

a) la mesure de l'angle AOB dans la figure ④ ;

b) la distance Terre-Lune en utilisant l'estimation du diamètre de la Terre faite en **2** c).

Les arpenteurs-géomètres

Des experts en géométrie

Les arpenteurs-géomètres sont des spécialistes de la « mesure des terres ». Ils sont à la fois des experts des limites de propriétés et des professionnels de la gestion des données géographiques. Ils peuvent, par exemple, participer à des projets de construction de routes ou à l'évaluation de l'espace d'une carrière. Des études spécialisées leur permettent de développer davantage certains aspects de la profession tels l'arpentage foncier, la cartographie, l'hydrographie, la localisation par satellite ou la géodésie.

L'origine de l'arpentage

Le métier d'arpenteur-géomètre remonte à l'Antiquité. On a retrouvé une tablette d'argile datant de 4000 ans av. J.-C. sur laquelle on peut voir le plan d'une ville de Mésopotamie. En Égypte antique, l'établissement des limites de propriétés mobilisait déjà de nombreux fonctionnaires, que ce soit pour planifier la construction des pyramides ou pour remettre en place les limites de cultures après les crues du Nil. À l'époque de l'Empire romain, c'était principalement l'application des impôts qui justifiait le travail des arpenteurs-géomètres. Ils bornaient les terres et les champs, et établissaient une relation entre leur surface et l'impôt foncier à payer.

Les arpenteurs-géomètres égyptiens, ou tendeurs de cordes, mesuraient les distances et les angles à l'aide de cordes tendues.

L'évolution des instruments de mesure

Avec le temps, les instruments de mesure des arpenteurs-géomètres se sont sophistiqués. De la corde et des piquets, en passant par la chaîne d'arpenteur et le théodolite, les arpenteurs-géomètres effectuent maintenant des mesures à l'aide de technologies tels les mesureurs de distances électroniques, le système de positionnement GPS et l'imagerie satellitaire.

La chaîne d'arpenteur, longue de 66 pieds et constituée de 100 maillons métalliques, a été inventée par l'astronome et mathématicien britannique Edmund Gunter (1581-1626).

Le théodolite est un instrument qui sert à mesurer des angles horizontaux et verticaux.

Les 24 satellites qui composent le système de positionnement GPS tournent autour de la Terre à une vitesse proche de 14 000 km/h.

L'arpentage aujourd'hui

L'arpentage ne se limite plus aux techniques de la mesure des terres. Avec l'essor des technologies de l'information, cette discipline a intégré l'ensemble des moyens d'acquisition des données du territoire et de gestion de ces données, ce qu'on appelle aujourd'hui la géomatique. Ce sont notamment des arpenteurs-géomètres qui établissent et tiennent à jour les réseaux de repères géodésiques. Ils peuvent produire des cartes topographiques, des cartes géographiques à l'aide de photos aériennes ou mesurer les profondeurs des étendues d'eau pour réaliser des cartes maritimes.

Un repère géodésique est une marque gravée ou une plaque ancrée dans une base stable, qui matérialise un point dont on a déterminé la latitude, la longitude et l'altitude. Près de 120 000 repères géodésiques sont implantés sur le territoire québécois. L'ensemble de ces repères constitue le réseau géodésique du Québec.

L'arpentage foncier

Un rôle plus traditionnel, mais non moins important, qui incombe aux arpenteurs-géomètres consiste à déterminer précisément les limites de propriétés et à les représenter dans un plan cadastral semblable à celui illustré ci-dessous. Les arpenteurs-géomètres sont reconnus par la Cour du Québec, qui fait parfois appel à ces experts du mesurage des distances, des superficies et des espaces pour clarifier des situations conflictuelles. Un arpenteur-géomètre ou une arpenteuse-géomètre pourrait avoir à se prononcer sur l'équité du partage d'un terrain obtenu par héritage ou sur un différend entre voisins.

1. Expliquez comment on peut utiliser uniquement une chaîne d'arpenteur, deux piquets et un théodolite pour déterminer la distance qui sépare un voilier du rivage.

2. À la suite d'un héritage, deux frères désirent se partager un terrain. Le plan cadastral ci-contre illustre la proposition de partage faite par l'aîné, qui désire garder la partie située à l'ouest de la diagonale DB. Le cadet objecte que cette proposition ne serait pas équitable.

a) Lequel des deux frères a raison ? Expliquez votre réponse.

b) À partir du sommet D, tracez une ligne droite qui partage le terrain en deux parties de même aire.

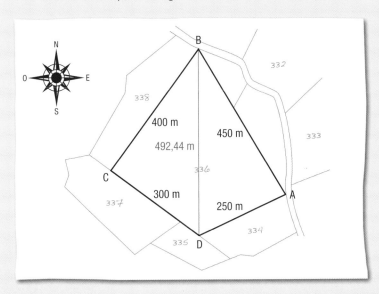

vue d'ensemble

1 Déterminez la mesure de la hauteur issue de l'angle droit dans chacun des triangles suivants.

a)

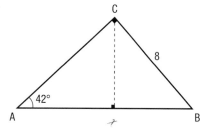

b)

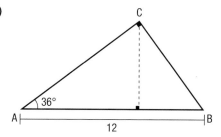

2 Résolvez les triangles ci-dessous.

a)

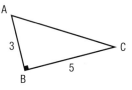

b)

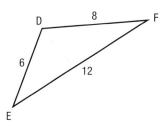

c)

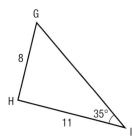

d)

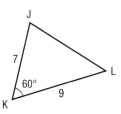

e)

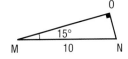

f)

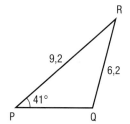

3 On veut protéger du soleil une terrasse qui a la forme d'un trapèze isocèle à l'aide de deux toiles triangulaires. L'illustration suivante montre les deux toiles, vues de dessus, qui couvriraient exactement la surface de la terrasse. Déterminez les mesures des angles et des côtés de chacune de ces toiles.

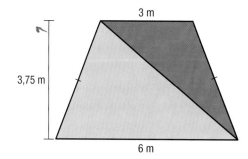

4 La mesure d'un angle A est telle que $\sin A = \dfrac{\sqrt{7}}{4}$.

a) Sachant que l'angle A est un angle aigu, déterminez la valeur exacte de:

1) $\cos A$ 2) $\tan A$

b) En quoi les réponses précédentes seraient-elles modifiées si l'angle A était obtus?

5 Déterminez l'aire de chacun des triangles ci-dessous.

a)
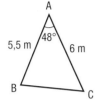

b)
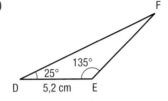

c)
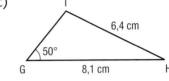

6 **FORMULE DE HÉRON** Au Ier siècle, Héron d'Alexandrie a trouvé une façon originale de calculer l'aire d'un triangle dont on connaît les mesures des trois côtés.

> Si *a*, *b* et *c* sont les mesures des côtés du triangle et *s*, la moitié de son périmètre, alors l'aire du triangle est donnée par la formule:
> $$A = \sqrt{s(s-a)(s-b)(s-c)}$$

a) À l'aide de la formule de Héron, calculez l'aire du triangle ci-contre.

b) En utilisant la loi des cosinus, déterminez la mesure d'un angle intérieur de ce triangle. Ensuite, à l'aide de cet angle, calculez autrement l'aire du triangle. Obtenez-vous le même résultat qu'en a)?

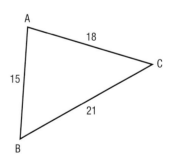

7 À l'aide d'une calculatrice, Antoine a déterminé la mesure de l'angle dont le sinus est égal à $\dfrac{1}{4}$, puis la mesure de l'angle dont le cosinus est égal à $\dfrac{1}{4}$. Il a constaté que la somme de ces deux mesures est 90°. S'il avait utilisé un nombre différent de $\dfrac{1}{4}$, le résultat aurait-il été le même? Justifiez votre réponse.

```
Arcsin(1/4)
        14.47751219
Arccos(1/4)
        75.52248781
```

8 Voici le drapeau des Seychelles :

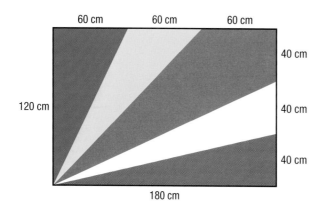

> La république des Seychelles est formée par un archipel de 115 îles situées dans l'océan Indien au nord-est de Madagascar. Seulement une quarantaine de ces îles sont habitées.

a) Déterminez la mesure de chacun des 5 angles que l'on trouve dans le coin inférieur gauche de ce drapeau.

b) Si ces 5 angles étaient isométriques, comment la forme et la grandeur des 5 régions colorées du drapeau en seraient-elles modifiées ? Accompagnez votre explication de calculs.

9 Flavie a installé des panneaux solaires sur le toit plat d'un immeuble. Alors qu'elle s'apprête à régler leur inclinaison pour favoriser une absorption maximale de l'énergie solaire, elle remarque que son ombre se trouve en partie sur le toit et en partie sur un des panneaux.

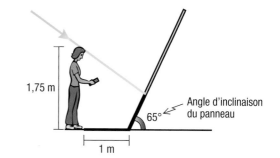

a) Déterminez la longueur de son ombre si les rayons du soleil frappent le toit selon un angle de 35°.

b) Quelle serait la longueur de son ombre si le panneau était placé à la verticale ?

c) Serait-il possible de modifier l'angle d'inclinaison du panneau solaire pour que la longueur de l'ombre de Flavie soit de 1,75 m ? Si oui, déterminez cet angle d'inclinaison. Sinon, expliquez pourquoi c'est impossible.

10 Pour déterminer la distance entre les deux extrémités A et B d'un lac, on a mesuré les angles indiqués dans l'illustration ci-dessous à partir de deux points d'observation, O_1 et O_2. Quelle est la longueur de ce lac ?

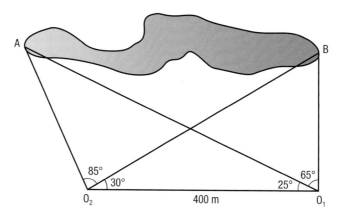

11 Une nacelle élévatrice est positionnée comme le montre l'illustration ci-dessous. Quelle hauteur le plancher de la nacelle atteint-il?

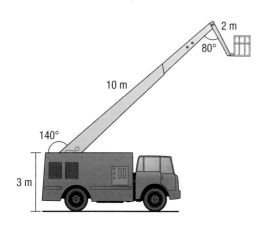

12 GÉOMÉTRIE DES MOLÉCULES L'étude de la disposition des atomes dans une molécule permet d'améliorer la compréhension de certains phénomènes chimiques. Dans chacune des trois molécules représentées ci-dessous, tous les atomes d'hydrogène (H), d'oxygène (O), de soufre (S) ou de carbone (C) sont situés dans un même plan. La distance, en picomètres (pm), qui sépare les noyaux des atomes de certaines liaisons est présentée dans le tableau ci-dessous. Pour chaque molécule, déterminez la distance (en pm) qui sépare les atomes d'hydrogène.

> Un *picomètre* équivaut à un milliardième de millimètre ou 10^{-12} m.

Eau

O
H   H
104,5°

Sulfure d'hydrogène

H   92,1°
S—H

Éthylène

121,3°
H   H
C=C
H   H

Distance entre les noyaux des atomes

Liaison	Distance (pm)
C=C	133,9
C—H	108,7
O—H	96
S—H	133,6

13 Du côté gauche d'un canyon, on a fixé au sol une extrémité de la corde d'un cerf-volant qu'on laisse flotter au-dessus de la gorge. À l'aide de la longueur de la corde et des angles d'élévation indiqués dans l'illustration suivante, répondez aux questions ci-dessous.

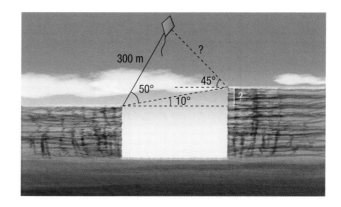

a) À quelle distance du côté droit du canyon le cerf-volant se trouve-t-il?

b) De combien de mètres la paroi de droite du canyon excède-t-elle celle de gauche?

14 Une pompe à béton est un appareil qui projette du béton à l'aide d'un boyau rattaché à un bras articulé, généralement composé de quatre parties. En modifiant les angles entre les différents segments du bras, on peut atteindre des endroits difficiles d'accès. Si l'on dispose un bras articulé de 26 m de longueur de la manière illustrée ci-dessous, à quelle distance de l'extrémité A du bras se trouvent les points :

a) C ?   b) D ?   c) E ?

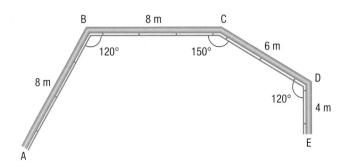

15 À l'aide d'un logiciel de géométrie dynamique, Nadia a réalisé une construction en suivant les étapes ci-dessous.

- Tracer un triangle ABC.

- Tracer les hauteurs AD, BE et CF.

- Tracer le triangle DEF.

- Mesurer les angles FAE, FDB et EDC.

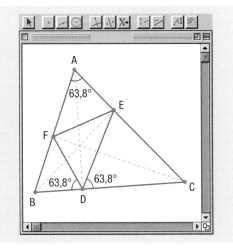

Elle constate alors que les trois angles mesurés sont isométriques. Après quelques vérifications, elle émet la conjecture que c'est toujours le cas, quelles que soient les dimensions du triangle.

Suivez les étapes ci-dessous afin de vérifier si la conjecture de Nadia est vraie pour un triangle ABC dont les côtés AB, BC et AC mesurent respectivement 10 cm, 13 cm et 15 cm.

a) Déterminez d'abord les mesures des trois angles intérieurs du triangle ABC.

b) Déduisez-en les mesures des segments FB, BD, DC et CE.

c) Déduisez-en les mesures des segments FD et DE.

d) Déterminez les mesures des angles FDB et EDC.

e) Selon vous, la conjecture de Nadia est-elle vraie ? Expliquez votre point de vue.

16 **PARALLAXE** Il existe une méthode pour mesurer la distance d'une étoile proche de la Terre. L'illustration ci-dessous montre que l'angle d'observation d'une étoile lorsque la Terre se trouve au point A est différent de l'angle d'observation de cette même étoile lorsque la Terre est rendue au point B. Si le point E représente la position d'une étoile proche et S, celle du Soleil, on peut en déduire la mesure de l'angle BES. Cette mesure s'appelle la *parallaxe* de l'étoile.

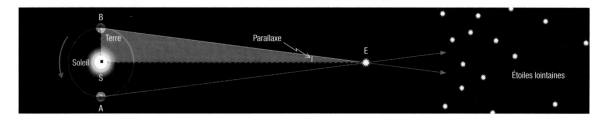

La parallaxe est un angle tellement petit que les mesures faites en A et en B doivent être très précises afin de pouvoir la déterminer. En 1838, l'astronome allemand Friedrich Bessel a été le premier à calculer une parallaxe, soit celle de l'étoile 61 Cygni qui est environ de $\frac{1}{12\,000}$ de 1°.

a) Sachant que le rayon de l'orbite de la Terre est de $1,50 \times 10^8$ km, déterminez la distance qui nous sépare de l'étoile 61 Cygni. Exprimez votre réponse en années-lumière.

> Une année-lumière (al) correspond à la distance parcourue par la lumière dans le vide en une année, soit environ $9,46 \times 10^{12}$ km.

Les instruments de mesure actuels permettent de déterminer, à partir de la Terre, des parallaxes aussi petites que 0,005 seconde, soit $\frac{1}{200}$ de $\frac{1}{3600}$ de degré.

b) L'étoile Bételgeuse se trouve à 423 al de la Terre.

   1) Déterminez sa parallaxe.

   2) Cet angle est-il mesurable à partir de la Terre compte tenu de la précision des instruments de mesure actuels?

c) À partir d'un satellite dans l'espace, il est possible d'augmenter la précision de ces mesures. Le satellite *Hipparcos* a permis de mesurer des parallaxes de l'ordre de 0,001 seconde. À quelle distance maximale (en al) ce satellite a-t-il pu situer des étoiles?

> *Hipparcos* est l'acronyme de **H**igh **P**recision **Parallax** **C**ollecting **S**atellite. Ce satellite, lancé en 1989, a permis de mesurer la parallaxe de près de 120 000 étoiles.

banque _{de} problèmes

17 Steve a vaincu l'Aconcagua, la plus haute montagne des Amériques, dont l'altitude est de 6959 m. Arrivé au sommet, il regarde au loin et remarque que la ligne d'horizon semble plus basse que l'horizontale. En fait, il voit la ligne d'horizon avec un angle de dépression qu'il estime à 5°. Sachant que la Terre a un rayon de 6378 km, pouvez-vous affirmer que l'estimation de Steve est juste?

Situé en Argentine, près de la frontière du Chili, le mont Aconcagua est le point culminant de la cordillère des Andes.

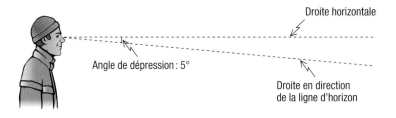

18 Un télémètre est un appareil de mesure indirecte des distances qui fonctionne par superposition d'images. Il faut d'abord orienter l'objectif de l'appareil vers l'objet visé dont l'image traverse un miroir fixe semi-transparent. On fait ensuite pivoter le miroir mobile pour qu'une deuxième image de l'objet se superpose à la première. En mesurant l'angle de visée, il est possible de calculer la distance qui sépare l'objet du télémètre. Dans l'appareil illustré ci-dessous, la distance entre les deux miroirs est de 90 cm. L'angle de visée peut être mesuré avec une précision de ±0,05°.

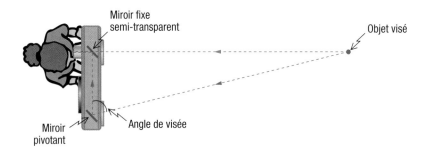

À l'aide de ce télémètre, on calcule qu'un objet se trouve à une distance de 103 m de l'appareil. Dans quel intervalle peut-on situer la distance réelle de cet objet?

204 VISION 7

19 Samantha a découpé dans du carton le développement d'un tétraèdre irrégulier dont la base est le triangle rectangle ABC. Une hauteur de chacune des faces latérales est tracée en rouge. Les prolongements de ces hauteurs se rencontrent au point J. Voici les mesures des côtés de ce tétraèdre :

- Les côtés de la base, AB, BC et CA, mesurent respectivement 15 cm, 9 cm et 12 cm.
- Les côtés des faces latérales EB, BD, DA et AF mesurent 14 cm chacun.
- Les côtés EC et CF mesurent 13 cm chacun.

Expliquez à Samantha comment calculer le volume de ce tétraèdre.

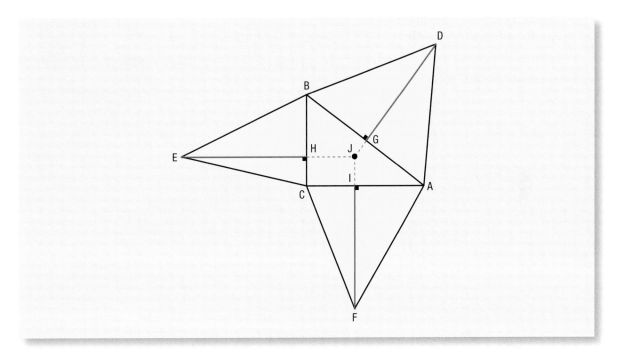

20 Un arbre se trouve au sommet d'une petite côte dont la pente est de 20 %. Au pied de la côte, une personne, dont les yeux se trouvent à 1,6 m du sol, voit la cime de cet arbre avec un angle d'élévation de 25°. Cette personne marche en direction de l'arbre et au bout de 10 m, elle voit la cime de celui-ci avec un angle d'élévation de 30°. Quelle distance lui reste-t-il alors à parcourir avant d'arriver au pied de l'arbre ?

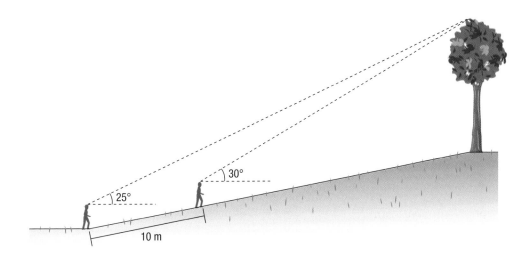

21 La table des sinus construite par le mathématicien indien Âryabhata, au VIᵉ siècle, contient le sinus de tous les angles aigus multiples de $3\frac{3}{4}°$. Pour calculer ces valeurs, il a utilisé certaines propriétés géométriques. Par exemple, connaissant le sinus et le cosinus d'un angle, on peut calculer le sinus et le cosinus de la moitié de cet angle à l'aide du théorème suivant.

> Dans un triangle, la bissectrice d'un angle intérieur partage le côté opposé à cet angle en deux segments dont les longueurs sont proportionnelles aux mesures des deux autres côtés du triangle.

Appliquez ce théorème à la figure ci-dessous afin de déterminer le sinus et le cosinus d'un angle de 15°.

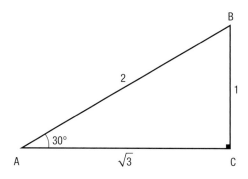

22 Il est possible de partager l'intérieur de tout triangle en 4 régions triangulaires équivalentes. Ainsi, en reliant les milieux des côtés du triangle, on forme 4 triangles isométriques.

Une artiste peintre veut intégrer un triangle équilatéral de 12 m de côté à une murale. Elle veut cependant partager l'intérieur de ce triangle en 4 régions triangulaires équivalentes qui ne sont pas isométriques. Partant du croquis ci-dessous, proposez des endroits où elle pourrait situer les points X, Y et Z pour y arriver. Justifiez votre réponse.

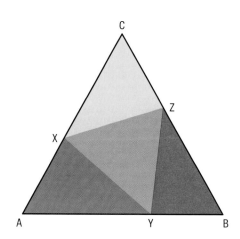

23 **ATOMIUM** Cette structure a la forme d'un cube posé en équilibre sur l'un de ses sommets. Elle est composée de 9 sphères, une sphère située à chacun des sommets du cube et une, en son centre. Des tubes cylindriques placés aux arêtes du cube relient les 8 sphères des sommets. D'autres tubes cylindriques, moins longs que les premiers, relient ces 8 sphères à la sphère centrale. L'axe central de la structure repose sur une base cylindrique et les 3 sphères dites inférieures sont également supportées par des éléments appelés bipodes.

Le schéma ci-dessous est une coupe transversale de l'Atomium par un plan vertical qui passe en son centre et qui est perpendiculaire au plan de la photographie ci-contre.

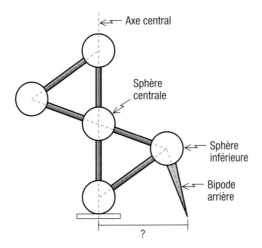

L'Atomium est un monument qui a été construit pour l'Exposition universelle de Bruxelles en 1958. Il représente la maille élémentaire du cristal de fer agrandie 165 milliards de fois.

À l'aide des données fournies, calculez la distance entre l'axe central et l'endroit où le bipode arrière touche le sol.

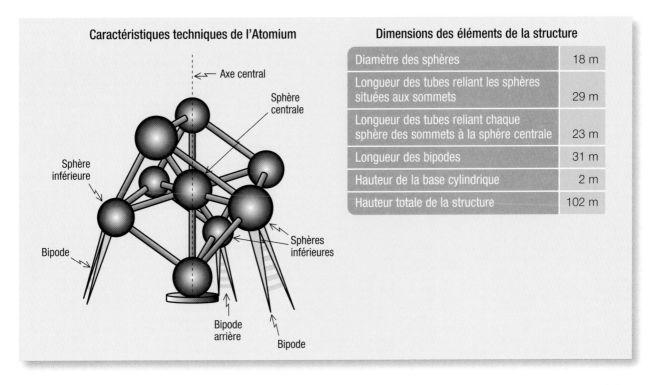

Caractéristiques techniques de l'Atomium

Dimensions des éléments de la structure

Diamètre des sphères	18 m
Longueur des tubes reliant les sphères situées aux sommets	29 m
Longueur des tubes reliant chaque sphère des sommets à la sphère centrale	23 m
Longueur des bipodes	31 m
Hauteur de la base cylindrique	2 m
Hauteur totale de la structure	102 m

RÉPERTOIRE DES SAÉ

TABLE DES MATIÈRES

Mise en situation

Combien de fois, dans votre vie, avez-vous entendu une personne affirmer quelque chose avec conviction? Il va pleuvoir demain. Le poids d'un corps est proportionnel à sa masse. Je mens. Un carré a deux diagonales isométriques. La cigarette cause le cancer. Cet accusé est coupable. Il existe de la vie ailleurs dans l'univers…

Est-ce vrai ou faux? On peut chaque fois se poser la question. Comment porter un jugement éclairé? Un énoncé peut-il être à moitié vrai? La vérité est-elle relative?

En mathématiques, comme en sciences, il est essentiel de distinguer ce qui est vrai de ce qui est faux. Pour y parvenir, les scientifiques et les mathématiciens doivent développer des réflexes tels qu'observer, poser des questions, douter, chercher à comprendre, établir des liens, trouver des explications, vérifier, convaincre, prouver, etc.

Selon vous, existe-t-il plusieurs sortes de vérités?

Vous est-il déjà arrivé de vous poser des questions scientifiques ou mathématiques concernant votre environnement immédiat?

Cette SAÉ est en lien
avec la section 5.1.

○ SAÉ 13

J'ai un doute

En naviguant dans Internet, vous tombez sur un forum de discussion portant sur les mathématiques. La question posée par un participant attire votre attention.

Thème de la discussion : *Somme des angles intérieurs d'un triangle* ◁ ▷	
Sim95 Publié le 20-01	J'ai lu dans un entrefilet d'un journal que des scientifiques ont mesuré avec une grande précision les angles intérieurs du triangle formé par les villes de Montréal, de Gaspé et de Chibougamau. En additionnant les mesures de ces angles, ils affirment avoir obtenu 180,34°. Pourtant, j'ai appris que la somme des mesures des angles intérieurs d'un triangle est toujours 180°. Alors, qu'est-ce qui est vrai ?
MiaMiam Publié le 20-01	J'ai toujours su que les maths ne sont pas toujours conformes à la réalité.... 😄 À mon avis, les scientifiques doivent avoir raison. Le 180°, c'est vrai seulement pour les petits triangles qu'on peut tracer sur une feuille.
Prof_Pat Publié le 20-01	Aussi grand soit-il, un carré possède 4 angles droits. 4 × 90° = 360°. Si on le sépare en deux par une diagonale, on obtient 2 triangles dans lesquels la somme des angles intérieurs est 180°.
Herté Publié le 20-01	On dit parfois que c'est vrai jusqu'à preuve du contraire, il me semble. Il faudrait faire une autre expérience avec un triangle plus grand.
Diabloto Publié le 21-01	Hé ! Prof_Pat ! Ça marche pour le carré, mais qu'est-ce que ça prouve ? Moi, quand je mesure les angles intérieurs d'un triangle, parfois la somme est 179°, parfois 180°, parfois 181°. On dirait que c'est le hasard qui décide. 😕
Prof_Pat Publié le 21-01	Diabloto a écrit : « Hé ! Prof_Pat ! Ça marche pour le carré, mais qu'est-ce que ça prouve ? » Tu peux prendre aussi un rectangle si tu veux et le séparer en deux.
Archiman Publié le 21-01	En sciences, c'est vrai si on peut le prouver à l'aide d'une expérience. En maths, c'est vrai… si c'est écrit dans le manuel.
Sim95 Publié le 22-01	Archiman a écrit : « En maths, c'est vrai… si c'est écrit dans le manuel. » Hey, Archiman 😕. Il me semble que ça existe, des preuves mathématiques. C'est ça que je ne comprends pas. Est-ce que ça peut être vrai mathématiquement et faux scientifiquement ? Comment peut-on déterminer qui a raison et qui a tort ?

Si vous participiez à ce forum, quelle serait votre réponse à la dernière question ? Selon vous, la somme des mesures des angles intérieurs d'un triangle est-elle toujours 180°, quelles que soient ses dimensions ?

Imaginez que tous les intervenants de ce forum sont des élèves de la 1re année du 2e cycle du secondaire. Trouvez une façon de les convaincre de votre point de vue par une argumentation claire et complète.

Cette SAÉ est en lien avec la section 5.2.

Des extraterrestres, vraiment?

Au milieu des années 1970, dans la campagne anglaise, un étrange phénomène a fait son apparition. Dans des champs de blé, on a découvert que des épis avaient été mystérieusement couchés par terre formant ainsi des disques parfaits, et ce, sans aucune trace apparente d'intervention humaine. Il n'en fallait pas plus pour conclure que ces marques avaient été laissées par des extraterrestres. Pendant les années suivantes, ces «agroglyphes» (c'est ainsi que l'on nomme ces figures aujourd'hui) se sont multipliés, apparaissant dans plusieurs autres pays sous des formes de plus en plus complexes. La cause de leur apparition soudaine (ils sont toujours réalisés durant la nuit) demeure encore mystérieuse.

Ci-contre, on peut voir la photo d'un agroglyphe et, ci-dessous, sa représentation géométrique. On peut remarquer qu'il a été construit à partir de lignes parallèles équidistantes qui se trouvaient déjà sur le terrain.

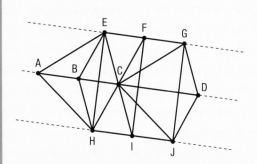

Agroglyphe apparu le 4 mai 1997 dans un champ de colza de Burderop Down, dans le sud-ouest de l'Angleterre

Cet agroglyphe comporte notamment plusieurs triangles isométriques, des parallélogrammes, des rectangles et un losange; des figures construites avec une précision étonnante compte tenu du fait qu'elles ont été réalisées durant la nuit.

Imaginez que vous faites partie d'une équipe d'«agroglypheurs» qui veut réaliser ce dessin dans un champ. Sur le terrain, les seuls instruments de mesure dont vous disposerez sont plusieurs cordes de différentes longueurs. Comment allez-vous vous y prendre?

Votre tâche consiste à décrire, étape par étape, une façon de construire cet agroglyphe en utilisant les trois lignes parallèles déjà apparentes sur le terrain. Vous devez également démontrer que votre plan de construction permet de reproduire exactement toutes les figures que comporte le schéma ci-dessus, soit les triangles isométriques, les parallélogrammes, les rectangles et le losange.

J'observe ce qui m'entoure

Supriya, en route pour l'Estrie, lit une revue. Elle y apprend que les scientifiques doivent toujours faire appel à leur sens de l'observation et continuellement s'interroger sur les phénomènes qui les entourent.

En regardant par la vitre de la portière, Supriya se demande si elle possède les aptitudes nécessaires pour devenir une bonne scientifique, lorsqu'elle aperçoit les pylônes d'une ligne de transport d'électricité.

Elle constate d'abord que, de son point de vue, les pylônes ont un axe de symétrie vertical. Elle observe aussi que les barres obliques reliant les côtés du pylône dans la partie supérieure sont parallèles, alors que dans la partie inférieure, elles ne le sont pas.

« Si j'avais été l'ingénieure conceptrice de ces pylônes, j'aurais fait en sorte que les barres obliques soient parallèles partout, y compris dans la partie inférieure. »

De retour chez elle, elle dessine le schéma ci-contre. Elle se dit alors que les mesures de trois segments devraient suffire pour déterminer les mesures de tous les segments de son schéma. A-t-elle raison?

Si Supriya a raison, donnez des mesures vraisemblables à trois segments et démontrez qu'avec celles-ci, vous pouvez déduire les mesures de tous les autres segments. Si elle a tort, déterminez le nombre minimal de mesures que l'on doit connaître pour y arriver et justifiez votre réponse.

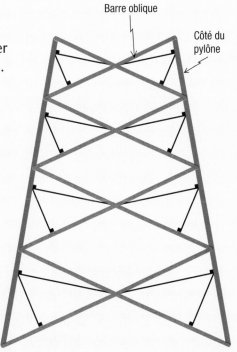

Barre oblique

Côté du pylône

VISI6N

Des mathématiques pour sauver des vies

○ **Mise en situation**

Des catastrophes naturelles ou des accidents peuvent survenir lorsqu'on s'y attend le moins. Peut-on prévenir les cataclysmes? Réagit-on adéquatement lors d'un accident?

Notre instinct de survie nous pousse à réduire les risques, à prévoir le danger, à établir des plans d'urgence. Toutefois, pour prévenir les catastrophes ou se préparer à prendre des décisions rationnelles lorsqu'elles surviennent, il est nécessaire de comprendre ces situations à risque. On apprend tous, très jeunes, à éviter les dangers familiers. Par contre, peu de gens savent prévoir le déplacement d'un cyclone, réagir à un tremblement de terre ou organiser les recherches pour un sauvetage en haute mer. C'est pourquoi des spécialistes modélisent ces phénomènes : pour les analyser, les comprendre et établir les stratégies à adopter en situation d'urgence.

Croyez-vous que les mathématiques peuvent contribuer à sauver des vies? Si oui, de quelle façon?

Avez-vous déjà pris connaissance de l'analyse d'une catastrophe naturelle qui présentait des explications mathématiques ou physiques?

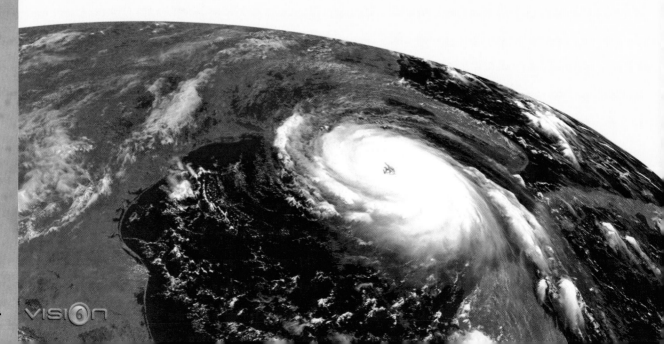

Une masse aussi faible que celle
d'un planchiste peut déclencher
une avalanche.

 SAÉ 16

Danger, avalanche!

Les scientifiques provoquent parfois
des avalanches afin de recueillir des données
sur ce phénomène et de le modéliser.

Dans le plan cartésien ci-dessous, on a modélisé
le déplacement de la neige au cours d'une
avalanche. On peut ainsi voir qu'en se déplaçant,
la couche de neige, représentée par le
triangle ABC, a formé la masse neigeuse
représentée par le triangle ECD. L'unité de
mesure utilisée est le mètre.

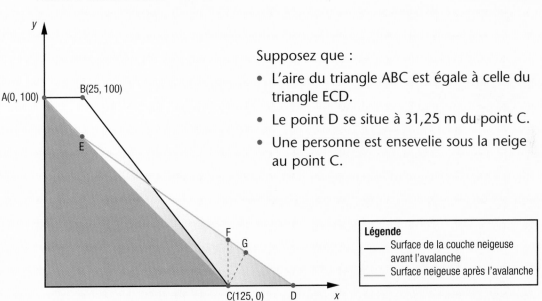

Supposez que :

- L'aire du triangle ABC est égale à celle du
  triangle ECD.
- Le point D se situe à 31,25 m du point C.
- Une personne est ensevelie sous la neige
  au point C.

Légende
— Surface de la couche neigeuse
avant l'avalanche
— Surface neigeuse après l'avalanche

Votre tâche consiste à :

- Déterminer les trois renseignements suivants :
  1) l'épaisseur de la neige au-dessus du point C;
  2) la distance qui sépare le point D du point G d'où l'on pourrait creuser
     le tunnel le plus court pour atteindre le point C;
  3) la pente de la droite qui supporte ce tunnel.
- Analyser l'effet sur les trois renseignement déterminés si le point D était
  situé plus loin ou plus près du point C.

Cette SAÉ est en lien avec la section 6.2.

SAÉ 17

L'adac ne répond plus

Un avion de type adac est disparu alors qu'il survolait le Grand Nord québécois. Sa trajectoire prévue est illustrée sur la carte ci-dessous.

L'adac est un appareil qui nécessite très peu d'espace pour décoller ou atterrir. Le terme utilisé pour le désigner est formé du sigle A.D.A.C. signifiant « avion à décollage et atterrissage courts ».

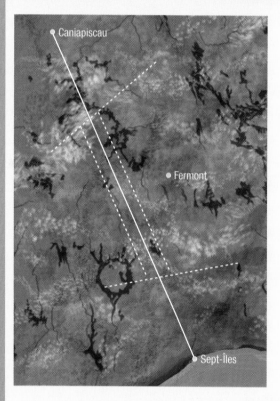

Voici quelques renseignements qui permettent de situer la position de l'avion juste avant sa disparition.

- L'avion, parti de Sept-Îles, se dirigeait vers le réservoir de Caniapiscau situé à environ 510 km vers le nord et à 230 km vers l'ouest.

- Avant de disparaître, l'avion se trouvait plus près de la ville de Fermont que de son point de départ ou de sa destination.

- La ville de Fermont est située à 280 km au nord et à 50 km à l'ouest de Sept-Îles.

- On peut supposer que l'avion a pu dévier légèrement de sa trajectoire initiale et qu'il peut se trouver à quelques kilomètres plus à l'est ou plus à l'ouest de cette trajectoire.

Dans un premier temps, vous devez décider de combien de kilomètres plus à l'est ou plus à l'ouest de la trajectoire initiale de l'avion les recherches seront effectuées.

Votre tâche consiste à définir le quadrilatère de recherches et à situer précisément ses sommets. Vous devez également calculer l'aire de ce quadrilatère afin de déterminer l'ampleur des recherches à effectuer.

Cette SAÉ est en lien avec
les sections 6.3 et 6.4.

○ SAÉ 18

CD3

Un volcan encore actif

Le Stromboli est un volcan
en activité situé dans la mer
Méditerranée près de la Sicile.
En 2004, les autorités locales
de l'île ont défini une zone
de danger pour laquelle l'accès
est interdit au public. Il n'est
pas permis de gravir le volcan
au-delà d'une certaine hauteur
ou de le survoler en deçà
d'une certaine altitude.

Imaginez un volcan semblable de forme conique ayant 1000 m de hauteur,
4000 m de diamètre à la base et un cratère de 400 m de diamètre situé
au sommet. Afin de modéliser cette situation par une représentation en deux
dimensions, on fait passer un plan vertical par le centre du volcan. Il est alors
possible de décrire la zone de danger délimitée par une parabole que l'on
nomme parabole de sûreté, à l'intérieur de laquelle des bombes de lave
peuvent être éjectées.

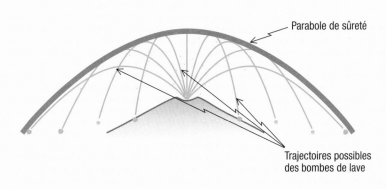

Parabole de sûreté

Trajectoires possibles
des bombes de lave

Si on situe l'axe des abscisses au niveau de la mer et qu'on fait passer l'axe
des ordonnées par le centre du volcan, on peut supposer que l'équation
de la parabole de sûreté est $y = -\frac{1}{1600} x^2 + 1400$, où l'unité de mesure
utilisée est le mètre.

> Votre tâche consiste à présenter un document qui décrit la zone de danger
> interdite aux personnes voulant gravir ou survoler le volcan. Ce document
> doit permettre de déterminer, entre autres, à l'aide d'exemples, si un hélicoptère
> situé à une position donnée se trouve ou non dans la zone de danger.

Mesurages ingénieux

Mise en situation

Mesurer avec précision des grandeurs a été de tout temps, dans toutes les civilisations, une préoccupation des scientifiques. Mais cette tâche n'est pas facile. On se demande parfois comment ils ont fait.

Dans la Grèce antique, on savait déjà que la Terre était ronde et on avait estimé assez précisément sa circonférence. On avait même calculé la distance qui sépare la Terre de la Lune.

Au XVe et au XVIe siècle, on savait déterminer la distance entre des planètes, qui sont pourtant inaccessibles.

Au XVIIIe siècle, on a réussi à mesurer avec une précision extraordinaire la longueur d'une partie importante du méridien terrestre, ce qui a servi à définir l'unité de base de longueur du système de mesure international, le mètre.

Alors, une question se pose : Comment les Anciens ont-ils fait pour déterminer de telles mesures avec les techniques rudimentaires dont ils disposaient ? Ils ont sûrement dû faire preuve de beaucoup d'ingéniosité…

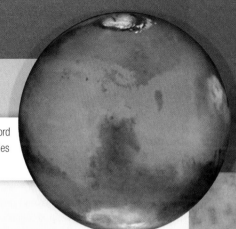

Cette SAÉ est en lien avec la section 7.1.

SAÉ 19

Distances planétaires

Au XVIᵉ siècle, Copernic a proposé un modèle héliocentrique du système solaire, où les planètes gravitent autour du Soleil sur des orbites circulaires. En associant ce modèle à des observations astronomiques, il a trouvé une façon de déterminer la distance entre le Soleil et certaines planètes.

Distance Mars-Soleil

On dit que Mars et le Soleil sont en opposition lorsque l'angle Soleil-Terre-Mars est de 180°, les trois corps célestes sont alors alignés. Lorsque cet angle est de 90°, on dit que Mars et le Soleil sont en quadrature.

Opposition de Mars et du Soleil le 11 avril 1510

Quadrature de Mars et du Soleil le 28 juillet 1510

À cette époque, on connaissait approximativement la distance entre la Terre et le Soleil, et Copernic avait déjà établi que Mars effectuait une révolution complète autour du Soleil en 687 jours. En mesurant le temps écoulé entre une opposition et une quadrature de Mars et du Soleil, il a réussi à calculer le rayon de l'orbite de Mars.

Distance Vénus-Soleil

La planète Vénus, étant plus près du Soleil que la Terre, n'est jamais en quadrature. Comme la Lune, elle présente des phases. Lorsque Vénus présente un quartier, la mesure de l'angle formé par Vénus et le Soleil, vu de la Terre, atteint un maximum. C'était le cas le 20 mars 1510 alors que cet angle était environ de 46°. Connaissant la mesure de cet angle, Copernic a pu déterminer le rayon de l'orbite de Vénus.

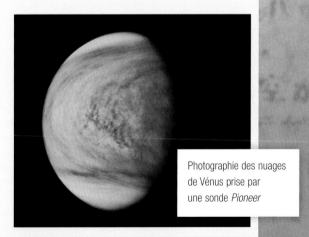

Photographie des nuages de Vénus prise par une sonde *Pioneer*

Votre tâche consiste à déterminer, à l'aide des renseignements et des observations astronomiques fournis, les distances qui séparent Mars et Vénus du Soleil.

SAÉ 20

CD3

Mesurer avec des ombres

Les ombres ont grandement contribué
à la compréhension du monde et ont
souvent servi à mesurer toutes sortes
de grandeurs. Ératosthène, par exemple,
a utilisé la mesure de l'ombre d'un
obélisque au solstice d'été pour calculer
la circonférence de la Terre.

Une légende raconte que Thalès de Milet,
au VIᵉ s. av. J.-C., aurait déterminé la hauteur
d'une pyramide égyptienne à l'aide d'un
raisonnement mathématique impliquant
l'ombre de celle-ci. On dit qu'il a su
faciliter ses calculs en choisissant un
moment «favorable». En effet, la position
du Soleil ne permet pas toujours de
déterminer facilement la hauteur d'une
pyramide à partir de son ombre.

Observons cette photographie d'une
vue à vol d'oiseau de deux pyramides
d'Égypte au moment où l'angle
d'inclinaison du Soleil par rapport
à l'horizon est de 37°.

Au tournant du Xᵉ siècle, l'astronome Habash al-Hasib, reconnaissant
l'importance de l'ombre dans le calcul de certaines mesures, a dressé
une «Table des ombres» qui montre le lien entre la longueur de l'ombre
d'un gnomon et l'angle d'inclinaison du Soleil par rapport à l'horizon.

**Représentation d'une des pyramides
à base carrée et de son ombre**

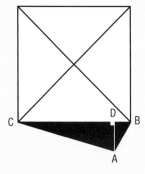

m $\overline{AD}$ = 57,5 m

m ∠ ABD = 62°

m ∠ ACD = 16°

À l'aide des données fournies, votre tâche consiste à expliquer la manière
de déterminer le plus simplement possible :

• la hauteur de la pyramide illustrée ci-dessus ;

• l'angle d'inclinaison des faces latérales de cette pyramide.

O SAÉ 21

Cette SAÉ est en lien avec la section 7.3.

CD2

Mesurer avec des triangles

À la fin du XVIIIe siècle, deux astronomes français, Jean-Baptiste Delambre et Pierre Méchain, ont été chargés par les autorités françaises de déterminer la longueur du quart du méridien terrestre afin de définir la nouvelle unité de longueur, appelée « mètre », qui en serait la dix-millionième partie.

Pour réaliser ce travail, Delambre et Méchain ont procédé par triangulation.

- Ils ont mesuré la distance qui sépare les villes de Melun et de Lieusaint, en France, déterminant ainsi un segment appelé « base ».

- À partir de Lieusaint et de Melun, ils ont visé un même point élevé, situé dans la ville de Malvoisine, et ont mesuré les angles formés par les lignes de visée et la base.

- Avec ces données, ils ont calculé la mesure des deux autres côtés du triangle défini par ces trois villes.

- Ils se sont déplacés d'une ville à une autre, chaque fois, en visant d'autres points visibles de loin et en calculant les mesures des côtés des triangles formés.

- Ils ont ainsi déterminé les dimensions de plus d'une centaine de triangles ayant des côtés communs et reliant les villes de Barcelone et de Dunkerque.

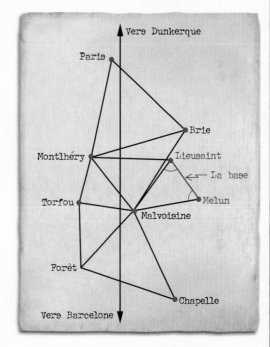

La tour de Montlhéry, datant du XIe siècle, a probablement été un des points visés par les deux astronomes au cours de leur travail de triangulation.

En groupe classe, choisissez deux éléments fixes, présents dans votre environnement et éloignés l'un de l'autre.

Votre tâche consiste à :

- Émettre une conjecture sur la distance qui sépare ces deux éléments.

- Valider votre conjecture en calculant le plus précisément possible cette distance par triangulation.

- Remettre un plan qui montre la suite de triangles utilisés, avec la base clairement identifiée, et qui comprend tous les calculs ayant servi à valider votre conjecture.

ALBUM
TABLE DES MATIÈRES

Calculatrice graphique

Divers types de calculs

Il est possible d'effectuer des calculs scientifiques et d'évaluer numériquement des expressions algébriques et des expressions logiques.

Écran d'affichage

Touches graphiques

Touches de déplacement du curseur

Touches d'édition

Touches de menus

Touches de calculs scientifiques

Calculs scientifiques

```
5-3*8
                  -19
³√(27)
                   3
π*5²
         78.53981634
```

Expressions logiques

```
1/3=0.3
                   0
³√(216)=6
                   1
6²+7²>8²
                   1
```

Expressions algébriques

```
5→X
                   5
-2→Y
                  -2
5X-2Y²
                  17
```

Affichage d'une table de valeurs et d'un graphique

1. Éditer la règle.

```
Graph1 Graph2 Graph3
\Y1■0.5X²-2
\Y2=
\Y3=
\Y4=
\Y5=
\Y6=
\Y7=
```

- Cet écran permet d'éditer la règle d'une fonction où y est la variable dépendante et x, la variable indépendante.

2. Définir l'affichage.

```
DÉFINIR TABLE
 DébTbl=-3
 Pas=1
Valeurs:Auto Dem
Calculs:Auto Dem
```

- Cet écran permet de définir l'affichage d'une table de valeurs en y indiquant la valeur de départ de x et le pas de variation en x.

3. Afficher la table de valeurs.

```
 X  │ Y1
-3  │ 2.5
-2  │ 0
-1  │ -1.5
0   │ -2
1   │ -1.5
2   │ 0
3   │ 2.5
X=-3
```

- Cet écran permet d'afficher la table de valeurs de la règle définie à l'écran d'édition des fonctions.

4. Définir l'affichage.

```
FENÊTRE
 Xmin=-6
 Xmax=6
 Xgrad=1
 Ymin=-4
 Ymax=4
 Ygrad=1
 Xres=1
```

- Cet écran permet de définir l'affichage de l'écran graphique en délimitant la portion désirée du plan cartésien : Xgrad correspond au pas de graduation de l'axe des abscisses et Ygrad, à celui des ordonnées.

5. Afficher le graphique.

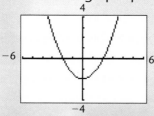

- Cet écran permet d'afficher le graphique de la règle définie à l'écran d'édition des fonctions.

6. Analyser la fonction.

```
CALCULS
1:valeur
2:zéro
3:minimum
4:maximum
5:intersect
6:dy/dx
7:∫f(x)dx
```

- Cet écran permet d'afficher certaines valeurs associées à la fonction dont on a tracé le graphique.

Affichage de plusieurs courbes

1. Éditer les règles.

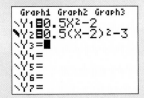

2. Afficher le graphique.

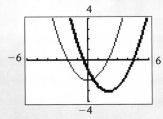

3. Comparer les courbes.

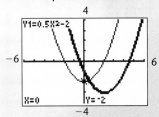

- Il est possible d'éditer sur un même écran les règles de plusieurs fonctions. Au besoin, on peut modifier l'aspect (trait normal, gras ou pointillé, par exemple) d'une courbe associée à une règle.

- Sur un seul écran, s'affiche alors le graphique de toutes les règles qui ont été définies.

- Au besoin, il est possible de déplacer le curseur le long des courbes tout en visualisant ses coordonnées.

Affichage d'un nuage de points, régression et corrélation

1. Entrée des données.

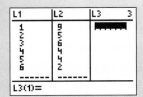

2. Choix du diagramme.

3. Affichage du diagramme.

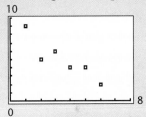

- Cet écran permet d'entrer les données d'une distribution. Pour une distribution à deux caractères, l'entrée des données se fait sur deux colonnes.

- Cet écran permet de choisir le type de diagramme statistique.

- Après avoir défini les dimensions de la fenêtre, cet écran permet d'afficher le nuage de points.

4. Calculs statistiques et régression.

5. Équation de la droite.

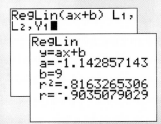

6. Affichage de la droite.

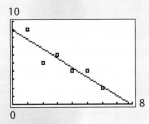

- Ce menu permet d'accéder à différents calculs statistiques dont celui de l'équation de la droite de régression des moindres carrés.

- Ces écrans permettent d'obtenir l'équation de la droite de régression ainsi que le coefficient de corrélation linéaire.

- La droite de régression peut être affichée à même le graphique représentant le nuage de points.

Tableur

Un tableur est aussi appelé un chiffrier électronique. Ce type de logiciel permet d'effectuer des calculs sur des nombres entrés dans des cellules. On utilise principalement le tableur pour réaliser des calculs de façon automatique sur un grand nombre de données, construire des tableaux et tracer des graphiques.

Interface du tableur

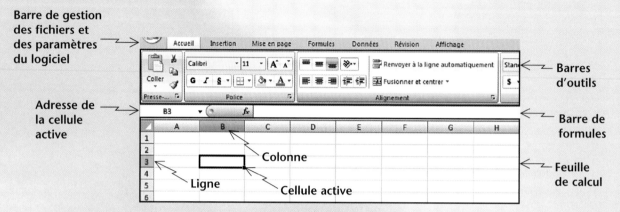

Barre de gestion des fichiers et des paramètres du logiciel

Adresse de la cellule active

Barres d'outils

Barre de formules

Feuille de calcul

Colonne

Ligne

Cellule active

Qu'est-ce qu'une cellule ?

Une cellule est l'intersection d'une colonne et d'une ligne. Une colonne est désignée par une lettre et une ligne est désignée par un nombre. Ainsi, la première cellule en haut à gauche est nommée A1.

Entrée de nombres, de texte et de formules dans les cellules

On peut entrer un nombre, un texte ou une formule dans une cellule après avoir cliqué dessus. L'utilisation d'une formule permet de faire des calculs à partir de nombres déjà entrés dans des cellules. Pour entrer une formule dans une cellule, il suffit de sélectionner celle-ci, puis de commencer la saisie par le symbole « = ».

Exemple :

La colonne A et la colonne B contiennent les données d'une distribution à deux caractères sur lesquelles on désire effectuer des calculs.

	A	B	C	D	
1	Longueur du fémur (cm)	Taille de la personne (cm)			
2	36,1	148	Longueur moyenne des fémurs (en cm)	44,9	=MOYENNE(A2:A11)
3	39,5	152			
4	37,5	157	Taille moyenne des personnes (en cm)	168	=MOYENNE(B2:B11)
5	42,6	162			
6	45,8	167	Médiane des longueurs du fémur	45,4	=MEDIANE(A2:A11)
7	45,0	172			
8	49,4	176	Médiane des tailles des personnes	169,5	=MEDIANE(B2:B11)
9	50,4	179			
10	52,0	180	Coefficient de corrélation	0,9548	=COEFFICIENT.CORRELATION(A2:A11;B2:B11)
11	50,4	187			

Dans un tableur, certaines fonctions prédéfinies permettent de calculer la somme, la moyenne, la médiane et le coefficient de corrélation d'un ensemble de données.

Comment tracer un graphique et une droite de régression

1) Sélection de la plage de données

2) Choix du graphique

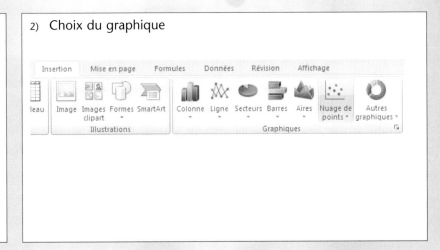

3) Choix des options du graphique

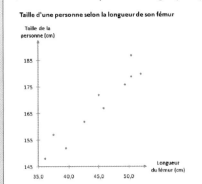

Après avoir tracé le graphique, on peut en modifier les différents éléments en cliquant sur le graphique et en utilisant le menu Disposition.

4) Ajout d'une droite de régression et affichage de l'équation sur le graphique

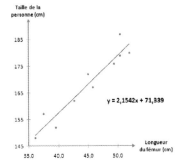

$y = 2,1542x + 71,339$

L'option Courbe de tendance du menu Disposition permet d'ajouter une droite de régression et d'en afficher l'équation.

Logiciel de géométrie dynamique

Un logiciel de géométrie dynamique permet de tracer et de déplacer différents objets dans un espace de travail. L'aspect dynamique de ce type de logiciel permet d'explorer et de vérifier des propriétés géométriques, et de valider des constructions.

L'espace de travail et les outils

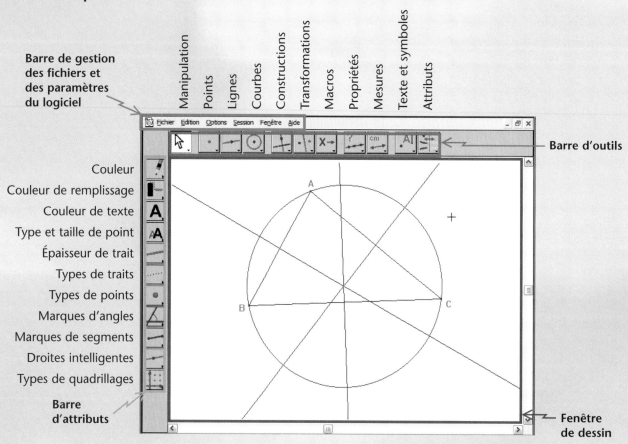

Une exploration géométrique

Un triangle est inscrit dans un cercle. L'un des côtés du triangle correspond à un diamètre du cercle. Afin d'explorer les particularités de ce triangle, on effectue la construction ci-dessous. Pour vérifier si le triangle ABC est rectangle, on peut afficher la mesure de l'angle C, vérifier si la relation de Pythagore est respectée d'après les mesures des côtés du triangle ou demander au logiciel si les côtés AC et BC sont perpendiculaires. En déplaçant le point C sur le cercle ou en modifiant la grosseur du cercle, on remarque que l'angle C demeure toujours droit.

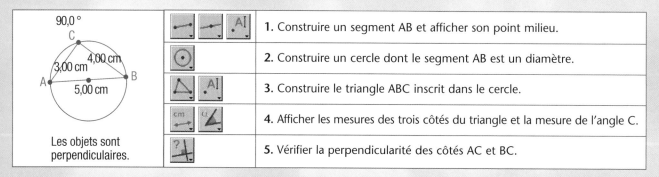

	1. Construire un segment AB et afficher son point milieu.
	2. Construire un cercle dont le segment AB est un diamètre.
	3. Construire le triangle ABC inscrit dans le cercle.
	4. Afficher les mesures des trois côtés du triangle et la mesure de l'angle C.
	5. Vérifier la perpendicularité des côtés AC et BC.

Une exploration graphique

Afin de connaître le lien qui existe entre les paramètres d'une fonction quadratique et ses propriétés, on effectue la construction ci-dessous. Les étapes **1** à **3** de cette construction visent à représenter graphiquement la fonction pour des valeurs des paramètres a, h et k que l'on peut faire varier par la suite. L'étape **4** met en évidence les coordonnées à l'origine. Les étapes **5** et **6** permettent de tracer l'axe de symétrie et de déterminer les coordonnées du sommet. Pour faire varier les paramètres, il suffit de sélectionner l'un des nombres créés. Une fenêtre avec des flèches apparaît alors. En modifiant la valeur du paramètre, on peut observer les changements dans la forme et la position de la courbe.

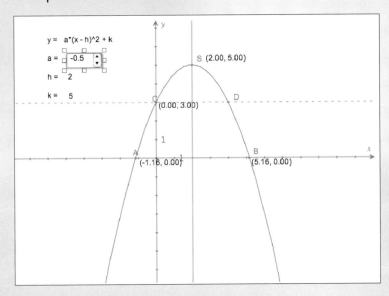

	1. Afficher les axes d'un plan cartésien et une grille.
	2. Créer l'expression «a(x − h)^2 + k». Créer trois nombres. Ajouter les textes «y = », «a = », «h = » et «k = ».
	3. Appliquer l'expression «a(x − h)^2 + k» afin de tracer le graphique en choisissant les trois nombres créés précédemment comme valeurs de a, h et k.
	4. Mettre les points A et B à l'intersection de la courbe et de l'axe des x, puis le point C à l'intersection de la courbe et de l'axe des y. Afficher les coordonnées de ces points.
	5. Construire une droite parallèle à l'axe des x passant par le point C. Mettre le point D à l'intersection de la courbe et de cette droite.
	6. Construire la médiatrice du segment CD. Mettre le point S à l'intersection de la médiatrice et de la courbe. Afficher les coordonnées de ce point.

Notations et symboles

Notation et symbole	Signification
{ }	Accolades. Utilisées pour énumérer les éléments faisant partie d'un ensemble.
$\mathbb{N}$	Ensemble des nombres naturels
$\mathbb{Z}$	Ensemble des nombres entiers
$\mathbb{Q}$	Ensemble des nombres rationnels
$\mathbb{Q}'$	Ensemble des nombres irrationnels
$\mathbb{R}$	Ensemble des nombres réels
$\cup$	Union d'ensembles
$\cap$	Intersection d'ensembles
$\varnothing$ ou { }	Ensemble vide
$\neq$	… n'est pas égal à… ou … est différent de…
$<$	… est inférieur à…
$>$	… est supérieur à…
$\leq$	… est inférieur ou égal à…
$\geq$	… est supérieur ou égal à…
$[a, b]$	Intervalle incluant a et b
$[a, b[$	Intervalle incluant a et excluant b
$]a, b]$	Intervalle excluant a et incluant b
$]a, b[$	Intervalle excluant a et b
∞	Infini
(a, b)	Couple de valeurs a et b
$f(x)$	Image de x par la fonction f (se lit « f de x »)
$x \mapsto f(x)$	x a pour image $f(x)$
Δy	Variation de y (se lit « delta y »)
$[x]$	Partie entière de x ou plus grand entier inférieur ou égal à x

Notation et symbole	Signification
( )	Parenthèses. Indiquent les opérations à effectuer en premier.
$-a$	Opposé du nombre a
$\frac{1}{a}$ ou a^{-1}	Inverse de a
a^2	Deuxième puissance de a ou a au carré
a^3	Troisième puissance de a ou a au cube
$\sqrt{a}$	Racine carrée de a
$\sqrt[3]{a}$	Racine cubique de a
%	Pourcentage
$a : b$	Rapport de a à b
≈	... est à peu près égal à...
π	Rapport de la circonférence d'un cercle à son diamètre (se lit «pi»)
°	Degré. Unité de mesure des angles.
m $\overline{AB}$	Mesure du segment AB
d(A,B)	Distance de A à B
m ∠	Mesure d'un angle
m $\overparen{AB}$	Mesure de l'arc de cercle AB
//	... est parallèle à...
⊥	... est perpendiculaire à...
∟	Désigne un angle droit dans une figure géométrique plane.
Δ ABC	Triangle ABC
≅	... est isométrique à...
~	... est semblable à...
≙	... correspond à...
Méd	Médiane d'une distribution
$\overline{X}$	Moyenne arithmétique de X

Énoncés de géométrie

	Énoncé	Exemple
1.	Si deux droites sont parallèles à une troisième, alors elles sont aussi parallèles entre elles.	Si $d_1 \mathbin{/\mkern-5mu/} d_2$ et $d_2 \mathbin{/\mkern-5mu/} d_3$, alors $d_1 \mathbin{/\mkern-5mu/} d_3$.
2.	Si deux droites sont perpendiculaires à une troisième, alors elles sont parallèles.	Si $d_1 \perp d_3$ et $d_2 \perp d_3$, alors $d_1 \mathbin{/\mkern-5mu/} d_2$.
3.	Si deux droites sont parallèles, toute perpendiculaire à l'une d'elles est perpendiculaire à l'autre.	Si $d_1 \mathbin{/\mkern-5mu/} d_2$ et $d_3 \perp d_2$, alors $d_3 \perp d_1$.
4.	Des angles adjacents dont les côtés extérieurs sont en ligne droite sont supplémentaires.	Les points A, B et D sont alignés. $\angle$ ABC et $\angle$ CBD sont adjacents et supplémentaires.
5.	Des angles adjacents dont les côtés extérieurs sont perpendiculaires sont complémentaires.	$\overline{AB} \perp \overline{BD}$. $\angle$ ABC et $\angle$ CBD sont adjacents et complémentaires.
6.	Les angles opposés par le sommet sont isométriques.	$\angle 1 \cong \angle 3$ $\angle 2 \cong \angle 4$
7.	Si une droite coupe deux droites parallèles, alors les angles alternes-internes, alternes-externes et correspondants sont respectivement isométriques.	Si $d_1 \mathbin{/\mkern-5mu/} d_2$, alors les angles 1, 3, 5 et 7 sont isométriques, et les angles 2, 4, 6 et 8 sont isométriques.
8.	Dans le cas d'une droite coupant deux droites, si deux angles correspondants (ou alternes-internes, ou encore alternes-externes) sont isométriques, alors ils sont formés par des droites parallèles coupées par une sécante.	Dans la figure de l'énoncé 7, si les angles 1, 3, 5 et 7 sont isométriques et les angles 2, 4, 6 et 8 sont isométriques, alors $d_1 \mathbin{/\mkern-5mu/} d_2$.
9.	Si une droite coupe deux droites parallèles, alors les paires d'angles internes situées du même côté de la sécante sont supplémentaires.	Si $d_1 \mathbin{/\mkern-5mu/} d_2$, alors $m \angle 1 + m \angle 2 = 180°$ et $m \angle 3 + m \angle 4 = 180°$.

	Énoncé	Exemple
10.	La somme des mesures des angles intérieurs d'un triangle est 180°.	$m \angle 1 + m \angle 2 + m \angle 3 = 180°$
11.	Les éléments homologues de figures planes ou de solides isométriques ont la même mesure.	$\overline{AD} \cong \overline{A'D'}$, $\overline{CD} \cong \overline{C'D'}$, $\overline{BC} \cong \overline{B'C'}$, $\overline{AB} \cong \overline{A'B'}$ $\angle A \cong \angle A'$, $\angle B \cong \angle B'$, $\angle C \cong \angle C'$, $\angle D \cong \angle D'$
12.	Dans tout triangle isocèle, les angles opposés aux côtés isométriques sont isométriques.	Dans un triangle isocèle ABC : $\overline{AB} \cong \overline{AC}$ $\angle C \cong \angle B$
13.	L'axe de symétrie d'un triangle isocèle supporte une médiane, une médiatrice, une bissectrice et une hauteur de ce triangle.	Axe de symétrie du triangle ABC
14.	Les côtés opposés d'un parallélogramme sont isométriques.	Dans un parallélogramme ABCD : $\overline{AB} \cong \overline{CD}$ et $\overline{AD} \cong \overline{BC}$
15.	Les diagonales d'un parallélogramme se coupent en leur milieu.	Dans un parallélogramme ABCD : $\overline{AE} \cong \overline{EC}$ et $\overline{DE} \cong \overline{EB}$
16.	Les angles opposés d'un parallélogramme sont isométriques.	Dans un parallélogramme ABCD : $\angle A \cong \angle C$ et $\angle B \cong \angle D$
17.	Dans un parallélogramme, la somme des mesures de deux angles consécutifs est 180°.	Dans un parallélogramme ABCD : $m \angle 1 + m \angle 2 = 180°$ $m \angle 2 + m \angle 3 = 180°$ $m \angle 3 + m \angle 4 = 180°$ $m \angle 4 + m \angle 1 = 180°$
18.	Les diagonales d'un rectangle sont isométriques.	Dans un rectangle ABCD : $\overline{AC} \cong \overline{BD}$
19.	Les diagonales d'un losange sont perpendiculaires.	Dans un losange ABCD : $\overline{AC} \perp \overline{BD}$
20.	La mesure d'un angle extérieur d'un triangle est égale à la somme des mesures des angles intérieurs qui ne lui sont pas adjacents.	$m \angle 3 = m \angle 1 + m \angle 2$

Énoncé	Exemple
21. Dans un triangle, au plus grand angle est opposé le plus grand côté.	Dans le triangle ABC, le plus grand angle est A, donc le plus grand côté est BC.
22. Dans un triangle, au plus petit angle est opposé le plus petit côté.	Dans le triangle ABC, le plus petit angle est B, donc le plus petit côté est AC.
23. La somme des mesures de deux côtés d'un triangle est toujours supérieure à la mesure du troisième côté.	$2 + 5 > 4$ $2 + 4 > 5$ $4 + 5 > 2$
24. La somme des mesures des angles intérieurs d'un quadrilatère est 360°.	$m \angle 1 + m \angle 2 + m \angle 3 + m \angle 4 = 360°$
25. La somme des mesures des angles intérieurs d'un polygone à n côtés est $n \times 180° - 360°$ ou $(n - 2) \times 180°$.	$n \times 180° - 360°$ ou $(n - 2) \times 180°$
26. La somme des mesures des angles extérieurs d'un polygone convexe est 360°.	$m \angle 1 + m \angle 2 + m \angle 3 + m \angle 4 + m \angle 5 + m \angle 6 = 360°$
27. Les angles homologues des figures planes ou des solides semblables sont isométriques et les mesures des côtés homologues sont proportionnelles.	Le triangle ABC est semblable au triangle A'B'C' : $\angle A \cong \angle A'$ $\angle B \cong \angle B'$ $\angle C \cong \angle C'$ $\dfrac{m\,\overline{A'B'}}{m\,\overline{AB}} = \dfrac{m\,\overline{B'C'}}{m\,\overline{BC}} = \dfrac{m\,\overline{A'C'}}{m\,\overline{AC}}$
28. Dans des figures planes semblables, le rapport entre les aires est égal au carré du rapport de similitude.	Dans les figures de l'énoncé 27, $\dfrac{m\,\overline{A'B'}}{m\,\overline{AB}} = \dfrac{m\,\overline{B'C'}}{m\,\overline{BC}} = \dfrac{m\,\overline{A'C'}}{m\,\overline{AC}} = k$ ← Rapport de similitude $\dfrac{\text{aire du triangle A'B'C'}}{\text{aire du triangle ABC}} = k^2$
29. Trois points non alignés déterminent un et un seul cercle.	Il existe un seul cercle passant par les points A, B et C.
30. Toutes les médiatrices des cordes d'un cercle se rencontrent au centre de ce cercle.	d_1 et d_2 sont respectivement les médiatrices des cordes AB et CD. Le point d'intersection M de ces médiatrices correspond au centre du cercle.

	Énoncé	Exemple
31.	Tous les diamètres d'un cercle sont isométriques.	$\overline{AD}$, $\overline{BE}$ et $\overline{CF}$ sont des diamètres du cercle de centre O. $\overline{AD} \cong \overline{BE} \cong \overline{CF}$
32.	Dans un cercle, la mesure du rayon est égale à la demi-mesure du diamètre.	$\overline{AB}$ est un diamètre du cercle de centre O. m $\overline{OA} = \frac{1}{2}$ m $\overline{AB}$
33.	Dans un cercle, le rapport de la circonférence au diamètre est une constante que l'on note π.	$\frac{C}{d} = \pi$
34.	Dans un cercle, l'angle au centre a la même mesure en degrés que celle de l'arc compris entre ses côtés.	Dans le cercle de centre O, m $\angle$ AOB = m $\overset{\frown}{AB}$ exprimées en degrés.
35.	Dans un cercle, le rapport des mesures de deux angles au centre est égal au rapport des mesures des arcs interceptés entre leurs côtés.	$\dfrac{m\angle AOB}{m\angle COD} = \dfrac{m\,\overset{\frown}{AB}}{m\,\overset{\frown}{CD}}$
36.	Dans un disque, le rapport des aires de deux secteurs est égal au rapport des mesures des angles au centre de ces secteurs.	$\dfrac{\text{aire du secteur AOB}}{\text{aire du secteur COD}} = \dfrac{m\angle AOB}{m\angle COD}$
37.	Dans des solides semblables : • le rapport entre les aires des faces homologues est égal au carré du rapport de similitude ; • le rapport entre les volumes est égal au cube du rapport de similitude.	Les deux solides suivants sont semblables : Rapport de similitude = 2 Rapport des aires = $2^2 = 4$ Rapport des volumes = $2^3 = 8$
38.	Dans un triangle rectangle, le carré de la mesure de l'hypoténuse égale la somme des carrés des mesures des autres côtés.	Dans le triangle rectangle ABC, $c^2 = a^2 + b^2$.
39.	Si un triangle est tel que le carré de la mesure d'un côté est égal à la somme des carrés des mesures des autres, alors il est rectangle.	Un triangle ayant des côtés de 5 cm, 12 cm et 13 cm est rectangle, car $13^2 = 12^2 + 5^2$.

A

Abscisse
Nombre qui correspond à la première coordonnée d'un point dans un plan cartésien.
Ex. : L'abscisse du point (5, –2) est 5.

Abscisse à l'origine
Abscisse d'un point d'intersection de la courbe et de l'axe des abscisses.

Aire d'un cône circulaire droit
$$A_{\text{cône circulaire droit}} = \pi r^2 + \pi r a$$

Aire d'un disque
$$A_{\text{disque}} = \pi r^2$$

Aire d'un losange
$$A_{\text{losange}} = \frac{D \times d}{2}$$

Aire d'un parallélogramme
$$A_{\text{parallélogramme}} = b \times h$$

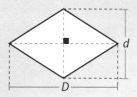

Aire d'un polygone régulier
$$A_{\text{polygone régulier}} = \frac{\begin{array}{c}(\text{périmètre} \\ \text{du polygone})\end{array} \times (\text{apothème})}{2}$$

Aire d'un trapèze
$$A_{\text{trapèze}} = \frac{(B + b) \times h}{2}$$

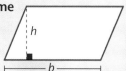

Aire d'un triangle
$$A_{\text{triangle}} = \frac{b \times h}{2}$$

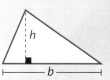

Aire d'une sphère
$$A_{\text{sphère}} = 4\pi r^2$$

Aire latérale d'un solide
Somme des aires des faces d'un solide qui ne sont pas ses bases.

Aire totale d'un solide
Somme des aires de toutes les faces du solide.

Angles
complémentaires, p. 151
supplémentaires, p. 151

Apothème d'un cône circulaire droit
Segment ou mesure d'un segment reliant l'apex au pourtour de la base.
Ex. :

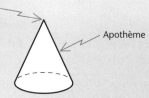

Apothème d'un polygone régulier
Segment perpendiculaire ou mesure du segment perpendiculaire mené du centre d'un polygone régulier au milieu d'un des côtés de ce polygone.
Ex. :

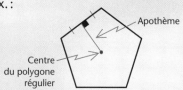

Apothème d'une pyramide régulière
Segment abaissé perpendiculairement de l'apex sur un des côtés du polygone formant la base de cette pyramide. Il correspond à la hauteur du triangle formant une face latérale.
Ex. :

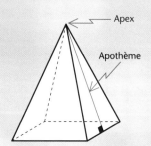

Arc cosinus, p. 160

Arc sinus, p. 160

Arc tangente, p. 174

Arête
Ligne d'intersection entre deux faces d'un solide.

Axe de symétrie
Une droite est un axe de symétrie d'une figure si la réflexion de cette figure par rapport à cette droite donne une figure image qui coïncide avec la figure initiale.
Ex. :

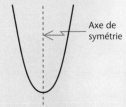

Axe de symétrie

Axe des abscisses (axe des *x*)
Droite graduée qui permet de déterminer l'abscisse d'un point dans un plan cartésien.

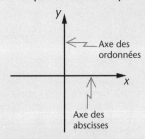

Axe des ordonnées

Axe des abscisses

Axe des ordonnées (axe des *y*)
Droite graduée qui permet de déterminer l'ordonnée d'un point dans un plan cartésien.

Axiome, p. 17

B

Binôme
Polynôme ayant deux termes.

Bissectrice
Droite qui partage un angle donné en deux angles isométriques.

Boule
Portion d'espace limitée par une sphère.

Boule

C

Capacité
Volume que peut contenir un récipient.

Carré, p. 8

Cathète
Côté qui forme l'angle droit d'un triangle rectangle.

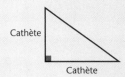

Cathète

Cathète

Cercle
Ligne fermée dont tous les points sont situés à égale distance d'un même point appelé centre.

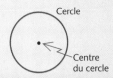

Cercle

Centre du cercle

Cerf-volant, p. 8

Circonférence
Longueur ou périmètre d'un cercle. Dans un cercle dont la circonférence est C, le diamètre est d et le rayon est r : $C = \pi d$ et $C = 2\pi r$.

Coefficient d'un terme
Dans un polynôme, facteur d'un terme excluant la ou les variables. Le coefficient peut être numérique ou littéral.
Ex. : Soit le polynôme $ax^2 - 4x + 5$. Le coefficient du premier terme est le paramètre a, le coefficient du deuxième terme est -4 et le coefficient du troisième terme est 5.

Conclusion, p. 17

Cône circulaire droit
Solide constitué de deux faces : un disque et un secteur. Le disque correspond à la base et le secteur, à la face latérale.

Conjecture, p. 17

Contre-exemple, p. 17

Coordonnées d'un point
Chacun des deux nombres décrivant la position d'un point dans un plan cartésien.
Ex. :

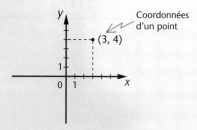

Cosinus d'un angle, p. 160, 161, 185

Courbe frontière, p. 127

Croissance d'une fonction
Une fonction est croissante si elle est associée à une courbe qui, de gauche à droite, est ascendante ou horizontale.

Cylindre circulaire droit
Solide constitué de trois faces : deux disques isométriques et un rectangle. Les disques correspondent aux bases et le rectangle, à la face latérale.

D

Décomposition en facteurs
Décomposer un polynôme en facteurs consiste à l'écrire sous la forme d'un produit de facteurs.

Décroissance d'une fonction
Une fonction est décroissante si elle est associée à une courbe qui, de gauche à droite, est descendante ou horizontale.

Définition, p. 17

Degré d'un monôme
Somme des exposants des variables qui composent le monôme.
Ex. : 1) Le degré du monôme 9 est 0.
   2) Le degré du monôme $-7xy$ est 2.
   3) Le degré du monôme $15a^2$ est 2.

Degré d'un polynôme à une variable
Plus grand exposant affecté à la variable du polynôme.
Ex. : Le degré du polynôme $7x^3 - x^2 + 4$ est 3.

Demi-plan, p. 127

Démonstration, p. 17

Diamètre
Segment ou longueur d'un segment reliant deux points d'un cercle et passant par le centre du cercle.

Discriminant
Dans la formule quadratique $x = \dfrac{-b \pm \sqrt{b^2 - 4ac}}{2a}$,
on appelle «discriminant» l'expression $b^2 - 4ac$. Le signe du discriminant permet de prévoir le nombre de zéros de la fonction.

Disque
Région du plan délimitée par un cercle.

Distance entre deux points, p. 82

Domaine d'une fonction
Le domaine est l'ensemble des valeurs que prend la variable indépendante x.

E

Échelle
Relation de correspondance entre les dimensions d'une reproduction et les dimensions de l'objet réel. L'échelle s'exprime de différentes façons.
Ex. : L'échelle 1 cm ≙ 100 km signifie que 1 cm sur la reproduction équivaut à 100 km dans la réalité.

Ensemble-solution, p. 127

Équation
Énoncé mathématique comportant une ou des variables et une relation d'égalité.
Ex. : $4x - 8 = 4$

Équation d'une droite, p. 93

Équations équivalentes
Des équations équivalentes sont des équations qui ont les mêmes solutions.

Expression rationnelle
Expression qui peut s'écrire comme le quotient de deux polynômes.

Expressions algébriques équivalentes
Deux expressions algébriques sont équivalentes si leur valeur est identique, quelles que soient les valeurs attribuées aux variables qu'elles contiennent.

Extremum d'une fonction
Maximum ou minimum d'une fonction.

Face
Surface plane ou courbe délimitée par des arêtes.

Figure image
Figure obtenue par une transformation géométrique appliquée à une figure initiale.

Figure initiale
Figure à laquelle on applique une transformation géométrique.

Figures équivalentes
- Deux lignes sont équivalentes si elles ont la même longueur.
- Deux figures planes sont équivalentes si elles ont la même aire.
- Deux solides sont équivalents s'ils ont le même volume.

Figures semblables, p. 9

Fonction
Relation entre deux variables dans laquelle à chaque valeur de la variable indépendante est associée au plus une valeur de la variable dépendante.

Fonction polynomiale de degré 0 ou fonction constante
Fonction représentée graphiquement par une droite horizontale. Sa règle s'écrit à l'aide d'un polynôme de degré 0.
Ex. :

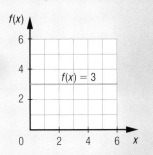

Fonction polynomiale de degré 1 ou fonction affine
Fonction représentée graphiquement par une droite oblique. Sa règle s'écrit à l'aide d'un polynôme de degré 1.
Ex. :

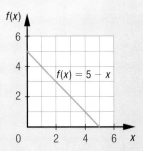

Fonction polynomiale de degré 2 ou fonction quadratique
Fonction représentée graphiquement par une parabole. Sa règle s'écrit à l'aide d'un polynôme de degré 2.
Ex. :

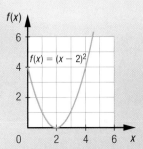

Formule quadratique
Lorsque la fonction quadratique est représentée par une équation sous la forme générale $f(x) = ax^2 + bx + c$, on peut déterminer les zéros (x_1 et x_2) à l'aide de la formule quadratique :

$$x_1 = \frac{-b + \sqrt{b^2 - 4ac}}{2a} \quad \text{et} \quad x_2 = \frac{-b - \sqrt{b^2 - 4ac}}{2a}$$

Ex. : Les zéros de la fonction
$f(x) = -2x^2 + 3x - 1$ sont :

$$x = \frac{-b \pm \sqrt{b^2 - 4ac}}{2a} = \frac{-3 \pm \sqrt{3^2 - 4(-2)(-1)}}{2(-2)} = \frac{-3 \pm 1}{-4}$$

$x_1 = 0,5$ et $x_2 = 1$

G

Géométrie analytique, p. 93

Hauteur d'un triangle
Segment ou longueur de segment abaissé perpendiculairement d'un sommet sur le côté opposé ou son prolongement.
Ex.:

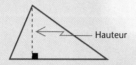

Homothétie, p. 9

Hypoténuse
Côté opposé à l'angle droit d'un triangle rectangle. C'est le plus long côté d'un triangle rectangle.

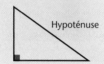

Hypothèse, p. 17

Identités algébriques
Une identité est une égalité qui relie deux expressions algébriques.
Ex.: $(a + b)^2 = a^2 + 2ab + b^2$
$(a - b)^2 = a^2 - 2ab + b^2$
$a^2 - b^2 = (a + b)(a - b)$

Image d'une fonction
Ensemble des valeurs que prend la variable dépendante $f(x)$.

Inéquation
Énoncé mathématique qui comporte une ou des variables et un symbole d'inégalité ($>$, $<$, $\geq$ ou $\leq$).

Inéquations équivalentes
Des inéquations sont équivalentes si elles ont le même ensemble-solution.

Intervalle
Ensemble de nombres compris entre deux nombres appelés bornes.
Ex.: L'intervalle des nombres réels allant de -2 inclus à 9 exclu est [-2, 9[.

Isométrie, p. 8

Lois des cosinus, p. 186

Lois des exposants

Loi	
$a^m \cdot a^n = a^{m+n}$	où $a \neq 0$
$\dfrac{a^m}{a^n} = a^{m-n}$	où $a \neq 0$
$(ab)^n = a^n b^n$	où $a \neq 0$ et $b \neq 0$
$(a^m)^n = a^{mn}$	où $a \neq 0$
$\left(\dfrac{a}{b}\right)^m = \dfrac{a^m}{b^m}$	où $a \neq 0$ et $b \neq 0$

Lois des sinus, p. 186

Losange, p. 8

Maximum d'une fonction
La plus grande valeur de $f(x)$.

Médiane d'un triangle
Segment qui relie le sommet d'un triangle au milieu du côté opposé.

Ex.: Les segments AE, BF et CD sont les médianes du triangle ABC.

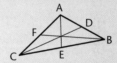

Médiatrice
Droite perpendiculaire à un segment en son milieu. C'est aussi un axe de symétrie d'un segment.
Ex.:

Minimum d'une fonction
La plus petite valeur de $f(x)$.

Modèle mathématique
Traduction d'un phénomène à l'aide de représentations mathématiques (équation, graphique) dans le but de l'analyser.

Monôme
Expression algébrique composée uniquement d'un nombre ou d'un produit de nombres et de variables.
Ex.: 9, x et $3xy^2$ sont des monômes.

Nombre entier
Nombre appartenant à
l'ensemble $\mathbb{Z} = \{..., -2, -1, 0, 1, 2, ...\}$.

Nombre irrationnel
Nombre qui ne peut pas s'exprimer comme
un quotient d'entiers et dont le développement
décimal est infini et non périodique.

Nombre naturel
Nombre appartenant à
l'ensemble $\mathbb{N} = \{0, 1, 2, 3, ...\}$.

Nombre rationnel
Nombre qui peut être écrit sous la forme $\frac{a}{b}$
où a et b sont des nombres entiers, et b
est différent de 0. Sous la forme décimale, le
développement est fini ou infini et périodique.

Nombre réel
Nombre qui appartient à l'ensemble
des nombres rationnels ou à l'ensemble
des nombres irrationnels.

Ordonnée
Nombre qui correspond à la seconde
coordonnée d'un point dans le plan cartésien.
Ex.: L'ordonnée du point (5, –2) est –2.

Ordonnée à l'origine
Ordonnée du point d'intersection de la courbe
et de l'axe des ordonnées.

Origine du plan cartésien
Point d'intersection des deux axes
d'un plan cartésien. Les coordonnées
de l'origine sont (0, 0).

Parabole
La représentation graphique d'une fonction
quadratique est appelée «parabole».
Ex.:

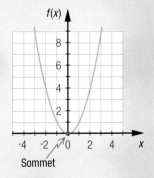

Parallélogramme, p. 8

Paramètre
Dans une expression algébrique, lettre autre
que la variable dont on peut fixer la valeur
numérique.

Pente d'une droite, p. 92

Plan cartésien
Plan muni d'un système de repérage formé
de deux droites graduées qui se coupent
perpendiculairement.

Polyèdre
Solide limité par des faces planes qui sont
des polygones.
Ex.:

Polygone
Figure plane formée par une ligne brisée.
Ex.:

Polygones

Nombre de côtés	Nom du polygone
3	Triangle
4	Quadrilatère
5	Pentagone
6	Hexagone
7	Heptagone
8	Octogone
9	Ennéagone
10	Décagone
11	Hendécagone
12	Dodécagone

Polygone régulier
Polygone dont tous les côtés sont
isométriques et dont tous les angles
sont isométriques.
Ex.:

Polynôme
Somme de monômes.

Prisme
Polyèdre ayant deux faces isométriques et parallèles appelées bases.
Les parallélogrammes qui relient ces deux bases sont appelés faces latérales.
Ex. : Prisme à base triangulaire

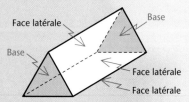

Prisme droit
Prisme dont les faces latérales sont des rectangles.
Ex. : Prisme droit à base trapézoïdale

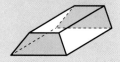

Prisme régulier
Prisme droit dont la base est un polygone régulier.
Ex. : Prisme régulier à base heptagonale

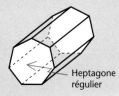

Heptagone régulier

Proportion
Égalité entre deux rapports ou deux taux.
Ex. : Si le rapport de a à b, pour $b \neq 0$, est égal au rapport de c à d, pour $d \neq 0$, alors $a : b = c : d$ ou $\frac{a}{b} = \frac{c}{d}$ est une proportion.

Pyramide
Polyèdre constitué d'une seule base ayant la forme d'un polygone et dont les faces latérales sont des triangles ayant un sommet commun appelé «apex».
Ex. : Pyramide à base octogonale

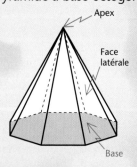

Apex

Face latérale

Base

Pyramide droite
Pyramide dont le segment abaissé depuis l'apex, perpendiculairement à la base, arrive au centre du polygone formant cette base.
Ex. : Pyramide droite à base rectangulaire

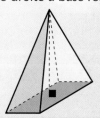

Pyramide régulière
Pyramide droite dont la base est un polygone régulier.
Ex. : Pyramide régulière à base hexagonale

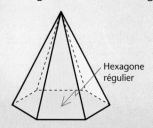

Hexagone régulier

Q

Quadrilatère, p. 8

R

Racine carrée d'un nombre positif
Le nombre a est une racine carrée d'un nombre positif b, si $a^2 = b$. Tout nombre b supérieur à 0 a deux racines carrées, l'une positive, notée $\sqrt{b}$, et l'autre négative, notée $-\sqrt{b}$.
Ex. : Les racines carrées de 25 sont 5 et –5.

Racine cubique d'un nombre
Le nombre a est une racine cubique d'un nombre b, si $a^3 = b$. Dans l'ensemble des nombres réels, chaque nombre b a une seule racine cubique, notée $\sqrt[3]{b}$.
Ex. :

Indice $\longrightarrow \sqrt[3]{125} = 5$

Radical   Radicande

Rapport
Mode de comparaison entre deux quantités ou deux grandeurs de même nature exprimées dans les mêmes unités et qui fait intervenir la notion de division.

Rapport trigonométrique, p. 160

Rapport trigonométrique dans le cercle unité, p. 173

Rayon
Le rayon est un segment ou la longueur d'un segment reliant un point quelconque d'un cercle à son centre.

Réciproque d'un théorème, p. 17

Rectangle, p. 8

Réflexion
Transformation géométrique qui permet d'associer, à toute figure initiale, une figure image par rapport à une droite donnée appelée axe de réflexion.

Règle d'une fonction
Équation décrivant le lien entre la variable dépendante et la variable indépendante d'une relation fonctionnelle.

Règle d'une fonction polynomiale de degré 1
La règle d'une fonction polynomiale de degré 1 est de la forme $y = ax + b$, où a est le taux de variation et b, la valeur initiale.

Règle d'une fonction quadratique
La règle d'une fonction quadratique prend trois formes :
- forme canonique :
  $f(x) = a(x - h)^2 + k$, où $a \neq 0$;
- forme factorisée :
  $f(x) = a(x - x_1)(x - x_2)$, où $a \neq 0$;
- forme générale :
  $f(x) = ax^2 + bx + c$, où $a \neq 0$.

Règles de transformation des inéquations
Règles qui permettent d'obtenir des inéquations équivalentes.
- Additionner ou soustraire le même nombre à chaque membre d'une inéquation.
- Multiplier ou diviser chaque membre d'une inéquation par le même nombre positif, différent de 0.
- Multiplier ou diviser chaque membre d'une inéquation par le même nombre négatif, différent de 0, en inversant le sens de l'inégalité.

Relation de Pythagore
Dans un triangle rectangle, le carré de la mesure de l'hypoténuse est égal à la somme des carrés des mesures des cathètes.

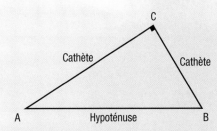

$$\left(m \,\overline{AB}\right)^2 = \left(m \,\overline{AC}\right)^2 + \left(m \,\overline{CB}\right)^2$$

Résolution d'un système d'équations
  méthode de comparaison, p. 83
  méthode de réduction, p. 105
  méthode de substitution, p. 104

Rotation
Transformation géométrique qui permet d'associer, à toute figure initiale, une figure image, selon un centre, un angle et un sens de rotation donnés.

S

Sinus d'un angle, p. 160, 161, 185

Situation de proportionnalité directe au carré
Une variable y est directement proportionnelle au carré de x, si $y = ax^2$.

Sommet d'un solide
Point commun à au moins deux arêtes d'un solide.

Sommet d'une parabole
Point de la parabole qui se trouve sur l'axe de symétrie de celle-ci.

Sphère
Surface dont tous les points sont situés à égale distance d'un point appelé centre.

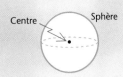

T

Tangente d'un angle, p. 173, 174

Taux de variation
Dans une relation faisant intervenir deux variables, le taux de variation est une comparaison entre deux variations qui se correspondent.

$$\text{Taux de variation} = \frac{\text{variation de la variable dépendante}}{\text{variation correspondante de la variable indépendante}}$$

Termes semblables
Termes composés des mêmes variables affectées des mêmes exposants ou termes constants.
Ex.: 1) $8ax^2$ et ax^2 sont des termes semblables.
2) 8 et 17 sont des termes semblables.

Théorème, p. 17

Trajectoire
Ligne décrivant le mouvement d'un point ou du centre de gravité d'un objet dans un espace.

Translation
Transformation géométrique qui permet d'associer, à toute figure initiale, une figure image selon une direction, un sens et une longueur donnés.

Trapèze, p. 8

Trapèze isocèle
Trapèze ayant deux côtés isométriques.
Ex.:

Trapèze rectangle
Trapèze ayant deux angles droits.
Ex.:

Triangle, p. 7

Triangles isométriques, p. 32

Triangles semblables, p. 44

Trigonométrie, p. 160

Trinôme
Polynôme ayant trois termes.

U

Unités de capacité
Le litre est l'unité de capacité du SI. Cette mesure correspond à la capacité d'un récipient pouvant contenir un volume de 1 dm^3. Les multiples et les sous-multiples du litre sont décrits à l'aide des préfixes usuels (milli-, centi-, déci-, déca-, hecto-, kilo-).

Ex.: 1 dL correspond à $\frac{1}{10}$ L.

Unités de longueur, d'aire et de volume
Le mètre, le mètre carré et le mètre cube sont respectivement les unités de longueur, d'aire et de volume du SI. Les multiples et les sous-multiples de ces unités sont décrits à l'aide des préfixes usuels dont la signification dépend de l'unité de base considérée.

Ex.: 1 dm correspond à $\frac{1}{10}$ m.

1 dm^2 correspond à $\frac{1}{100}$ m^2.

1 dm^3 correspond à $\frac{1}{1000}$ m^3.

V

Volume d'un solide
Mesure de l'espace occupé par un solide.

Ex. : V et A_b représentent respectivement le volume du solide et l'aire de sa base.

Prismes droits et cylindre droit

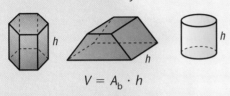

$$V = A_b \cdot h$$

Pyramide droite et cône circulaire droit

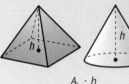

Boule

$$V = \frac{A_b \cdot h}{3}$$

$$V = \frac{4\pi r^3}{3}$$

Z

Zéro d'une fonction
Abscisse du point d'intersection de la courbe et de l'axe des abscisses.

Zéro d'une fonction quadratique
Pour déterminer les zéros d'une fonction quadratique, s'il y en a, on peut résoudre l'équation $a(x - h)^2 + k = 0$, $ax^2 + bx + c = 0$ ou $a(x - x_1)(x - x_2) = 0$, selon la forme que prend la fonction, à l'aide de la décomposition en facteurs, de la complétion du carré ou de la formule quadratique.

Crédits photographiques

H Haut **B** Bas **G** Gauche **D** Droite **M** Milieu **FP** Fond de page

Couverture

© Joe Gough/Shutterstock

Vision 5

Présentation HG © Paul Russell/Corbis **Présentation HD** © Shutterstock **Présentation MG** © FloridaStock/
Shutterstock **Présentation MD** © bbbb/Shutterstock **6 M** © Steeve Lemay **10 MD** © Dean Muz/Design
Pics/Corbis **11 MG** 9860353 © 2009 Jupiter Images et ses représentants **12 HD** © Scala/Art Resource **12 BG**
© Interfoto/Alamy **14 BG** © Digital Vision/Alamy **15 BD** © Bettmann/Corbis **23 HG** © Georges Mathon **25
BD** © Science Photo Library **28 HD** © Mary Evans Picture Library/Alamy **35 MD** 3169059 © 2009 Jupiter
Images et ses représentants **37 MD** © Zoran Vukmanov Simokov/Shutterstock **39 HM** © Drew Hadley/Alamy
40 MD © Clifford Mueller/iStockphoto **40 BD** © Marc de Oliveira/iStockphoto **42 HG** © taodude/Shutterstock
42 MG © 300dpi/Shutterstock **46 BD** © Darren Whitt/Shutterstock **47 MD** © Karl Dupéré-Richer **47 BD** ©
Neale Cousland/Shutterstock **48 HD** © J. Helgason/Shutterstock **48 BM** © Chris Turner/Shutterstock **50 MD**
© Philip James Corwin/Corbis **51 MG** © John Evans/Shutterstock **52 BD** © grafica/Shutterstock **53 HD** ©
Péter Gudella/Shutterstock **55 HD** © Bettmann/Corbis **59 HD** © SebStock/Shutterstock **64 MD** © Science
Photo Library/Publiphoto **64 BG** © Bettmann/Corbis **65 HD** © Sheila Terry/Science Photo Library **65 MG** ©
Time & Life Pictures/Getty Images **66 FP** © Libre de droits **66 MD** © Holger Mette/Shutterstock **66 MG** ©
Shawn Kashou/Shutterstock **66 BG** © PixAchi/Shutterstock **67 HD** Photo Michel Boulet © Centre Canadien
d'architecture/Canadian Centre for Architecture, Montréal **67 MD** © Kim Karpeles/Alamy **68 BD** © riekephotos/
Shutterstock **69 HG** © R. Gino Santa Maria/Shutterstock **70 HG** © Anthony Hawthorne/Alamy **73 BD** © sunxuejun/
Shutterstock **73 BM** © c./Shutterstock **74 HD** © Stapleton Collection/Corbis **74 M** © Libre de droits

Vision 6

Présentation HG © Jose Gil/Shutterstock **Présentation HD** © Franz-W. Franzelin/iStockphoto **Présentation
MG** © Corbis **Présentation MD** © Robert Studio/Shutterstock **84 HD** © Neil Farrin/JAI/Corbis **86 BD** © joyfull/
Shutterstock **87 HD** © Huntstock, Inc/Alamy **89 HG** © Benis Arapovic/Shutterstock **89 HD** © Radim
Spitzer/Shutterstock **90 HD** © Lebrecht Music and Arts Photo Library/Alamy **95 BG** © Eric Kluckers/Eurobeton
96 BG © Roger Ressmeyer/Corbis **100 HD** © Elemental Imaging/Shutterstock **101 BD** © Tad Denson/
Shutterstock **102 HD** © greeneyegroup/Alamy **102 HD** © Andrew Lambert Photography/Science Photo
Library **103 HD** © Corbis **109 MD** © James C. Pruitt/iStockphoto **109 BD** © Greg Wright/Alamy **110 BD** ©
Leslie Banks/iStockphoto **114 BM** © David Jay Zimmerman/Corbis **117 BD** © Dave Raboin/iStockphoto **119 MD**
© Daniel Loiselle/iStockphoto **121 MD** © Gianni Dagli Orti/Corbis **123 MD** © Radius Images/Corbis **124 HD** ©
Jerry McCrea/Star Ledger/Corbis **124 BG** © terekhov igor/Shutterstock **131 MD** © Visuals Unlimited/Corbis
133 B © ostill/Shutterstock **134 HG** © The Art Archive/Corbis **134 BD** © Photo Libre de droits **135 HD** ©
Photo Libre de droits **136 MG** © Bettmann/Corbis **136 BD** © Bettmann/Corbis **137 MG** © Mary Evans Picture
Library/Alamy **139 MD** © Transtock/Corbis **143 HD** © Arthur Thévenart/Corbis **144 HD** © floconagile/Fotolia
145 HD © Pacific Press Service/Alamy **146 MD** © Colin Cuthberth/Science Photo Library **147 MD** ©
Sampics/Corbis

Vision 7

Présentation HG © Charles O'Rear/Corbis **Présentation HD** © Fancy/Veer/Corbis **Présentation MG** © Dan70/Shutterstock **Présentation MD** © David Kerkhoff/iStockphoto **150 MD** © Worldspec/NASA/Alamy **154 BD** © Netfalls/Shutterstock **155 BG** © Funiculaire du Vieux-Québec **156 HD** © Photo libre de droits/Wikipedia **165 HG** © PhotoDisc **167 HD** © Thorsten Rust/Shutterstock **167 BG** © Steeve Lemay **168 BG** © Michelle Eadie/Shutterstock **170 HD** © Randy Faris/Corbis **171 BG** © Gary Hershorn/Reuters/Corbis **176 MD** © Image Source/La Presse Canadienne **178 HD** © Geoeye/Science Photo Library **178 BM** © Gaston Lacombe/iStockphoto **179 MG** © Jozef Sedmak/Shutterstock **181 BD** © Michael G Smith/Shutterstock **182 HD** © Richard Hamilton Smith/Corbis **183 HD** © Henryk Sadura/iStockphoto **188 BD** © Arvind Balaraman/Shutterstock **189 HD** © John Pischke/iStockphoto **190 HD** © Frans Lanting/Corbis **191 HD** © Maxim Tupikov/Shutterstock **191 M** © Normand Rajotte/Pointe-à-Callière, musée d'archéologie et d'histoire de Montréal **192 BD** © Michele Falzone/JAI/Corbis **196 MD** © Werner Forman/Corbis **196 BG** 4078522 © 2009 Jupiter Images et ses représentants **196 BD** 11129699 © 2009 Jupiter Images et ses représentants **197 HD** © Friedrich Saurer/Alamy **197 M** © Philip Smith/Alamy **199 MG** © Photo libre de droits/Wikimedia Commons **201 HD** © Stephen Finn/Shutterstock **202 HD** © Timothy Large/Shutterstock **203 BD** © European Space Agency/Science Photo Library **204 HD** © Danita Delimont/Alamy **207 HD** © Martin Bond/Science Photo Library

Répertoire des SAÉ

210 M © Bettmann/Corbis **210 BG** © Bettmann/Corbis **211 MD** © MAPS.com/Corbis **212 HG** © Sandro Campardo/epa/Corbis **212 MD** © Lucy Pringle **213 HD** © FirstLight **214 HD** © Colin Cadle/Alamy **214 BM** © NOAA/Handout/Reuters/Corbis **215 HD** © Evgeny Vasenev/Shutterstock **216 HM** © charles gouin/Shutterstock **217 HD** © Hemis/Alamy **217 MD** © Fredy Thuerig/Shutterstock **218 MG** © Andrius Maciunas/Shutterstock **218 BG** © beaucroft/Shutterstock **218 BD** © Maxim Kulko/Shutterstock **219 HD** © NASA Headquarters - Greatest Images of NASA **219 BD** © NASA/Science Photo Library **220 MD** © hari pillai/Alamy **220 BG** © Space Imaging Europe/Science Photo Library **221 HD** © paris-pix/Alamy **221 BG** © Photo libre de droits/Wikimedia Commons